YNA DIGWYDDODD RHYWBETH

Stori am Ddementia Cyffredin

CHRIS CARLING

y Lolfa

Cyhoeddwyd gyntaf yng Nghymru yn 2019
gan Y Lolfa Cyf.
Talybont
Ceredigion SY24 5HE
www.ylolfa.com

Cyhoeddwyd gyntaf ym Mhrydain yn 2012
gan Golden Books
47 Searle Street
Caergrawnt CB4 3DB
www.goldenbooks.co.uk

ISBN: 978 1 78461 752 3

Cynnwys

SYLWER: Newidiwyd enwau rhai lleoliadau a phreswylwyr cartrefi gofal i ddiogelu eu preifatrwydd.

Rhan 1

Fred, Mary a finnau

Y Penwythnos Mawr

Stori gyffredin

Fred a Mary yw fy rhieni a dyma'n stori ni, stori gyffredin am deulu a dementia, a sut mae dementia'n newid popeth mewn ffyrdd arferol ac anarferol. Mae ein stori'n un gyffredin – mae hen bobl sydd â dementia i'w canfod ym mhobman o chwilio – ac mae hi hefyd yn stori unigryw. Mae clefyd Alzheimer neu fathau eraill o ddementia yn effeithio'n wahanol ar bob teulu, sy'n golygu bod gan bob teulu stori wahanol i'w hadrodd.

Mae ein stori ni yn anarferol oherwydd bod dementia ar fy mam, Mary, yn ogystal ag ar fy nhad, Fred, ond gwahanol fathau o ddementia. I mi, eu merch, newidiodd y ddau o fod yn rhieni i fod yn bobl, yn unigolion oedd unwaith â gobeithion a breuddwydion a'r rheini'n dod i ben wrth i'w dementia ddatblygu.

Pan ddechreuais ysgrifennu'r cofiant hwn, credwn mai Fred a Mary oedd y prif gymeriadau a minnau, eu gofalwr amatur, yn is-gymeriad. Dim ond yn ddiweddar y sylweddolais mai fy stori i yw hi i raddau helaeth, fy mod i'n gyfrannwr blaenllaw iddi a bod y tyst – y sawl sy'n gorfod cadw meddwl clir tra bod eraill yn colli eu meddyliau – yn dioddef hefyd. Do'n i ddim eisiau cydnabod hyn am amser maith; am flynyddoedd ro'n i'n dweud wrthyf i fy hun, "Dwi'n iawn, galla i ymdopi â hyn."

Efallai mai'r rheswm am hyn oedd nad oeddwn yn fwriadol wedi dewis rôl y gofalwr. Digwyddodd hynny ar ddamwain rywsut wrth i mi helpu fy rhieni wrth iddyn nhw heneiddio, fel mae aelodau teuluoedd yn ei wneud, ac yna helpu ychydig mwy, a mwy wrth i'w meddyliau fynd yn ffwndrus. Ymhen dim o dro, neu o leiaf felly y teimlai i mi, fi oedd 'yr oedolyn cyfrifol' yn y teulu.

Dim ond wrth edrych yn ôl y sylweddolaf hyn. Roeddwn i'n rhy brysur yn ceisio ymdopi ac edrych yn gyfrifol a hyderus fel alarch ar wyneb y dŵr, ac felly heb sylwi cymaint o waith a gâi ei wneud dan yr wyneb. Ac roedd un ffactor arall hefyd. Credwn fod gofalwyr yn bobl anhunanol a oedd yn aberthu eu holl fywydau, bedair awr ar hugain y dydd, i ofalu am y sawl ro'n nhw'n ei garu. A doedd hynny ddim yn wir amdana i. Do'n i ddim yn anhunanol, roedd gen i fy mywyd fy hun, a 'nghartref fy hun i'w gynnal. Nid oeddwn wedi llawn werthfawrogi fy rôl gan feddwl mai dim ond rhoi rhyw ychydig o help oeddwn i. Doedd hynny ddim yn straen go iawn, nac oedd, nid fel y straen sydd ar ofalwyr llawn amser. Eto roedd adegau pan na wyddwn i beth i'w wneud. Fel llawer o ofalwyr amatur, rhai rhan-amser ond anhepgor, ro'n i'n teimlo'n gyfrifol am fy rhieni ond eto'n gwbl ddibrofiad i wybod beth oedd orau i gwpl a oedd yn colli eu meddyliau mewn ffyrdd gwahanol. O ganlyniad, mae'r stori hon nid yn unig am ddementia cynyddol fy rhieni ond hefyd am fy ymdrechion i'w cynnal (gan ddysgu drwy brofiad) nes oedd y baich hwnnw'n rhy drwm. Mae'r rhan honno o'r stori wedi'i chyflwyno i 'ofalwyr amatur' ym mhobman.

Ar yr un pryd, fel pob stori dda, mae hanes Fred a Mary yn stori serch, er nad o'n i wedi gwerthfawrogi cryfder eu cariad at ei gilydd ar y dechrau. I blant, hyd yn oed rhai aeddfed fel fi, mae tadau a mamau yn rhieni yn gyntaf, a chariadon yn ail pell. Yr hyn o'n i *yn* ei wybod oedd bod Fred yn dipyn o ramantydd: y math o ddyn fyddai'n rhoi pytiau o farddoniaeth yn ei boced cyn hedfan ar gyrchoedd fel Llywiwr yn yr RAF yn ystod yr Ail Ryfel Byd. Gwyddwn ei fod o'n caru Mary o'r eiliad y cyfarfu'r ddau, mewn ffair, yn 1934 pan oedd o'n ddwy ar bymtheg oed. A dyma nhw, dros 70 o flynyddoedd yn ddiweddarach yn wynebu dirywiad meddyliol: a oedd eu stori dylwyth teg ar fin cyrraedd diweddglo creulon?

Dechreuad disylw

Mae ein stori gyffredin am ddementia yn y teulu yn dechrau'n ddramatig ond roedd ei gwreiddiau wedi eu plannu'n dawel flynyddoedd ynghynt. Mae dementia, yn enwedig clefyd Alzheimer, yn llechwraidd, yn cropian yn araf at rywun, yn lapio'i freichiau o'ch cwmpas yn dyner ar y dechrau cyn gwasgu'n dynnach. Felly does dim man cychwyn pendant i ddementia fy rhieni. Neu o leiaf, does dim man cychwyn yr oeddwn i'n ymwybodol ohono ar y pryd.

Yr hyn sy'n eglur yw'r ffaith bod Mam, Dad a minnau – erbyn 2005 – ar ddechrau brwydr wrth i ysbryd Dad fynd yn is a'r meddyg teulu'n rhoi mwy a mwy o dabledi gwrthiselder iddo i godi ei galon. Bryd hynny, iselder oedd y diagnosis, nid dementia. Yn gynnar yn 2006, a minnau'n dechrau blino wrth geisio cynnal eu cartref nhw a fy un innau, gofynnais i'r Gwasanaethau Cymdeithasol am gymorth. Er bod y weithwraig gymdeithasol wedi gwrthod 'cynllun gofal', sylwodd ar iselder Dad a'i gyfeirio at Dîm Iechyd Meddwl yr Henoed. Roedd asesiad y Nyrs Seiciatrig Gymunedol yn nodi nad oedd yr iselder yn dilyn y patrwm arferol a bod ei gyflwr meddwl, o bosib, yn un mwy difrifol. Er mwyn cadarnhau ei hamheuon, awgrymwyd wrth Dad y dylai weld arbenigwr ar seiciatreg yr henoed. Yn haf 2006, ychydig cyn ei ben-blwydd yn 89 oed, ymwelodd Dr Dening ag ef yn ei gartref a rhoi diagnosis o ddementia fasgwlar iddo. Roedd hynny wedi'i achosi o bosib gan gyfres o strociau bychain nad oedd neb wedi sylw arnyn nhw.

Ar yr un pryd, yn ddiarwybod i ni, roedd Mary'n datblygu symptomau o glefyd Alzheimer neu ryw fath o ddementia tebyg. Fel dau o bob tri sydd â dementia, ni chafodd erioed ddiagnosis swyddogol. Yr agosaf y bu hi at ddiagnosis o'r fath oedd yn ystod ymweliad Dr Dening â Fred pan sylwodd hwnnw'n answyddogol ar ei lleferydd a'i hymddygiad, a meddwl efallai fod y clefyd Alzheimer yn dechrau arni. Ond doedd hi ddim yn un o'i gleifion, ac o ganlyniad ni wnaethpwyd dim ynglŷn â'r peth.

Brwydro ymlaen

Yn y cyfnod cynnar hwnnw roedd Mary a Fred yn dal i fyw yn eu tŷ eu hunain ac yn brwydro ymlaen ar ôl llwyddo i gael ychydig o gymorth o'r tu allan am ychydig oriau'r wythnos, nid trwy'r Gwasanaethau Cymdeithasol ond trwy elusen leol o'r enw Crossroads, a rhywfaint o help llaw gen i. Cefais sioc wrth raddol sylweddoli bod meddyliau'r ddau'n methu mewn gwahanol ffyrdd. Er bod eu lles wedi bod yn peri pryder i mi ac wedi bod yn faich ers blwyddyn neu ddwy, do'n i ddim yn gwybod beth oedd yn bod arnyn nhw. Roedd hyn flynyddoedd lawer cyn i ddementia fod yn y penawdau ac yn destun trafod, fel y mae heddiw.

Yn fy rôl fel gofalwr amatur, roeddwn yn ymweld â'r ddau'n amlach

– ac yn poeni pan o'n i'n methu mynd – wrth imi lywio'r teulu ar hyd llwybr a oedd yn fwyfwy simsan. Ond doedd Mam ddim yn sylwi ar fy nghyfraniad gan gredu, o ganlyniad i'w dementia, ei bod hi a Dad yn ymdopi'n annibynnol, er ei bod yn cwyno nad oedd Dad yn hwfro ddigon! Ni sylwais ar yr arwyddion achos doedd gen i ddim profiad o ddementia.

Ar ôl i Dad gael gwybod bod ganddo ddementia fasgwlar, ef oedd ffocws fy sylw tra oedd ymddygiad od Mam yn cael ei wthio i gefn fy meddwl. Ar y pryd, doedd dementia Dad ddim yn golygu ei fod yn drysu'n llwyr – roedd yr effeithiau'n fwy penodol, yn ymosod ar y rhannau o'r ymennydd sy'n gyfrifol am y gallu i wneud penderfyniadau, cynllunio a chymhelliant. Roedd o'n ymwybodol nad oedd Mam ac yntau yn ymdopi'n dda iawn ond roedd ei anallu i wneud penderfyniadau a chynllunio yn golygu na allai wneud dim ynglŷn â'r peth. Ni soniodd yr un gair am ei ddementia fasgwlar, a phenderfynais na fyddwn innau'n sôn amdano ychwaith. Ei ymateb i'r sefyllfa anobeithiol hon oedd dianc ohoni trwy dreulio llawer iawn o'i fywyd yn cysgu.

Er nad oedd dementia fasgwlar Dad nac 'arwyddion cynnar o glefyd Alzheimer' Mam yn cael eu trafod, roedd eu heffeithiau'n dechrau dangos – nid yw cartref sydd â dau berson â dau fath o ddementia yn un rhwydd i'w gynnal. Wedi iddyn nhw roi'r gorau i siopa'n wythnosol yn Tesco, dechreuais archebu eu bwyd ar Tesco Online; a phan oedd paratoi bwyd yn anodd, dechreuais archebu eu prydau canol dydd oddi wrth Wiltshire Farm Foods. Roedd y rhain yn cael eu danfon bob pythefnos a'u cadw yn y rhewgell. Dysgodd Dad sut i'w 'coginio' yn y popty microdon (mae'n haws byw â dementia fasgwlar na chlefyd Alzheimer, o leiaf yn y dyddiau cynnar) tra oedd Mam yn dal i gredu mai hi oedd yn paratoi cinio. Ar ôl iddyn nhw roi'r gorau i fynd allan o'r tŷ – Mam oherwydd bod arni ofn syrthio, a hefyd yn meddwl yn anghywir bod y doctor wedi dweud wrthi aros yn y tŷ – fi oedd yn nôl y presgripsiwn ac yn ei roi yn y 'tun tabledi' er mwyn i Dad allu cymryd ei dabledi (niferus) a rhoi tabledi i Mam ar gyfer ei thyroid; os oedd bwlb yn chwythu neu declyn yn torri, fi oedd yr un oedd yn mynd yno i'w trwsio. A phan oedd Dad yn gorfod mynd i'r ysbyty gyda'i broblemau iechyd corfforol (ymweliadau brys am anemia, endosgopi, dirywiad y maciwla) neu'n gorfod mynd at y meddyg teulu am brofion llygaid a chlust, fi oedd yn mynd ag ef. A gyda chryn anhawster, fi oedd yn golchi eu gwallt, ac yn steilydd gwallt di-glem...

Pe bai rhywun wedi gofyn i mi pam o'n i'n gwneud hyn i gyd, allwn i ddim ateb oherwydd do'n i ddim wedi gofyn hynny i mi fy hun. Nhw oedd fy rhieni. Roedd angen cymorth arnyn nhw. Pwy arall oedd yn mynd i wneud y gwaith? Beth fyddai 'gofalwyr amatur' eraill yn ei ddweud?

Ond yna digwyddodd rhywbeth

Yn ystod y cyfnod hwn pan oedd pethau'n datblygu – er mai wrth edrych yn ôl y gwelwn y datblygiad hwnnw – y peth pwysig i mi oedd ein bod ni'n gallu ymdopi, neu o leiaf dyna wnes i ddewis credu. Doctoriaid, nyrsys seiciatrig, gweithwyr cymdeithasol, doedd yr un ohonyn nhw fel pe baen nhw'n cymryd dementia dwbl ein teulu ni o ddifri. Felly pam ddylen ni?

Ond yna digwyddodd rhywbeth.

Neu yn hytrach, mi ddigwyddodd cyfres o bethau, gan ddechrau un penwythnos yn yr haf, penwythnos pan gwympodd y strwythur bregus roeddan ni wedi ei adeiladu. Ni ddyliwn fod wedi synnu o weld ein tŷ tywod yn dymchwel, ond mi wnes. A oeddwn i wedi bod yn gwadu realiti'r sefyllfa? Efallai y byddai rhai o'r farn honno ond y gwir amdani yw bod y sefyllfa'n fwy cymhleth na hynny. Er 'mod i'n ymwybodol iawn bod dementia yn ymosod ar ymenyddiau fy rhieni, a hynny ar wahanol gyflymder, roedd y ddau yn dal i allu byw eu bywydau bob dydd. Ond y rheswm am hynny oedd fy mod i'n eu helpu. A hefyd roedd dau ohonyn nhw; ac mae dau mewn cyflwr tebyg yn gallu cefnogi ei gilydd. I ryw raddau.

Heb fod yn ymwybodol o hynny, ro'n i'n gweld y gorau yn y gwaethaf. Efallai nad oeddan nhw mor ddrwg â hynny wedi'r cwbl. Nes imi sylweddoli eu bod yn llawer *gwaeth* nag o'n i'n feddwl. Mam yn enwedig, gyda'i dementia yn ymdebygu i glefyd Alzheimer ac yn fwy difrifol nag yr oedd pawb wedi ei ddychmygu.

Roedd hi'n ganol 2007 pan drodd eu stori fach dawel am ddementia yn argyfwng, sef y flwyddyn pan oedd Mam a Dad i ddathlu eu pen-blwyddi'n 90 oed, Mam ar 2 Chwefror, Dad yntau ar 23 Awst. Erbyn hynny roedd eu stori serch wedi hen sefydlu – y ddau'n briod ers 68 mlynedd.

Ond rhwng y ddau ddathliad pen-blwydd, un penwythnos ym mis Gorffennaf, daeth diwedd ar y bywyd roeddwn i, a hwythau, yn gyfarwydd ag ef.

Y Penwythnos Mawr

Dechreuodd y Penwythnos Mawr a newidiodd ein bywydau ar ddyddiad anffodus sef dydd Gwener y 13eg, penwythnos pan ddatblygodd y sefyllfa o 'gallu ymdopi' i 'rhaid gwneud rhywbeth ynglŷn â'r peth'. Fel mae'n digwydd, roedd hynny'n nodweddiadol oherwydd mae pobl â dementia'n parhau i 'ymdopi' nes eu bod... Nes eu bod yn gwneud beth? Cwympo, cael damwain, cael llif yn y gegin, gadael y nwy ymlaen, digwyddiad bach neu fawr sy'n newid cyfeiriad y stori, y creisis sy'n digwydd ar ôl rhyw ddeg munud mewn ffilm dda gan ddechrau'r ddrama sy'n dilyn?

Nid 'mod i wedi sylwi ar hynny ar y pryd. Does neb yn sylwi ar y pethau yma pan mae o, neu hi, yn rhan o'r ddrama. Ar y Penwythnos Mawr hwnnw, Mam oedd y prif gymeriad a Dad a minnau oedd yr is-gymeriadau. Y diwrnod cynt, roedd Mam wedi bod yn weddol hwyliog o gwmpas y tŷ, ond y diwrnod hwnnw cyhoeddodd ei bod yn methu cerdded: roedd ei phen-glin yn brifo ac wedi chwyddo, fel y sylwais pan biciais draw i weld a oeddan nhw'n iawn.

Roedd Dad yn hofran yn y cefndir, yn dawel ac yn isel ei ysbryd, yn poeni sut oeddan nhw'n mynd i ymdopi. Roedd tabledi thyroid Mam yn y 'tun tabledi'. "Ydach chi wedi bod yn rhoi'r tabledi iddi, Dad?" gofynnais, fel pe bai o ar fai. Wrth geisio canolbwyntio ar gynnal fy mywyd fy hun *a* gofalu amdanyn nhw, ro'n i'n awyddus i bopeth fod yn iawn ond roedd hi'n amlwg nad felly roedd hi. "Mae hi ar ei thraed bron trwy'r nos," atebodd yntau. "Sgen i'm syniad ble mae hi'n cysgu."

Hen bryd galw'r Bobl Broffesiynol, meddyliais (nid y cam gorau, fel mae'n digwydd). Penderfynu galw'r doctor i weld Mam. Tydi o ddim fel pe bai hi'n rhoi straen mawr ar y Gwasanaeth Iechyd – dydi hi ddim wedi bod at y meddyg ers tua phedair blynedd. Ro'n i wedi bod yn y feddygfa i ddweud wrthyn nhw bod ei dryswch yn gwaethygu ond doedd yr un meddyg teulu wedi sylwi bod ei chyflwr meddyliol yn dirywio. Meddyliais y byddai'r meddyg yn gallu archwilio'i phen-glin a rhoi asesiad proffesiynol o'i dementia a'i chyflwr meddyliol ar yr un pryd. Ffoniais y feddygfa a sôn am y ddwy broblem, y pen-glin a'r cyfle i'r meddyg gael cipolwg ar ei chyflwr meddyliol; cefais addewid y byddai rhywun yn galw heibio i'w gweld ar ôl 12.30 p.m.

Golygfa 1: Dydd Gwener, 13 Gorffennaf, 2007: Ymweliad y meddyg

12.30, y gloch yn canu: dynes ifanc, denau, â chanddi wallt tywyll a natur frysiog yw'r meddyg. Mae Mam a Dad yn gwylio'r teledu, fel llawer o bobl sy'n gaeth i'r tŷ. Mae'r meddyg yn mynnu eu bod yn diffodd y teledu. Agwedd awdurdodol ac unbenaethol. Nid y caredigrwydd a'r tosturi roeddan ni eu hangen. Roedd y sefyllfa wedi dechrau'n anffodus ar ddyddiad anffodus.

Mae Mam yn eistedd yn ei chadair isel a'r meddyg ifanc yn plygu wrth ei hymyl, yn anwybyddu Dad a minnau wrth iddi siarad 'â'i chlaf', a byddai hynny i'w ganmol pe bai'r claf yn ei iawn bwyll. Mae hi'n siarad fel rhaff trwy dwll, yn rhy gyflym hyd yn oed i mi ei deall. Doedd rhagolygon yr ymweliad ddim yn argoeli'n dda. Ydi hi wedi darllen yr adroddiad am Mam? Ydi'r feddygfa wedi cael y wybodaeth am ddementia Mam?

Mae'r meddyg yn mwydro am 'arthritis' a 'sanau arbennig' yr oedd hi'n argymell fod Mam yn eu gwisgo. Mae Mam yn gwrando'n astud, fel pe bai'n deall pob gair – dysgais maes o law bod pobl â dementia'n gallu ymddangos yn holliach o flaen dieithriaid. "Mae'r boen yn eich pen-glin yn cael ei achosi gan arthritis," medd y meddyg, yn uchel ac yn araf. Efallai ei bod hi'n meddwl bod Mam yn fyddar. "Arthritis," ailadrodda Mam yn araf, cyn edrych arna i am eglurhad.

"Allwch chi blygu un pen-glin imi," gofynna'r meddyg. Gwena Mam yn wag arni. Gofynnodd y meddyg eto. Ac eto. Siawns nad yw hi wedi cael profiad o ddementia o'r blaen, ac felly'n gwybod bod cyflwr y claf yn ei gwneud hi'n anodd iddi ddeall a dilyn gorchmynion syml? Pan mae Mam yn gwrthod ufuddhau, onid y cwestiwn naturiol i'w ofyn yw 'pam?'? Naci, mae'n amlwg! Ar y dechrau, dwi'n amharod i egluro wrthi ond does gen i ddim dewis: "Tydi hi ddim yn eich deall chi. Does ganddi ddim syniad am be dach chi'n sôn. Mae ganddi ddementia." Dwi'n siarad yn dawel, mor gynnil â phosib gan nad ydan ni wedi trafod ei dementia'n uniongyrchol gyda Mam. Yr agosaf rydan ni wedi bod at wneud hynny ydi chwerthin gyda hi am ei chof gwael.

Mae'r meddyg yn sefyll ar ei thraed ac yn sythu ei chefn: mae'n amlwg ei bod hi'n bosib sôn am gleifion sydd â dementia reit o'u blaenau, fel pe baen nhw ddim yno! Camaf ymlaen yn reddfol, gan fy ngosod fy hun yn amddiffynnol rhwng Mam a'r meddyg. Mae Mam wastad wedi bod yn orsensitif, yn groendenau iawn i sylwadau ansensitif. Dydi dementia ddim wedi newid hynny. A dydi hi ddim yn hollol ddwlali.

Sonia'r meddyg yn syth am 'ofal cymdeithasol', yn flin bod ei hamser wedi cael ei wastraffu ar gyflwr sy'n fwy perthnasol i weithwyr cymdeithasol na meddygon. "Am be ydach chi'n poeni?" mynna. "Ydach chi eisio iddi fynd i gartref gofal?" Hyd yma, do'n i ddim wedi ystyried rhoi Mam mewn cartref gofal. Wedi'r cwbl, rydan ni wedi bod yn ymdopi'n iawn, yn do? "Ydach chi'n mwynhau byw yn fan'ma?" gofynna i Mam. "Ydw," ateba Mam. "Neu fasai'n well gynnoch chi fynd i rywle ble allan nhw edrych ar eich ôl chi'n well?" Edrych yn ddryslyd wnaeth Mam.

"Y cwbl gewch chi yw diagnosis"

Mae'r meddyg yn troedio ar dir y Gwasanaethau Cymdeithasol ac asesiadau gofal. Howld on am funud, meddyliaf, onid ydi dementia yn gyflwr meddygol, yn glefyd yr ymennydd? "Ydi hi'n bosib iddi gael asesiad meddygol?" gofynnaf. Mae'r meddyg yn amheus: "Y cwbl gewch chi yw diagnosis," ateba.

Y cwbl gawn ni yw diagnosis. Y cwbl. Y cwbl! Onid dyna'r cwbl rydan ni eisio: i geisio deall beth sydd o'i le ar Mam? Onid ydi hi'n bwysig ein bod ni'n gwybod hynny? Nag yw, yn ôl pob tebyg: dim ond yn ddiweddarach y dof i wybod am yr ystadegyn sy'n dweud nad yw dau o bob tri o bobl sydd â dementia yn y Deyrnas Unedig yn cael eu hasesu'n iawn. Er ei bod hi'n bosib bod yr ystadegyn hwnnw wedi newid yn ddiweddar ar ôl ymyrraeth y llywodraeth, eto mae Mam yn dal yn un o'r nifer sydd â dementia sydd _heb_ gael diagnosis swyddogol.

I gydnabod ei bod wedi asesu cyflwr meddyliol Mam, dechreua'r meddyg ofyn yr hyn dwi'n eu galw'n 'gwestiynau'r clefyd Alzheimer' sydd i fod i ddangos pa mor bell yw'r claf o realiti. Yr enw swyddogol ar y prawf hwn yw 'archwiliad cyflwr meddwl cryno' (neu MMSE – _mini mental state examination_). Yr hyn ydi o yn y bôn yw cyfres o gwestiynau ynglŷn â phethau syml megis llefydd ac amser a phobl y dylai person 'normal' eu gwybod. Mae'r meddyg yn gofyn i Mam beth yw ei chyfeiriad. Dim ymateb. Mae Mam yn gwenu trwy'r holi. Eich dyddiad geni. Mam yn gwenu fel giât. Eich oed? Mi wna i ddweud o'n ddistaw bach, meddai, ond wnaeth hi ddim. Pa flwyddyn ydi hi? Dwi'm yn gwybod. Methodd Mam yr holl brawf tan y cwestiwn olaf: "Allwch chi gyfri'n ôl o ugain imi?" Gallai Mam wneud hynny'n ei chwsg: roedd hi'n arfer gweithio fel 'gweithredydd comptomedr' yn y dyddiau cyn bod cyfrifiadur a chyfrifiannell yn bod ac roedd hi'n hen law ar drin rhifau. Ond er bod y ddawn yn dal ganddi, doedd o ddim yn ddigon i'w harbed rhag barn y meddyg, a'i bod yn dioddef o nam meddyliol.

Ond nid yw dementia, y math sy'n cael ei gysylltu â chlefyd Alzheimer os yw arsylwadau Dr Dening yn gywir, yn ddiagnosis meddygol. Nid yw'r meddyg yn poeni am sut y bydd Mam – a'r gweddill ohonom – yn ymdopi â'i hymennydd ffwndrus. Ar un pwynt, edrychodd y meddyg ar fy nhad 90 mlwydd oed, ei ddiagnosis o ddementia fasgwlar yn y nodiadau o'i blaen (am wn i) a dweud, "Dach *chi'n* iawn, tydach?" Teimlais fod ei eiriau'n gwbl ddi-hid, fel pe bai'n dweud: 'Siawns eich bod chi, hen ŵr sydd â dementia fasgwlar, yn gallu gofalu am eich gwraig sydd â salwch meddyliol difrifol?' Hwnnw oedd y pris, mae'n debyg, yr oedd Dad yn gorfod ei dalu am edrych yn llawer iau na'i oed a llawer mwy ffit nag oedd o mewn gwirionedd.

Mae'r meddyg yn dweud y bydd hi'n hysbysu'r Gwasanaethau Cymdeithasol ac yn fy argymell i wneud yr un peth. Neu holi hynt ei hatgyfeiriad hi. Unwaith yn rhagor mae hi'n siarad pymtheg y dwsin. Dydw i ddim yn deall yn iawn be mae hi'n ddweud – rhywbeth am achosion yn cael blaenoriaeth os ydyn nhw'n dod o law meddyg. Rydan ni'n gorffen ein taith mewn cylch trwy sôn am ben-glin Mam (mae hi'n sôn am y sanau bondigrybwyll hynny ac yn rhoi presgripsiwn am y 'sanau arbennig' i mi) ac, o ia, gwell gwneud yn siŵr nad oes gan Mam heintiad ar y llwybr wrinol (UTI – sy'n gyffredin iawn mewn hen bobl ac yn gallu creu dryswch meddyliol). Ydi hi'n bosib i Mam roi sampl dŵr iddi? Mae'r meddyg yn cynnig cynhwysydd ond yn anghofio cynnig argymhellion ynghylch sut y dylid cael y sampl hwnnw gan hen wraig sydd â thwll yn ei hymennydd lle arferai gadw gwybodaeth ynghylch sut i greu sampl o'r fath.

Marciau allan o ddeg?

Mae hi wedi mynd. Sgwn i sawl marc allan o ddeg fydd hi'n rhoi i'w hunan am yr ymgynghoriad? A finnau'n flin ac yn ddig am y ffordd y cafodd fy rhieni eu trin ganddi, penderfynaf fynd i Boots i brynu'r sanau arbennig. Dydw i ddim yn cymryd fawr o sylw o'r daith yno wrth i berfformiad echrydus y meddyg droi a throsi yn fy meddwl. A fi

ddiweddarach: fedar o wir ddim trefnu dim byd, na phenderfynu dim byd. Os oes rhywbeth yn digwydd, does ganddo ddim syniad beth i'w wneud. Ddylien ni ddim rhyfeddu ei fod heb alw am gymorth. Ond mi roeddan ni wedi rhyfeddu. Doeddan ni ddim wedi sylwi ar ei ddirywiad ymenyddol achos roedd i'w weld yn iawn.

Gyrrais yno'n syth – yn ffodus iawn, dim ond rhyw bum munud i ffwrdd yn y car yw'r daith – a'i darganfod yn eistedd ar lawr gyda'i chefn yn pwyso yn erbyn y soffa, ac yn swnio'n rhyfeddol o hwyliog o gofio'i bod hi wedi bod ar lawr ers oriau. Rwy'n cael yr argraff bod y ddau ohonyn nhw'n meddwl bod dim byd o'i le, a'i bod yn sefyllfa gwbl normal. "Mae hi'n wlyb drosti," medd Dad. Dyna ddiwedd ar fy ngobaith ffôl y byddai Mam wedi gwisgo pad a nicyrs glân.

Gan fod ioga wedi cryfhau fy nghorff dros y blynyddoedd – yn enwedig fy nghefn – dwi'n llwyddo i'w chodi a'i rhoi i eistedd ar y soffa. Mae hi'n drwm, fel sach fawr o datws. Ac mae ei choes yn dal i frifo. Mae hi hefyd yn drewi. Bydd rhaid imi ei golchi a newid ei dillad.

I ofalwr 'go iawn', byddai golchi eich mam ar ôl iddi wlychu'i hun yn dasg gyffredin. I ofalwraig amatur fel fi, dyma'r tro cyntaf. Mae hi mewn poen, yn honni eto ei bod yn methu cerdded, ac felly nid yw'n bosib mynd â hi i'r stafell ymolchi fyny'r grisiau. Ond mae'n *rhaid* ei golchi a newid ei dillad. Does ganddyn nhw ddim powlen olchi, ond mae ganddyn nhw fwced blastig.

Dwi'n tywallt dŵr cynnes i mewn i'r bwced, dod o hyd i wlanen, sebon a rhywfaint o ddillad glân – gan gynnwys un o'r nicyrs sydd â phad wedi'i lynu wrtho – tynnu blows Mam a golchi'n frysiog dan ei cheseiliau. Dydw i ddim yn newid ei bra. Wrth ei golchi, roeddwn yn canolbwyntio gymaint ar y rhan isaf ohoni fel na sylwais ar y croen coch llidiog a oedd yn cuddio dan blyg dwfn ei bron: brech yn sgil haint ffyngaidd a oedd yn achosi arogl od, un o'n i'n methu deall ar y pryd o ble roedd o'n dod. Ond yn y gorffennol oedd hynny, pan oedd ei golchi'n brofiad newydd. Sychaf dop ei chorff a rhoi ei blows yn ôl amdani.

Ro'n i'n barod i olchi'r rhan isaf o'i chorff. Penderfynaf y byddai'n well gwneud hynny heb Dad yno, er nad oedd modfedd o'i chorff yn ddieithr iddo ar ôl bod yn briod ers bron 70 mlynedd. Gwneud hynny er mwyn arbed cywilydd i mi fy hun o'n i, debyg. Mae tynnu ei sgert yn anodd; llwyddaf i'w chael hi i godi ar ei thraed a gafael yn dynn ynof er mwyn i mi allu tynnu ei nicyrs, cyn golchi ei phen-ôl a'i choesau ar ongl anghyfforddus – gwneud hyn i gyd wrth sgwrsio'n hwyliog, gefnogol trwy gydol yr amser, sgwrsio sy'n naturiol i ofalwyr proffesiynol ond efallai'n mynd dan groen y claf: "Dynnwn ni hon i fyny rŵan"... "Dyna ni"... "Sut ma' hynna?"... "Da iawn chi".. "Wedi gorffen"...

Ar ôl gorffen golchi, hithau'n lân ac yn sych, rhoddaf Mam i eistedd yn y gadair. Mae'n mynnu ei bod yn methu cerdded, a dechreuaf boeni sut fedar hi fynd i'w gwely ac i'r lle chwech. Ac mae rhywbeth arall yn fy mhoeni hefyd: dwi'n bwriadu mynd i ffwrdd wythnos nesaf am gwpl o ddiwrnodau achos dwi wir yn teimlo'r angen am hoe – dyna yw fy ffordd o ofalu amdana i fy hun er mwyn cael nerth i ofalu'n well am Mam a Dad. Sut ar y ddaear maen nhw'n mynd i ymdopi?

Cyhoeddodd Mam ddoe ei bod hi'n methu cerdded, ond mi gerddodd i fyny'r grisiau a dysgu sut i ddosbarthu'r pwysau rhag bod ei choes yn brifo cymaint. Roedd hi'n bur amlwg bod rhan o'i hymennydd yn gweithio. Perswadiaf Mam i geisio gwneud yr un peth eto heddiw er mwyn iddi adennill ei hyder. Rydan ni'n camu i fyny'r grisiau gyda'n gilydd – mae'n llwyddo i gyrraedd ond dwi'n poeni y byddai'n syrthio pe bal'n trio gwneud hynny ei hun. Mae pethau'n dechrau dadfeilio. Sgwn i fedra i drefnu comôd a gofal iddi yn ystod y dyddiau pan fyddaf i ffwrdd?

Golygfa 3A: Yn ddiweddarach y prynhawn hwnnw: "Ro'n i'n meddwl 'mod i'n marw."

Erbyn hyn dwi bron â llwgu, felly dwi'n ei gwneud hi'n gyfforddus, sicrhau Dad y bydd Alan yma cyn hir, a mynd adref am ginio. Yn fuan ar ôl imi adael, mae Alan yn ffonio i ddweud bod Mam wedi syrthio ar y llawr eto. Mae'n debyg ei bod wedi disgyn wrth iddi fynd i ateb y drws. "Ro'n i'n meddwl 'mod i'n marw," meddai, pan gyrhaeddaf yno. "Ro'n i'n wyn fel y galchen."

Mae Alan yn awgrymu ein bod yn galw'r meddyg. Ond dwi'n amheus o hynny ar ôl yr hyn ddigwyddodd pan alwais y meddyg dideimlad honno ddydd Gwener, ond mae Alan yn gweithio yn y Gwasanaethau Cymdeithasol ac mae ganddo fwy o ffydd yn 'y system'. Disgyn ar lawr ddwywaith mewn diwrnod, meddai – rhaid i ni ffeindio allan pam. "Ffonia di, 'te," dywedaf. Ac mae o'n ffonio. Er 'mod i wedi gwneud y rhan fwyaf o'r gofalu am Mam a Dad, bu rhai adegau allweddol pan fynnai ef alw'r 'Bobl Broffesiynol' – er y byddwn i wedi brwydro ymlaen, yn gwneud y gorau gallwn i, yn ceisio ymdopi – a hwn oedd un o'r adegau allweddol hynny.

Ar ôl disgwyl am ddwy awr, cyrhaedda'r doctor – dyn hyfryd, Gwyddel, a aeth ati i drin Mam gyda pharch. Dwi'n difaru na wnes i ddim gofyn ei enw oblegid hoffwn ei wneud yn sant. Ar ôl profiad erchyll dydd Gwener, roedd angen rhywun a oedd yn barod i gydymdeimlo â hi.

Mae o'n ei harchwilio'n ofalus a dweud bod ganddi dwymyn, wedi ei achosi gan haint yn rhywle yn ei chorff, cyn awgrymu y dylai fynd i'r ysbyty am ychydig o ddiwrnodau er mwyn i'r arbenigwyr ganfod beth oedd yn achosi'r haint. Mi fyddan nhw'n siŵr o'i gwella, meddai. Caf rywfaint o fraw pan ddywedodd o'r gair 'ysbyty'. I mi, roedd 'mynd i'r ysbyty' yn awgrymu salwch difrifol. Siawns nad oedd Mam mor ddrwg â hynny. Ond hyd yn oed yng nghanol argyfwng, do'n i ddim eisiau creu rhyw ddrama fawr o'r sefyllfa. Wrth i'r doctor wneud y gwaith papur angenrheidiol, teimlwn fod y 'system' ar fin llyncu Mam. Ond ar yr un pryd, ro'n i'n ddiolchgar bod yr unigolyn caredig, llawn cydymdeimlad hwn yn gofalu amdani. Do'n i ddim yn gorfod bod yn llwyr gyfrifol ac ysgwyddo'r baich.

Allwch chi fynd â hi i'r ysbyty? gofynna'r doctor. Hynny'n gynt na disgwyl am ambiwlans, ychwanega. Cytunwn i fynd â hi yng nghar Alan a Sue. Mynd ati wedyn i hel ychydig o bethau at ei gilydd – pyjamas, gwlanen, sebon, tywel, sliperi, crib… beth mae person ei angen mewn ysbyty? Rydan ni'n paratoi Mam i fynd yno – ac wrth gwrs rydan ni'n dweud wrthi be sy'n digwydd gan gymryd yn ganiataol ei bod hi'n deall. Mae Dad yn rhoi cusan ffarwél iddi – mae hi wedi bod yn gariad iddo ac yn ganolog yn ei fywyd ers 70 mlynedd, a dyma ni'n ei thynnu oddi arno heb feddwl fawr ddim am ei deimladau. Efallai ei fod o'n gwybod, neu'n ofni, na fydd yn ei gweld byth eto. Mae Mam yn canolbwyntio ar y dasg o fynd i'r car gan fod ei choes yn brifo. Gadawa'r tŷ yn y dillad a ddigwyddai fod amdani. Does dim codi llaw, dim edrych yn ôl am y tro olaf.

Golygfa 3B: 8.30 pm:
Hwyl a Miri yn yr Asesiad Meddygol

Dywedodd y doctor wrthon ni i fynd i'r Uned Damweiniau ac Achosion Brys a dangos ei lythyr. Rydan ni'n cyrraedd, cael gafael ar gadair olwyn a gwthio Mam i ganol y ddrama ddynol sy'n lliwio'r lle hunllefus hwnnw. Cyplau, pobl ifanc, teuluoedd a Mam, yn ei chadair olwyn, heb fawr o syniad ble mae hi. Nid bod hynny'n amharu arni: mae pobl yn ddiddanwch pur iddi ac mae nifer yno.

Gan ei bod yn gorfod aros yn yr ysbyty, y lle cyntaf rydan ni'n mynd iddo yw'r Uned Asesu Meddygol sy'n rhannu Desg Dderbynfa â'r Uned Damweiniau ac Achosion Brys. Mae'r Uned wedi symud ers y gwanwyn, pan ddois yma ar frys gyda Dad pan oedd anemia difrifol arno. Ychydig dros flwyddyn yn ôl ro'n i wedi cymryd yn ganiataol y byddai Mam yn iawn ar ei phen ei hun tra mae Dad yn yr ysbyty am noson neu ddwy. Credais ei bod hi'n ddynes gref ond y gwirionedd bryd hynny oedd bod ei meddwl eisoes yn fregus.

Ond doedd hi ei hun ddim wedi bod yn orhyderus y byddai'n iawn. Ar ôl treulio noson ar ei phen ei hun, dwi'n ei chofio hi'n dweud yn falch: "Ro'n i'n iawn," fel pe bai hi wedi cael rhyddhad ac yn teimlo'n hapus ei bod wedi gallu ymdopi hebddo. Wnes i ddim meddwl am eiliad na fyddai hi'n iawn, er bod y dementia yn sicr o fod wedi bod yno bryd hynny. Enghraifft arall o fod yn ddall i'r amlwg.

Pam yn y byd roeddwn i'n meddwl fel hyn? Mae'n debyg mai'r ateb yw na allwn ymdopi ond ag un ohonyn nhw'n wael ar y tro. Fis Mawrth diwethaf, Dad oedd y prif actor, a Mam yn is-gymeriad. Heddiw, Mam yw seren y sioe. Mae Dad gartref, yng nghefn y llwyfan, yn cymryd rhan yn ei ddrama fechan ei hun. Methu rhagweld hynny wnes i hefyd.

Gofynnir i ni aros yn yr Uned Damweiniau ac Achosion Brys nes y byddan nhw'n barod i'w harchwilio yn yr Uned Asesu Meddygol. Gerllaw, mae merch dew yn eistedd. Mae bod yn dew yn un o ragfarnau Mam; does dim yn well ganddi na dweud rhyw air neu ddau sbeitlyd am ei hoff bwnc. "Drycha ar yr hwch dew 'na!" medd hi, nid yn uchel ond nid yn dawel ychwaith; mae dementia yn gallu lleihau neu hybu swildod. Rydan ni'n ceisio'i thawelu. "Drycha arni mewn difri!" mynna Mam. Mae Sue, gwraig Alan, yn troi ei chadair olwyn fel bod Mam yn wynebu'r wal ac nid y cleifion eraill, ond dydi Mam ddim yn rhy hapus am hynny. "Mae'n well gen i wynebu'r ffordd arall," mynna, gan droi ei phen. Mae Sue yn ildio ac yn troi'r gadair olwyn yn ôl y ffordd arall. Yna, daw merch ddu, gyda'i gwallt yn gudynnau, i mewn. "Drycha ar wallt honna!" gwaedda Mam. Cawn ein hachub wrth iddi gael ei galw i mewn i'r Uned Asesu Meddygol.

Rydan ni'n cael ein harwain i mewn i giwbicl a chael trafferth wrth godi Mam o'r gadair olwyn i'r gwely. Erbyn hyn, mae hi'n naw o'r gloch y nos. Yr hyn dwi'n ei gofio fwyaf am y deirawr ganlynol (roeddan ni yno tan ar ôl hanner nos) yw llawer iawn o chwerthin. Doedd gan Mam ddim syniad beth oedd yn digwydd (achos tydi hi ddim yn cofio beth sy'n cael ei ddweud wrthi o'r naill funud i'r llall), felly mae hi'n troi pob dim yn jôc. Dyna yw ei strategaeth, ei dull hi o ymdopi â'r byd tu allan. Dydi hi ddim wedi gorfod defnyddio'r strategaeth ryw lawer cyn hyn oherwydd roedd hi ar ei haelwyd ei hun. Ond mae'n strategaeth effeithiol – ei chwerthin yn heintus: mae'r doctoriaid a'r nyrsys yn chwerthin hefyd. Ond pan ofynna'r gweinyddwr iddi beth yw ei dyddiad geni, mae hi'n dangos ei dawn actio gan ddechrau piffian chwerthin yn swil. "Mi wna i ei sibrwd o," medd. A dyna mae hi'n wneud. "Naw deg," medd, yn gwbl eglur.

Ei harchwilio o'i chorun i'w sawdl

Cyfres o brofion o'i chorun i'w sawdl yw'r asesiad, fe ymddengys. Y nyrs gyntaf i'w harchwilio yw Lynette – merch fer, ddu, ddigon dymunol ond ddim yn wên o glust i glust. Er nad yw Mam yn hiliol, eto mae hi'n perthyn i'r genhedlaeth honno o gefndir trefi bychain sy'n credu bod pobl dduon yn wahanol, ac felly'n haeddu sylw. Dwi'n gobeithio na fydd hi'n gwneud unrhyw sylwadau ar liw croen Lynette. Ond wrth weld y nyrs, mae hi'n mynegi rhywfaint o syndod ac yn ciledrych arnom am ymateb, ond gan nad oes unrhyw ymateb i'w gael penderfyna Mam dderbyn Lynette a'r ffaith bod lliw ei chroen yn wahanol. Ond wedyn dwi'n sylwi 'mod i'n siarad mwy nag arfer er mwyn sicrhau nad yw Mam yn cael cyfle i wneud unrhyw sylwadau anffodus. Wrth i Lynette blygu drosodd, mae Mam fel pe bai wedi gwirioni ar ei gwallt, ond beth bynnag oedd hi'n feddwl ohono, mae hi'n dewis cadw ei barn i'w hunan.

Mae meddyg ifanc o'r enw Ruth yn cyflwyno'i hun. Mae hi'n ferch hyfryd – cynnes, cydymdeimladol, yn un dda gyda phobl ac yn barod iawn i rannu jôc gyda Mam. Mewn iaith syml, mae hi'n egluro beth yw natur yr asesiad, y profion gwaed, pelydr-X a'r ymdrechion i ddarganfod beth sy'n achosi haint Mam. O leiaf maen nhw'n drylwyr iawn, meddyliaf, wrth wrando ar Ruth ar yr un pryd â meddwl hefyd tybed pryd fydd y system yn llwyddo i ladd ei charedigrwydd a'i brwdfrydedd naturiol. Ond ar yr eiliad hon mae hi'n berffaith.

Mae Ruth yn gadael cyn i Sue sylwi bod traed Mam yn crynu. "Be sy'n bod?" "Dwi eisio mynd i biso," medd Mam, wrth geisio codi o'r gwely. Galwaf ar Lynette sy'n mynd i nôl comôd. Mae Mam yn cynhyrfu; mae Lynette yn hir yn dod yn ôl. Erbyn hyn, mae hi wedi codi ar ei heistedd ac yn ceisio defnyddio'i holl nerth i wthio'i hun i ben y gwely er mwyn cyrraedd lle chwech. "Fydd hi ddim yn hir," dywedaf, ond mae llygaid Mam yn syllu'n syth ymlaen. Mae hi'n gweiddi, "Fred! Fred!" Ond dydi Fred ddim yno.

Daw Lynette i'r golwg o'r diwedd yn gwthio comôd. Mae codi Mam yn sialens gan nad yw hi'n gallu dilyn cyfarwyddiadau yn rhwydd; mae ei choes yn brifo a does fawr o le yn y ciwbicl. Ond rydan ni'n dod i ben. Mae hi'n pi-pi, yn ymlacio ac mae pawb yn chwerthin. Mae hi hefyd, yn hwylus iawn, wedi rhoi sampl i ni.

Mae'r profion yn dangos bod haint ond does neb yn gwybod beth sy'n ei achosi: ai problem yn y bledren? Neu'r frest? Neu ai rhywbeth i'w wneud â'r frech annifyr a welwyd wrth i Lynette ddadwisgo Mam a rhoi coban amdani. Roedd gweld ei chroen yn sioc – mor goch a chignoeth. Mae bronnau mawr Mam wedi pendrymu tua'r de wrth iddi fynd yn hŷn, a'r frech yn cuddio oddi tanynt. Roedd ôl papur tŷ bach arnyn nhw, yn awgrymu bod Mam wedi ceisio'i drin. Ond ni ddywedodd air wrth neb. Un felly oedd hi, hyd yn oed gyda dementia. Delio â materion personol yn *bersonol*, dyna oedd ei strategaeth erioed. Mae dweud wrth bobl eraill yn golygu ymyrraeth, ac mae ymyrraeth yn arwain at helbul.

Pan o'n i'n meddwl nad oedd rhagor o brofion i'w gwneud, daw Lynette yn ôl i gymryd swab o'r trwyn a'r geg. Mae Mam yn fodlon cael y swab gwddw ac yn agor ei cheg yn ddidrafferth. Ond rhoi darn o bren i fyny ei thrwyn! Mae'n chwerthin ar syniad mor dwp! Ac yn chwerthin. Ac yn chwerthin. Mae Lynette yn chwerthin gyda Mam. Rydan ni i gyd yn chwerthin llond ein boliau.

Mae hi'n hwyr yn y nos ac rydan ni'n dechrau blino. Dydi Mam ddim yn edrych wedi blino o gwbl. I'r gwrthwyneb, mae hi'n llawn bywyd ac fel pe bai'n ei mwynhau ei hun yn fawr. Mae gan un o'r nyrsys gwrywaidd steil gwallt Mohican sy'n peri iddi dwt-twtio, ac mae'n syllu arno fel pe bai o blaned arall. Daw Ruth i'r golwg eto ac yn dweud bod ei shifft ar ben ac y bydd ei goruchwyliwr, y Cofrestrydd, sydd ar y funud gyda chlaf gwael iawn ym mhen arall yr ysbyty, yn dod i edrych ar ei chanlyniadau. Wedyn, mi fyddan nhw'n mynd â Mam i ward.

Mae'r Cofrestrydd yn cyrraedd ac yn trin Mam yn hynod o garedig. Mae 'caredig' yn air nad yw Mam wedi colli'i ystyr hyd yn oed wrth i'w dementia waethygu. Mae'n ymwybodol ei bod yn cael ei thrin yn garedig; ac mae'n gallu mynegi hynny. Mae yntau'n ddu ac wrth iddo blygu drosti mae Mam yn rhyfeddu at ei wallt cyrliog, tyn, yn union fel oedd hi wedi gwirioni â gwallt Lynette. Mae o'n trefnu ei bod yn cael archwiliad pelydr-X ar ei choes boenus, ac ar ôl hynny mi fydd hi'n mynd i'w gwely ar y ward. Ond nid Ward F4, sef y ward 'gofal i'r henoed' y 'dylai' hi fynd iddi. Does ganddyn nhw ddim gwelyau. Felly maen nhw'n mynd â hi i'r Ward Arhosiad Byr Llawdriniaeth Frys, ei gwely'n cael ei wthio ar hyd y coridorau gan ddau ddyn ifanc llon.

Mae'r nyrsys yn ei rhoi yn ei gwely. Mae hi'n chwerthin yn hapus wrth i ni ffarwelio â hi. Mae'n lle od i ddod iddo ganol nos ond nid yw hynny'n poeni dim arni. Pan fo'r meddwl yn ddryslyd, mae'n debyg bod pobman yn od.

Mae hi eisoes yn fore Llun. Mae'r Penwythnos Mawr drosodd, a'r ddrama wedi hen ddechrau. Wrth i'r llen gau cyn yr egwyl, rydan ni'n tri, yr is-gymeriadau, yn diflannu i'n hystafelloedd newid.

Pennod 2
Alla i ddim gofalu amdani

Cyn y Penwythnos Mawr, Dad oedd ar ganol y llwyfan. Ei iechyd corfforol oedd ei brif ofid bellach, rhywbeth oedd wedi datblygu i fod yn bryder i minnau hefyd ond, yn ddiddorol iawn, ddim i Mam. Mae'n debyg ei bod hi wedi bod yn byw yn y gorffennol ers mwy o amser nag o'n ni'n sylweddoli ac felly yn dal i weld Dad fel dyn cryf, abl. Roedd cyflwr meddyliol Dad hefyd wedi bod yn bryder cynyddol – bu'n isel ei ysbryd hyd yn oed cyn i'w ddementia fasgwlar gael ei gydnabod. Ymateb di-flewyn-ar-dafod Mam oedd pendilio rhwng mynnu bod ganddo glefyd Alzheimer, neu ddweud y dylai roi'r gorau i gwyno a dechrau mwynhau bywyd!

Gan mai cyflwr meddyliol Dad oedd wedi bod yn ofid i bawb, doedd cyflwr meddyliol Mam ddim wedi bod yn rhan o sgript yr un ohonom. Oedd, roedd hi'n drysu weithiau, yn anghofio pethau, ond dementia difrifol? Roedd hynny'n sioc enfawr. Yr hyn na wyddwn bryd hynny oedd bod pobl â dementia yn gallu byw'n iawn o fewn eu hamgylchedd cyfarwydd am amser hir, a bod eu gwir gyflwr yn cael ei ddatgelu pan fo'r amgylchedd hwnnw'n newid. I Mam, yr ysbyty oedd y lle newydd hwnnw. Nawr, hi oedd prif gymeriad y ddrama. Arni hi yr oedd pob llygad yn syllu, gan adael Dad druan yn y tywyllwch ar ochr y llwyfan. Ond ni sylwais ar hynny tan yn ddiweddarach.

Roedd hi'n oriau mân fore dydd Llun cyn i Alan a Sue yrru'n ôl adref gan fy ngadael fel y prif gyswllt â'r ysbyty. Wrth gwrs, ro'n i wedi ffonio Dad gyda'r nos o'r Uned Asesu Meddygol i ddweud wrtho fod Mam yn saff a'i bod hi'n iawn iddo fynd i'w wely. Roeddan ni hefyd wedi gyrru heibio'i dŷ yn ystod oriau mân y bore rhag ofn ei fod yn dal ar ei draed ond roedd y goleuadau wedi eu diffodd a thybiais fod pob dim yn iawn.

31

Un rheswm pam imi fethu â deall pa mor ddigalon oedd Dad, oedd fy mod i, fel Michelle a'r 'system' yn gyffredinol, yn poeni mwy am sut i weithredu'n ymarferol yn hytrach nag am deimladau. Ydi Dad yn iawn gartref ar ei ben ei hun? Dyna oedd y cwestiwn tyngedfennol. Nac'di, mae'n amlwg. Beth allwn ni wneud? Mae'r 'system' yn dweud: rhoi pecyn gofal argyfwng ar waith. Yn achos Dad, golyga hyn ymweliadau bob bore a nos gan ddau ofalwr o'r tîm argyfwng lleol. Yn ogystal â fi, wrth gwrs, yn cadw golwg arno. Mae Michelle yn cysylltu â'r Gwasanaethau Cymdeithasol ac maen nhw'n gweithredu'r cynllun trwy gysylltu â'r Nyrsys Cymunedol yn y Feddygfa a Rheolwr y Gwasanaethau Gofal Cymdeithasol ar gyfer yr henoed yn yr ardal leol. Mae'r gofalwyr caredig yn dechrau galw yn syth ar y diwrnod canlynol, ac rwy'n hynod o ddiolchgar iddyn nhw am hynny.

Ond yr hyn roeddan ni i gyd yn ei esgeuluso – fi, Michelle, y Nyrsys Cymunedol a'r Gwasanaethau Cymdeithasol – oedd mai rhan fechan o'r broblem yw cymorth ymarferol, er yn un hanfodol. Nid ymarferoldeb yw gofid mwyaf y rheini sydd angen gofal. Y cynorthwywyr a'r cefnogwyr sy'n gosod gofal corfforol ar ben y rhestr. Ar ei ben ei hun y nos Sul honno, roedd Dad wedi ei adael i wynebu'r emosiynau a'r gofidiau a oedd yn berwi dan yr wyneb. Pam ar y ddaear na wnaeth *un* ohonan ni aros efo fo? Yn hytrach, mi wnaethon ni i gyd ruthro i'r ysbyty ble tybiem oedd y brif ddrama yn digwydd.

Dywedodd mai ei brif bryder oedd na fyddai hi yn ei adnabod, er nad o'n i – ar y dechrau – wedi llawn ddeall effaith y golled fawr hon. Efallai nad oeddwn eisiau wynebu'r posibilrwydd o Mam yn methu adnabod Dad, neu fi, neu 'mrawd. Yn rhesymegol, wrth gwrs, dwi *yn* gwybod bod hyn yn debygol o ddigwydd. Dyna mae rheswm yn ei ddweud, ond nid fy nghalon. Yn amlwg, nid teimladau ac ofnau Dad yn unig sy'n berwi dan yr wyneb. Mae fy nulliau ymdopi innau hefyd dan straen.

Efallai ei bod hi'n rhy gynnar i mi wynebu rhywbeth mor ddigalon a minnau bryd hynny ond newydd ddechrau cydnabod pa mor bell y mae dementia Mam wedi datblygu. Dwi'n dal i fod eisiau credu y bydd pob dim yn iawn. Gyda chymorth ychwanegol, gallwn ddod â Mam gartref ac mi fydd bywyd yn normal unwaith eto. Ond mae Dad wedi achub y blaen arna i. Mae o'n gwybod nad yw hyn am ddigwydd. Mae o eisoes yn galaru.

Felly er fy mod wir yn hynod ddiolchgar am y gofal a'r cymorth anghyfforddus – gwneud hyn i gyd wrth sgwrsio'n hwyliog, gefnogol trwy gydol yr amser, sgwrsio sy'n naturiol i ofalwyr proffesiynol ond efallai'n mynd dan groen y claf: "Dynnwn ni hon i fyny rŵan"… "Dyna ni"… "Sut ma' hynna?"… "Da iawn chi".. "Wedi gorffen"…

Ar ôl gorffen golchi, hithau'n lân ac yn sych, rhoddaf Mam i eistedd yn y gadair. Mae'n mynnu ei bod yn methu cerdded, a dechreuaf boeni sut fedar hi fynd i'w gwely ac i'r lle chwech. Ac mae rhywbeth arall yn fy mhoeni hefyd: dwi'n bwriadu mynd i ffwrdd wythnos nesaf am gwpl o ddiwrnodau achos dwi wir yn teimlo'r angen am hoe – dyna yw fy ffordd o ofalu amdana i fy hun er mwyn cael nerth i ofalu'n well am Mam a Dad. Sut ar y ddaear maen nhw'n mynd i ymdopi?

Cyhoeddodd Mam ddoe ei bod hi'n methu cerdded, ond mi gerddodd i fyny'r grisiau a dysgu sut i ddosbarthu'r pwysau rhag bod ei choes yn brifo cymaint. Roedd hi'n bur amlwg bod rhan o'i hymennydd yn gweithio. Perswadiaf Mam i geisio gwneud yr un peth eto heddiw er mwyn iddi adennill ei hyder. Rydan ni'n camu i fyny'r grisiau gyda'n gilydd – mae'n llwyddo i gyrraedd ond dwi'n poeni y byddai'n syrthio pe bai'n trio gwneud hynny ei hun. Mae pethau'n dechrau dadfeilio. Sgwn i fedra i drefnu comôd a gofal iddi yn ystod y dyddiau pan fyddaf i ffwrdd?

Golygfa 3A: Yn ddiweddarach y prynhawn hwnnw: "Ro'n i'n meddwl 'mod i'n marw."

Erbyn hyn dwi bron â llwgu, felly dwi'n ei gwneud hi'n gyfforddus, sicrhau Dad y bydd Alan yma cyn hir, a mynd adref am ginio. Yn fuan ar ôl imi adael, mae Alan yn ffonio i ddweud bod Mam wedi syrthio ar y llawr eto. Mae'n debyg ei bod wedi disgyn wrth iddi fynd i ateb y drws. "Ro'n i'n meddwl 'mod i'n marw," meddai, pan gyrhaeddaf yno. "Ro'n i'n wyn fel y galchen."

Mae Alan yn awgrymu ein bod yn galw'r meddyg. Ond dwi'n amheus o hynny ar ôl yr hyn ddigwyddodd pan alwais y meddyg dideimlad honno ddydd Gwener, ond mae Alan yn gweithio yn y Gwasanaethau Cymdeithasol ac mae ganddo fwy o ffydd yn 'y system'. Disgyn ar lawr ddwywaith mewn diwrnod, meddai – rhaid i ni ffeindio allan pam. "Ffonia di, 'te," dywedaf. Ac mae o'n ffonio. Er 'mod i wedi gwneud y rhan fwyaf o'r gofalu am Mam a Dad, bu rhai adegau allweddol pan fynnai ef alw'r 'Bobl Broffesiynol' – er y byddwn i wedi brwydro ymlaen, yn gwneud y gorau gallwn i, yn ceisio ymdopi – a hwn oedd un o'r adegau allweddol hynny.

Ar ôl disgwyl am ddwy awr, cyrhaedda'r doctor – dyn hyfryd, Gwyddel, a aeth ati i drin Mam gyda pharch. Dwi'n difaru na wnes i ddim gofyn ei enw oblegid hoffwn ei wneud yn sant. Ar ôl profiad erchyll dydd Gwener, roedd angen rhywun a oedd yn barod i gydymdeimlo â hi.

Mae o'n ei harchwilio'n ofalus a dweud bod ganddi dwymyn, wedi ei achosi gan haint yn rhywle yn ei chorff, cyn awgrymu y dylai fynd i'r ysbyty am ychydig o ddiwrnodau er mwyn i'r arbenigwyr ganfod beth oedd yn achosi'r haint. Mi fyddan nhw'n siŵr o'i gwella, meddai. Caf rywfaint o fraw pan ddywedodd o'r gair 'ysbyty'. I mi, roedd 'mynd i'r ysbyty' yn awgrymu salwch difrifol. Siawns nad oedd Mam mor ddrwg â hynny. Ond hyd yn oed yng nghanol argyfwng, do'n i ddim eisiau creu rhyw ddrama fawr o'r sefyllfa. Wrth i'r doctor wneud y gwaith papur angenrheidiol, teimlwn fod y 'system' ar fin llyncu Mam. Ond ar yr un pryd, ro'n i'n ddiolchgar bod yr unigolyn caredig, llawn cydymdeimlad hwn yn gofalu amdani. Do'n i ddim yn gorfod bod yn llwyr gyfrifol ac ysgwyddo'r baich.

Allwch chi fynd â hi i'r ysbyty? gofynna'r doctor. Hynny'n gynt na disgwyl am ambiwlans, ychwanega. Cytunwn i fynd â hi yng nghar Alan a Sue. Mynd ati wedyn i hel ychydig o bethau at ei gilydd – pyjamas, gwlanen, sebon, tywel, sliperi, crib... beth mae person ei angen mewn ysbyty? Rydan ni'n paratoi Mam i fynd yno – ac wrth gwrs rydan ni'n dweud wrthi be sy'n digwydd gan gymryd yn ganiataol ei bod hi'n deall. Mae Dad yn rhoi cusan ffarwél iddi – mae hi wedi bod yn gariad iddo ac yn ganolog yn ei fywyd ers 70 mlynedd, a dyma ni'n ei thynnu oddi arno heb feddwl fawr ddim am ei deimladau. Efallai ei fod o'n gwybod, neu'n ofni, na fydd yn ei gweld byth eto. Mae Mam yn canolbwyntio ar y dasg o fynd i'r car gan fod ei choes yn brifo. Gadawa'r tŷ yn y dillad a ddigwyddai fod amdani. Does dim codi llaw, dim edrych yn ôl am y tro olaf.

Golygfa 3B: 8.30 pm:
Hwyl a Miri yn yr Asesiad Meddygol

Dywedodd y doctor wrthon ni i fynd i'r Uned Damweiniau ac Achosion Brys a dangos ei lythyr. Rydan ni'n cyrraedd, cael gafael ar gadair olwyn a gwthio Mam i ganol y ddrama ddynol sy'n lliwio'r lle hunllefus hwnnw. Cyplau, pobl ifanc, teuluoedd a Mam, yn ei chadair olwyn, heb fawr o syniad ble mae hi. Nid bod hynny'n amharu arni: mae pobl yn ddiddanwch pur iddi ac mae nifer yno.

Gan ei bod yn gorfod aros yn yr ysbyty, y lle cyntaf rydan ni'n mynd iddo yw'r Uned Asesu Meddygol sy'n rhannu Desg Dderbynfa â'r Uned Damweiniau ac Achosion Brys. Mae'r Uned wedi symud ers y gwanwyn, pan ddois yma ar frys gyda Dad pan oedd anemia difrifol arno. Ychydig dros flwyddyn yn ôl ro'n i wedi cymryd yn ganiataol y byddai Mam yn iawn ar ei phen ei hun tra mae Dad yn yr ysbyty am noson neu ddwy. Credais ei bod hi'n ddynes gref ond y gwirionedd bryd hynny oedd bod ei meddwl eisoes yn fregus.

Ond doedd hi ei hun ddim wedi bod yn orhyderus y byddai'n iawn. Ar ôl treulio noson ar ei phen ei hun, dwi'n ei chofio hi'n dweud yn falch: "Ro'n i'n iawn," fel pe bai hi wedi cael rhyddhad ac yn teimlo'n hapus ei bod wedi gallu ymdopi hebddo. Wnes i ddim meddwl am eiliad na fyddai hi'n iawn, er bod y dementia yn sicr o fod wedi bod yno bryd hynny. Enghraifft arall o fod yn ddall i'r amlwg.

Pam yn y byd roeddwn i'n meddwl fel hyn? Mae'n debyg mai'r ateb yw na allwn ymdopi ond ag un ohonyn nhw'n wael ar y tro. Fis Mawrth diwethaf, Dad oedd y prif actor, a Mam yn is-gymeriad. Heddiw, Mam yw seren y sioe. Mae Dad gartref, yng nghefn y llwyfan, yn cymryd rhan yn ei ddrama fechan ei hun. Methu rhagweld hynny wnes i hefyd.

Gofynnir i ni aros yn yr Uned Damweiniau ac Achosion Brys nes y byddan nhw'n barod i'w harchwilio yn yr Uned Asesu Meddygol. Gerllaw, mae merch dew yn eistedd. Mae bod yn dew yn un o ragfarnau Mam; does dim yn well ganddi na dweud rhyw air neu ddau sbeitlyd am ei hoff bwnc. "Drycha ar yr hwch dew 'na!" medd hi, nid yn uchel ond nid yn dawel ychwaith; mae dementia yn gallu lleihau neu hybu swildod. Rydan ni'n ceisio'i thawelu. "Drycha arni mewn difri!" mynna Mam. Mae Sue, gwraig Alan, yn troi ei chadair olwyn fel bod Mam yn wynebu'r wal ac nid y cleifion eraill, ond dydi Mam ddim yn rhy hapus am hynny. "Mae'n well gen i wynebu'r ffordd arall," mynna, gan droi ei phen. Mae Sue yn ildio ac yn troi'r gadair olwyn yn ôl y ffordd arall. Yna, daw merch ddu, gyda'i gwallt yn gudynnau, i mewn. "Drycha ar wallt honna!" gwaedda Mam. Cawn ein hachub wrth iddi gael ei galw i mewn i'r Uned Asesu Meddygol.

Rydan ni'n cael ein harwain i mewn i giwbicl a chael trafferth wrth godi Mam o'r gadair olwyn i'r gwely. Erbyn hyn, mae hi'n naw o'r gloch y nos. Yr hyn dwi'n ei gofio fwyaf am y deirawr ganlynol (roeddan ni yno tan ar ôl hanner nos) yw llawer iawn o chwerthin. Doedd gan Mam ddim syniad beth oedd yn digwydd (achos tydi hi ddim yn cofio beth sy'n cael ei ddweud wrthi o'r naill funud i'r llall), felly mae hi'n troi pob dim yn jôc. Dyna yw ei strategaeth, ei dull hi o ymdopi â'r byd tu allan. Dydi hi ddim wedi gorfod defnyddio'r strategaeth ryw lawer cyn hyn oherwydd roedd hi ar ei haelwyd ei hun. Ond mae'n strategaeth effeithiol – ei chwerthin yn heintus: mae'r doctoriaid a'r nyrsys yn chwerthin hefyd. Ond pan ofynna'r gweinyddwr iddi beth yw ei dyddiad geni, mae hi'n dangos ei dawn actio gan ddechrau piffian chwerthin yn swil. "Mi wna i ei sibrwd o," medd. A dyna mae hi'n wneud. "Naw deg," medd, yn gwbl eglur.

Ei harchwilio o'i chorun i'w sawdl

Cyfres o brofion o'i chorun i'w sawdl yw'r asesiad, fe ymddengys. Y nyrs gyntaf i'w harchwilio yw Lynette – merch fer, ddu, ddigon dymunol ond ddim yn wên o glust i glust. Er nad yw Mam yn hiliol, eto mae hi'n perthyn i'r genhedlaeth honno o gefndir trefi bychain sy'n credu bod pobl dduon yn wahanol, ac felly'n haeddu sylw. Dwi'n gobeithio na fydd hi'n gwneud unrhyw sylwadau ar liw croen Lynette. Ond wrth weld y nyrs, mae hi'n mynegi rhywfaint o syndod ac yn ciledrych arnom am ymateb, ond gan nad oes unrhyw ymateb i'w gael penderfyna Mam dderbyn Lynette a'r ffaith bod lliw ei chroen yn wahanol. Ond wedyn dwi'n sylwi 'mod i'n siarad mwy nag arfer er mwyn sicrhau nad yw Mam yn cael cyfle i wneud unrhyw sylwadau anffodus. Wrth i Lynette blygu drosodd, mae Mam fel pe bai wedi gwirioni ar ei gwallt, ond beth bynnag oedd hi'n feddwl ohono, mae hi'n dewis cadw ei barn i'w hunan.

Mae meddyg ifanc o'r enw Ruth yn cyflwyno'i hun. Mae hi'n ferch hyfryd – cynnes, cydymdeimladol, yn un dda gyda phobl ac yn barod iawn i rannu jôc gyda Mam. Mewn iaith syml, mae hi'n egluro beth yw natur yr asesiad, y profion gwaed, pelydr-X a'r ymdrechion i ddarganfod beth sy'n achosi haint Mam. O leiaf maen nhw'n drylwyr iawn, meddyliaf, wrth wrando ar Ruth ar yr un pryd â meddwl hefyd tybed pryd fydd y system yn llwyddo i ladd ei charedigrwydd a'i brwdfrydedd naturiol. Ond ar yr eiliad hon mae hi'n berffaith.

Mae Ruth yn gadael cyn i Sue sylwi bod traed Mam yn crynu. "Be sy'n bod?" "Dwi eisio mynd i biso," medd Mam, wrth geisio codi o'r gwely. Galwaf ar Lynette sy'n mynd i nôl comôd. Mae Mam yn cynhyrfu; mae Lynette yn hir yn dod yn ôl. Erbyn hyn, mae hi wedi codi ar ei heistedd ac yn ceisio defnyddio'i holl nerth i wthio'i hun i ben y gwely er mwyn cyrraedd lle chwech. "Fydd hi ddim yn hir," dywedaf, ond mae llygaid Mam yn syllu'n syth ymlaen. Mae hi'n gweiddi, "Fred! Fred!" Ond dydi Fred ddim yno.

Daw Lynette i'r golwg o'r diwedd yn gwthio comôd. Mae codi Mam yn sialens gan nad yw hi'n gallu dilyn cyfarwyddiadau yn rhwydd; mae ei choes yn brifo a does fawr o le yn y ciwbicl. Ond rydan ni'n dod i ben. Mae hi'n pi-pi, yn ymlacio ac mae pawb yn chwerthin. Mae hi hefyd, yn hwylus iawn, wedi rhoi sampl i ni.

Mae'r profion yn dangos bod haint ond does neb yn gwybod beth sy'n ei achosi: ai problem yn y bledren? Neu'r frest? Neu ai rhywbeth i'w wneud â'r frech annifyr a welwyd wrth i Lynette ddadwisgo Mam a rhoi coban amdani. Roedd gweld ei chroen yn sioc – mor goch a chignoeth. Mae bronnau mawr Mam wedi pendrymu tua'r de wrth iddi fynd yn hŷn, a'r frech yn cuddio oddi tanynt. Roedd ôl papur tŷ bach arnyn nhw, yn awgrymu bod Mam wedi ceisio'i drin. Ond ni ddywedodd air wrth neb. Un felly oedd hi, hyd yn oed gyda dementia. Delio â materion personol yn *bersonol*, dyna oedd ei strategaeth erioed. Mae dweud wrth bobl eraill yn golygu ymyrraeth, ac mae ymyrraeth yn arwain at helbul.

Pan o'n i'n meddwl nad oedd rhagor o brofion i'w gwneud, daw Lynette yn ôl i gymryd swab o'r trwyn a'r geg. Mae Mam yn fodlon cael y swab gwddw ac yn agor ei cheg yn ddidrafferth. Ond rhoi darn o bren i fyny ei thrwyn! Mae'n chwerthin ar syniad mor dwp! Ac yn chwerthin. Ac yn chwerthin. Mae Lynette yn chwerthin gyda Mam. Rydan ni i gyd yn chwerthin llond ein boliau.

Mae hi'n hwyr yn y nos ac rydan ni'n dechrau blino. Dydi Mam ddim yn edrych wedi blino o gwbl. I'r gwrthwyneb, mae hi'n llawn bywyd ac fel pe bai'n ei mwynhau ei hun yn fawr. Mae gan un o'r nyrsys gwrywaidd steil gwallt Mohican sy'n peri iddi dwt-twtio, ac mae'n syllu arno fel pe bai o blaned arall. Daw Ruth i'r golwg eto ac yn dweud bod ei shifft ar ben ac y bydd ei goruchwyliwr, y Cofrestrydd, sydd ar y funud gyda chlaf gwael iawn ym mhen arall yr ysbyty, yn dod i edrych ar ei chanlyniadau. Wedyn, mi fyddan nhw'n mynd â Mam i ward.

Mae'r Cofrestrydd yn cyrraedd ac yn trin Mam yn hynod o garedig. Mae 'caredig' yn air nad yw Mam wedi colli'i ystyr hyd yn oed wrth i'w dementia waethygu. Mae'n ymwybodol ei bod yn cael ei thrin yn garedig; ac mae'n gallu mynegi hynny. Mae yntau'n ddu ac wrth iddo blygu drosti mae Mam yn rhyfeddu at ei wallt cyrliog, tyn, yn union fel oedd hi wedi gwirioni â gwallt Lynette. Mae o'n trefnu ei bod yn cael archwiliad pelydr-X ar ei choes boenus, ac ar ôl hynny mi fydd hi'n mynd i'w gwely ar y ward. Ond nid Ward F4, sef y ward 'gofal i'r henoed' y 'dylai' hi fynd iddi. Does ganddyn nhw ddim gwelyau. Felly maen nhw'n mynd â hi i'r Ward Arhosiad Byr Llawdriniaeth Frys, ei gwely'n cael ei wthio ar hyd y coridorau gan ddau ddyn ifanc llon.

Mae'r nyrsys yn ei rhoi yn ei gwely. Mae hi'n chwerthin yn hapus wrth i ni ffarwelio â hi. Mae'n lle od i ddod iddo ganol nos ond nid yw hynny'n poeni dim arni. Pan fo'r meddwl yn ddryslyd, mae'n debyg bod pobman yn od.

Mae hi eisoes yn fore Llun. Mae'r Penwythnos Mawr drosodd, a'r ddrama wedi hen ddechrau. Wrth i'r llen gau cyn yr egwyl, rydan ni'n tri, yr is-gymeriadau, yn diflannu i'n hystafelloedd newid.

Pennod 2
Alla i ddim gofalu amdani

Cyn y Penwythnos Mawr, Dad oedd ar ganol y llwyfan. Ei iechyd corfforol oedd ei brif ofid bellach, rhywbeth oedd wedi datblygu i fod yn bryder i minnau hefyd ond, yn ddiddorol iawn, ddim i Mam. Mae'n debyg ei bod hi wedi bod yn byw yn y gorffennol ers mwy o amser nag o'n ni'n sylweddoli ac felly yn dal i weld Dad fel dyn cryf, abl. Roedd cyflwr meddyliol Dad hefyd wedi bod yn bryder cynyddol – bu'n isel ei ysbryd hyd yn oed cyn i'w ddementia fasgwlar gael ei gydnabod. Ymateb di-flewyn-ar-dafod Mam oedd pendilio rhwng mynnu bod ganddo glefyd Alzheimer, neu ddweud y dylai roi'r gorau i gwyno a dechrau mwynhau bywyd!

Gan mai cyflwr meddyliol Dad oedd wedi bod yn ofid i bawb, doedd cyflwr meddyliol Mam ddim wedi bod yn rhan o sgript yr un ohonom. Oedd, roedd hi'n drysu weithiau, yn anghofio pethau, ond dementia difrifol? Roedd hynny'n sioc enfawr. Yr hyn na wyddwn bryd hynny oedd bod pobl â dementia yn gallu byw'n iawn o fewn eu hamgylchedd cyfarwydd am amser hir, a bod eu gwir gyflwr yn cael ei ddatgelu pan fo'r amgylchedd hwnnw'n newid. I Mam, yr ysbyty oedd y lle newydd hwnnw. Nawr, hi oedd prif gymeriad y ddrama. Arni hi yr oedd pob llygad yn syllu, gan adael Dad druan yn y tywyllwch ar ochr y llwyfan. Ond ni sylwais ar hynny tan yn ddiweddarach.

Roedd hi'n oriau mân fore dydd Llun cyn i Alan a Sue yrru'n ôl adref gan fy ngadael fel y prif gyswllt â'r ysbyty. Wrth gwrs, ro'n i wedi ffonio Dad gyda'r nos o'r Uned Asesu Meddygol i ddweud wrtho fod Mam yn saff a'i bod hi'n iawn iddo fynd i'w wely. Roeddan ni hefyd wedi gyrru heibio'i dŷ yn ystod oriau mân y bore rhag ofn ei fod yn dal ar ei draed ond roedd y goleuadau wedi eu diffodd a thybiais fod pob dim yn iawn.

Golygfa 4: Dydd Llun, 16 Gorffennaf, 2007: Y Rheolwr Gofal yn galw

Pan oedd Dad wedi bod yn yr ysbyty y flwyddyn gynt, credwn y byddai Mam yn iawn ar ei phen ei hun. Yr un fath yn achos Dad. Cymerais yn ganiataol y byddai'n gallu ymdopi. Rydan ni'n deulu cryf sy'n disgwyl i bob unigolyn ofalu amdano'i hun. Pe bawn wedi meddwl am y peth – a wnes i ddim – doedd Dad ddim wedi byw gartref ar ei ben ei hun ers deugain neu efallai hanner can mlynedd. Ers i Alan a minnau gael ein geni ar ddiwedd y 1940au, doedd Mam ddim wedi bod yn yr ysbyty dros nos o gwbl. Yn wahanol i Dad, gan iddo gael dwy lawdriniaeth ar ei chwarren brostad, clun newydd a'r pwl diweddar gyda'r anemia. Felly roedd Mam wedi cael y profiad o fyw ar ei phen ei hun, yn wahanol iddo ef. Tan nawr. Yn 90 oed gyda chorff oedrannus a meddwl diffygiol.

Syndod felly oedd cael galwad drannoeth gan Michelle, a gyflwynodd ei hun fel Rheolwr Gofal ar ward dros dro Mam. Tybiais ei bod hi'n galw gyda newydd am Mam. Ond na, am Dad roedd hi'n pryderu. Eglurodd fod ei chynorthwyydd wedi ei ffonio'n gynharach ac wedi methu cael eglurhad ganddo ynghylch pwy oedd yn edrych ar ei ôl, neu fel y dywedodd hi yng ngeiriau'r 'system', pa fath o ofal oedd o'n ei gael.

Ar yr adeg honno, yng nghanol fy ymdrechion i ofalu am Dad a Mam, wyddwn i ddim beth oedd Rheolwr Gofal. Ro'n i'n gwybod yn fras bod gan ysbytai ddyletswydd i ofalu am eu cleifion, ac nad oeddan nhw i'w gyrru adref heb fod 'rhywun i ofalu amdanynt' er mwyn sicrhau bod cleifion yn saff yn eu cartrefi. Ond nawr bod Mam 'yn y system', roedd Dad – fel un o ddau oedolyn yn rhannu tŷ, un y byddai hi'n dychwelyd iddo – 'yn y system' hefyd.

Cymeraf at Michelle yn syth â'i hacen Gogledd America, merch abl a oedd yn amlwg yn pryderu. "Ydi eich tad yn iawn?" gofynna. "O, yndi," atebaf, yn ddigon didaro. "Mae wedi bod yn cael trafferth ymdopi efo Mam yn ddiweddar. Mi fydd o'n falch o gael gorffwys." Dyna ddywedais i achos, yn ddifeddwl, dyna a dybiais: y byddai arhosiad Mam yn yr ysbyty yn rhoi cyfle i Dad ymlacio rhag gorfod ceisio ymdopi â'i chyflwr meddwl bregus. Doedd o ddim wedi cael y sylw dyledus gen i oherwydd roedd o wedi bod yn gofalu am Mam wrth i'w dementia waethygu, ond y gwir oedd mai sylwedydd diymadferth oedd Dad. Beth ddywedodd o un tro? "Sgen i'm syniad ble mae hi'n cysgu." O edrych yn ôl, dwi'n sylweddoli mai sôn amdana i fy hun oeddwn i mewn gwirionedd: roeddwn i angen hoe fach o'r cyfrifoldeb ac felly wedi taflu fy mlinder meddyliol ar Dad. Ro'n i hefyd wedi anwybyddu ei ddementia fasgwlar gan fod effaith hwnnw'n llawer llai dramatig na dryswch Mam.

Ond dydi Michelle ddim wedi ei hargyhoeddi. Mae Rheolwyr Gofal angen tystiolaeth, nid rhyw sylwadau dibwys, optimistaidd gan aelod o'r teulu. Iddyn nhw, diogelwch yw'r peth pwysicaf. A oedd hi'n saff i adael Dad ar ei ben ei hun? Mae Michelle yn plannu amheuon yn fy mhen: "Af draw yno'n syth i weld sut mae o," meddaf. "A rhoi gwybod i chi."

Af draw a darganfod Dad yn gorwedd fel hanner lleuad, fel babi yn y groth. Mae'n ochneidio pan mae o'n fy ngweld. "Diar mi," meddai, yn ddigalon. "Be sy'n bod, Dad? Ydach chi'n iawn?" "O, diar mi." Mae ei gorff yn tynhau drosto wrth i mi ddal ei ben yn fy mreichiau.

"Sgen i ddim gwraig"

Do'n i ddim yn gallu gweld y broblem yn glir ar y pryd ond yr hyn yr oedd Dad yn ei wneud wrth orwedd yn ei gwman oedd ceisio dianc rhag bywyd. Nid ymarferoldeb ei sefyllfa oedd ei bryder ond yn hytrach ei golled. "Sgen i ddim gwraig," meddai'n ddigalon, wrth feddwl mae'n siŵr sut yr oedd Mary wedi bod yn ymbellhau oddi wrtho ac yn mynd i'w byd dryslyd ei hun. Hi oedd y graig yn eu perthynas, y feistres. Ac roedd yntau wedi derbyn hynny'n fodlon. "Gofynna i dy fam," oedd ei ymateb bob tro roedd rhyw fater newydd yn codi. Hyd yn oed yn ddiweddar, pan o'n i'n trio trefnu'r tŷ ac yntau'n gwybod bod ei wraig yn ymddwyn yn od, doedd o ddim yn barod i wneud penderfyniadau heb ei barn hi. Hi oedd canol llonydd ei fywyd, a nawr ei bod hi'n absennol roedd ei fyd wedi rhoi'r gorau i droi.

Flynyddoedd yn ôl, wrth geisio codi ei galon, prynais ddyddlyfr er mwyn iddo allu cofnodi ei fywyd. Sgrifennwyd fawr ddim ynddo ond cofnododd y diwrnod hyfryd hwnnw pan gyfarfu'r ddau, a dechrau stori serch oesol. 'Pan o'n i'n 17 oed, mi wnes i gyfarfod merch brydferth 17½ oed, a gwallt golau hyfryd ganddi. Syrthiais mewn cariad efo hi'n syth, dros fy mhen a 'nghlustiau – fedrwn i ddim bwyta am ddyddiau. Nawr, oesoedd yn ddiweddarach, dwi'n dal i feddwl y byd ohoni.' Dechreuais sylweddoli'n araf bach bod ergyd y dementia wedi treiddio i'w galon, yr un lle arbennig hwnnw lle trigai ei gariad at ei wraig.

Un rheswm pam imi fethu â deall pa mor ddigalon oedd Dad, oedd fy mod i, fel Michelle a'r 'system' yn gyffredinol, yn poeni mwy am sut i weithredu'n ymarferol yn hytrach nag am deimladau. Ydi Dad yn iawn gartref ar ei ben ei hun? Dyna oedd y cwestiwn tyngedfennol. Nac'di, mae'n amlwg. Beth allwn ni wneud? Mae'r 'system' yn dweud: rhoi pecyn gofal argyfwng ar waith. Yn achos Dad, golyga hyn ymweliadau bob bore a nos gan ddau ofalwr o'r tîm argyfwng lleol. Yn ogystal â fi, wrth gwrs, yn cadw golwg arno. Mae Michelle yn cysylltu â'r Gwasanaethau Cymdeithasol ac maen nhw'n gweithredu'r cynllun trwy gysylltu â'r Nyrsys Cymunedol yn y Feddygfa a Rheolwr y Gwasanaethau Gofal Cymdeithasol ar gyfer yr henoed yn yr ardal leol. Mae'r gofalwyr caredig yn dechrau galw yn syth ar y diwrnod canlynol, ac rwy'n hynod o ddiolchgar iddyn nhw am hynny.

Ond yr hyn roeddan ni i gyd yn ei esgeuluso – fi, Michelle, y Nyrsys Cymunedol a'r Gwasanaethau Cymdeithasol – oedd mai rhan fechan o'r broblem yw cymorth ymarferol, er yn un hanfodol. Nid ymarferoldeb yw gofid mwyaf y rheini sydd angen gofal. Y cynorthwywyr a'r cefnogwyr sy'n gosod gofal corfforol ar ben y rhestr. Ar ei ben ei hun y nos Sul honno, roedd Dad wedi ei adael i wynebu'r emosiynau a'r gofidiau a oedd yn berwi dan yr wyneb. Pam ar y ddaear na wnaeth *un* ohonan ni aros efo fo? Yn hytrach, mi wnaethon ni i gyd ruthro i'r ysbyty ble tybiem oedd y brif ddrama yn digwydd.

Dywedodd mai ei brif bryder oedd na fyddai hi yn ei adnabod, er nad o'n i – ar y dechrau – wedi llawn ddeall effaith y golled fawr hon. Efallai nad oeddwn eisiau wynebu'r posibilrwydd o Mam yn methu adnabod Dad, neu fi, neu 'mrawd. Yn rhesymegol, wrth gwrs, dwi *yn* gwybod bod hyn yn debygol o ddigwydd. Dyna mae rheswm yn ei ddweud, ond nid fy nghalon. Yn amlwg, nid teimladau ac ofnau Dad yn unig sy'n berwi dan yr wyneb. Mae fy nulliau ymdopi innau hefyd dan straen.

Efallai ei bod hi'n rhy gynnar i mi wynebu rhywbeth mor ddigalon a minnau bryd hynny ond newydd ddechrau cydnabod pa mor bell y mae dementia Mam wedi datblygu. Dwi'n dal i fod eisiau credu y bydd pob dim yn iawn. Gyda chymorth ychwanegol, gallwn ddod â Mam gartref ac mi fydd bywyd yn normal unwaith eto. Ond mae Dad wedi achub y blaen arna i. Mae o'n gwybod nad yw hyn am ddigwydd. Mae o eisoes yn galaru.

Felly er fy mod wir yn hynod ddiolchgar am y gofal a'r cymorth ymarferol sy'n cael ei gynnig gan 'y system', yn ogystal ag yn hynod ddiolchgar am gydymdeimlad a charedigrwydd y gwahanol ofalwyr a Rheolwyr Gofal, dwi'n ymwybodol iawn o'r ddrama sy'n digwydd mewn llefydd eraill: yn fy ymdrechion i ddal ati i fod yn gadarnhaol, i chwarae fy rhan fel yr un gref sy'n mynd i sicrhau y bydd pob dim yn iawn, yn ymdrechion Dad i ymdopi â'r realiti newydd sy'n gwthio'i hun i'w fywyd, ac yn ein tristwch a'n hofnau wrth i ni gerdded i gyfeiriad dyfodol ansicr.

Bwlch enfawr ble bu Mary

Fel mae'n digwydd, doedd stori serch Dad a Mam ddim drosodd, er ei bod ar fin camu i gyfnod newydd. Erbyn hyn, yn absenoldeb Mam, mae 24 Acrefield Drive yn lle digalon er gwaetha'r ffaith bod gofalwyr yn galw yno fore a nos i godi calon Dad ac i baratoi te a bara menyn iddo. Mae Dad yn cicio'i sodlau. Neu'n osgoi'r boen trwy gysgu. Arferai Mam boeni ei fod o'n cysgu gormod, a byddai'n rhoi pwniad hegar iddo pan oedd ar fin cau ei lygaid. Nawr, does neb i'w boeni.

Dwi'n galw heibio i'w weld yn aml ond yn gorfod fy mharatoi fy hun ar gyfer pob ymweliad: "Heia, Dad, sut dach chi heddiw?" Fy ngreddf naturiol yw bod yn gadarnhaol. "Ddim rhy dda," meddai, gan wrthod cydnabod y gallai fod yn weddol. Roedd hyn yn waeth na difaterwch, yn rhyw fath o styfnigrwydd sy'n ei fwyta, yn ailadrodd y brawddegau: "Dwi'n hen. Mae 'mywyd i drosodd," sydd fawr o gymorth wrth geisio codi ei galon.

Mae pob sgwrs bellach yn cynnwys cwynion: pris papurau newydd, rhai dydi o ddim yn eu darllen – Mam oedd bob amser yn eu prynu. Hyd yn oed nawr mae hi'n hoff iawn o ddarllen y penawdau'n uchel. "Ydach chi eisio imi ganslo nhw?" Os oes problem, rhaid cynnig ateb, bod yn ymarferol.

Fel problem y llenni yn y lolfa: roeddan nhw wedi dechrau dod yn rhydd o'r polyn ar un pen ac roedd Dad wedi gorfod dechrau eu hagor a'u cau'n ofalus. Ond roedd y gofalwyr yn dod i mewn ac yn eu tynnu'n wyllt ar agor wrth ddweud, "Bore da!" O ganlyniad, maen nhw'n hongian yn hyll o un gornel. "Atgas," oedd disgrifiad Dad o'r llenni: dyna sut mae pethau'n edrych iddo ef, cadarnhad bod ei fywyd yn chwalu. Mae Lorraine, un o'r Nyrsys Cymunedol, yn galw i weld sut mae o'n ymdopi: mae o'n dweud wrthi am fy ffonio i ("hi sy'n penderfynu petha," meddai wrthi). "Yr unig beth wnaeth o oedd cwyno am y llenni," meddai Lorraine.

Mae Alan a Sue yn mynd â fo i weld Mam sawl gwaith, a thorri'i wallt. Ond dydi hyn yn newid dim ar ei agwedd ddigalon. Sut allai? Mae ei fywyd wedi newid yn llwyr. Dim ond Dad oedd yn gwybod pa mor ddrwg oedd bywyd wedi bod yn ystod y misoedd olaf; rhaid ei fod wedi sylweddoli ei bod hi'n amhosib i fywyd gario mlaen fel ag yr oedd o, ond ei fod wedi dewis cadw'n dawel. Dim ond Dad hefyd oedd yn gwybod sut oedd ei feddwl yn dirywio. A sut oedd ei wraig, yr un oedd wedi gofalu amdano ar hyd y blynyddoedd, wedi crwydro i ffwrdd i'w byd bach ei hun. Rhaid ei fod wedi suddo dan fôr o ofnau, un doedd yr un ohonan ni wedi'i ddeall yn iawn.

Dad dan y dŵr a Mam yn arnofio

Yn y cyfamser, mae Mam yn cael ei hanturiaethau ei hun ar y ward 'dros dro', un a ddechreuai deimlo'n fwyfwy parhaol wrth iddyn nhw 'drio ffeindio gwely' ar ward yr henoed. Yn ystod un o'm hymweliadau, ychydig ddyddiau ar ôl iddi fynd i mewn i'r ysbyty, rwy'n synnu o weld ei bod wedi cael ei symud o ward sydd â chwe gwely i ystafell ar ei phen ei hun. Mae nodyn ar y drws yn dweud wrth ymwelwyr am olchi eu dwylo cyn mynd i mewn ac ar ôl dod allan. Cefais wybod ei bod wedi dal *C.difficile*. "Dydan ni ddim yn gwybod o ble daliodd hi'r haint, yn yr ysbyty neu yn y gymuned," meddan nhw. Ro'n i wedi clywed am MRSA ond do'n i ddim yn gwybod bod *C.difficile* hefyd yn rhemp mewn ysbytai; doedd y penawdau drwg ddim wedi cyrraedd y wasg. Felly wnes i ddim dweud, "Mae'n bur debygol mai yn fan'ma wnaeth hi ddal o," er mai dyna o'n i'n credu.

Dwi'n falch nad oeddwn yn gwybod bryd hynny bod *C.difficile* yn gallu bod yn beryglus ac yn farwol i hen bobl. Ond mae Mam yn edrych yn hwyliog iawn: tybiaf fod y sglyfaeth peth ddim wedi ymosod yn llawn arni. Llwyddaf i gasglu darnau'r stori ynghyd ei bod wedi cael dolur rhydd a aeth dros y lle i gyd. Mae Mam yn dweud ei fersiwn hi wrtha i: daeth dyn mewn siwt smart i mewn, meddai â'i llais yn llawn sioc, pibo dros y lle i gyd ac ymddwyn fel pe bai hynny'n gwbl normal. Mae pobl sydd â meddyliau dryslyd yn dychmygu ac yn creu storïau er mwyn ceisio gwneud synnwyr o'r hyn nad ydyn nhw bellach yn ei ddeall.

Er na fyddwn i'n dymuno iddi gael yr haint *C.difficile*, roedd cael ystafell i'w hunan ac iddi ffenestr fewnol – a oedd yn ei galluogi i weld pobl yn pasio ac yn codi llaw arni – yn llesol iddi. Mae Mam yn eithaf cryf yn ei henaint – ei chorff yn gallu brwydro yn erbyn *C.difficile* yn haws na'i meddwl bregus. Roedd ganddi ei lle chwech ei hun yn ei ystafell breifat, er y byddai ambell dro yn anghofio sut i ddod allan. Cafodd ei thrin yn garedig iawn ar y ward hon, a'i gwên a'i chwerthin yn golygu ei bod yn glaf poblogaidd. Cefais innau fy nhrin yn garedig iawn hefyd, a llawer o'r staff arlwyo yn rhoi pwdinau blasus i mi yn hytrach na'u gwastraffu, nid yw'n synod nad oedd gan gleifion y Ward Arhosiad Byr Llawdriniaeth Frys fawr o awydd bwyd.

Drwy sawl sgwrs â Michelle, deallais fod y 'system' yn rhoi profion i Mam gogyfer â dau ganlyniad gwahanol. Yn ôl y disgwyl, câi nifer o brofion meddygol: ac roedd rhai'n edrych yn eithaf da. Yn wir, cefais wybod y byddai Mam 'yn feddygol yn barod i adael' cyn gynted ag yr oedd y *C.difficile* wedi gwella. Yn feddygol yn barod, efallai, ond doedd hi ddim yn barod i adael o gofio'i hoed a'r dementia. Heb drefnu rhagor o ofal, doedd ei chartref ddim yn lle digon saff.

Profion ac asesiadau

Roedd y profion eraill felly yn ymwneud â 'gofal' er mwyn canfod beth y gallai Mam ei wneud ei hunan a sut byddai angen cymorth arni. Roedd gwahanol therapyddion yn cynnal y profion – yn ffisiotherapyddion a therapyddion galwedigaethol. Dywedodd un therapydd wrtha i fod Mam wedi dweud ei bod yn byw yn Middlesbrough, ar Teeside, sef y dref lle gweithiai yn ddynes ifanc fel gweithredydd comptomedr i Dorman Long, y gwneuthurwr dur a arallgyfeiriodd i adeiladu pontydd, gan godi rhai megis Pont Tyne a Phont Harbwr Sydney. Dywedodd hefyd wrth y therapydd fod Dad a hithau'n ddi-blant, hyd yma. Er imi ddod i arfer â hyn, dyna'r tro cyntaf i mi fod yn ymwybodol o'r ffaith y gall dementia weithredu mewn gwahanol amseroedd, y presennol a'r gorffennol pell, a hynny ar yr un pryd.

Ar ddiwrnod arall, fel rhan o brofion yr ysbyty, aeth therapydd â hi i'r gegin i weld a oedd hi'n gallu rhoi pryd parod yn y popty a'i goginio'n gywir. Gwyddwn y byddai Mam yn methu'r prawf ond roedd yn rhaid i'r 'system' ddarganfod hynny eu hunain.

Ro'n i'n digwydd bod yno ar y pryd ac felly cefais gyfle i fynd gyda hi.

Roedd Mam wrth ei bodd yn cael ei gwthio i lawr y coridorau ac i mewn i'r lifft. Cymaint i'w weld, a chynifer o hysbysebion i'w darllen! Yn ôl yr arfer, trodd ymarfer dwys yn un doniol iawn. Ceisiais aros yn y cefndir ond pan ofynnodd y Therapydd Galwedigaethol iddi ddarllen y label gyda'r wybodaeth 'amser yn y popty' dywedodd Mam wrtha i, "Gwna di o." (Roedd y pryd parod yr un fath â rhai roedd Dad a hithau wedi ei goginio a'i fwyta ers blynyddoedd.) "Peidiwch â gofyn i *mi* wneud o," dywedais. "Rydan ni yma i weld a ydach *chi'n* gallu'i neud o."

Wrth reswm, dydi hi ddim yn gallu ei goginio, ond mae hi'n dda iawn am ddefnyddio tactegau tynnu sylw i geisio cuddio hynny. Mae cuddio eu gwir gyflwr yn un o sgiliau cleifion dementia, yn enwedig yn y dyddiau cynnar. Un o dactegau Mam yw gofyn am ddiod, darllen y cynhwysion yn uchel, cyn gofyn i mi wneud y gweddill o'r gwaith. Beth sy'n rhoi penbleth i mi yw'r ffaith fy mod i wedi archebu'r prydau parod hyn yn ffyddlon bob mis ar y we, a'i bod hi a Dad wedi bod yn eu bwyta bob dydd am fisoedd lawer, ond eto tydi hi ddim yn eu hadnabod o gwbl. Fel y rhan fwyaf o'i bywyd bob dydd, mae'r wybodaeth wedi mynd yn angof.

Gyda'i chof tymor byr a chanolig bron wedi mynd yn llwyr (er enghraifft, er ei bod wedi byw yng Nghaergrawnt am y rhan fwyaf o'i bywyd, mae'r syniad o 'Gaergrawnt' wedi diflannu'n llwyr o'i meddwl), mae ei hatgofion cynharaf yn dal yn fyw. Ac felly mae hi'n chwilio drwy'r atgofion hynny, a byw yn y gorffennol pell: ar un adeg gall fod yn ferch sydd newydd briodi ac yn ddi-blant. Dro arall, gall fod hyd yn oed yn iau, ac yn ddibriod. Mae'n poeni bod Fred, y cariad dydi hi ddim wedi'i weld ers sbel, am briodi merch arall. "Dwed fod Mary yn dweud wrtho beidio priodi neb arall," mae hi'n dweud wrtha i, ei merch drigain oed. "Mi wna i," atebaf. Ac yna mae'r pryder hwnnw, a'r atgof, yn diflannu.

Golygfa 5: 24 Gorffennaf: "Alla i ddim gofalu amdani"

Ro'n i wedi sylwi ar un peth yn arbennig pan oedd Mam yn yr ysbyty – soniodd hi'r un gair am gartref. Dim *un* waith. Ni ofynnodd pryd byddai hi'n cael mynd adref na sut oedd Dad yn ymdopi. Hynny'n od, meddwn wrthyf fy hun, o gofio nad oedd hi wedi camu dros y rhiniog ers dros flwyddyn. Nodais y ffaith ond wnes i ddim sylweddoli'n syth ei bod wedi llwyr anghofio am ei chartref. I mi, roedd hynny'n ormod i ddygymod ag o, gan gofio ei bod wedi gadael y tŷ prin ddeg diwrnod ynghynt – ei chartref am 30 mlynedd– a bellach wedi anghofio am ei fodolaeth.

Roeddwn i'n dal i dybio ar y pryd y byddai Mam yn cael mynd adref cyn hir ac y byddai'r 'system' yn sicrhau bod 'rhagor o ofal' yn cael ei baratoi ar ein cyfer ni – sef Mam, Dad a minnau – er mwyn ein galluogi i gario ymlaen ac ymdopi. Dydw i ddim yn rhy siŵr a oedd fy meddwl yn glir iawn wrth brosesu popeth oedd yn digwydd. Yn sicr, ro'n i'n teimlo'n gyfrifol am y ddau ohonyn nhw, ond gyda'r holl ddatblygiadau newydd doedd gen i ddim darlun clir iawn o'r dyfodol.

Ar 24 Gorffennaf, ryw ddeg diwrnod ar ôl i Mam fynd i'r ysbyty, caf wybod bod gwely ar ei chyfer ar Ward F4, un o'r wardiau ar gyfer yr henoed. Yn feddygol, mae hi'n ffit i fynd adref, ond ddim yn 'gymdeithasol barod' gan ei bod yn tueddu i grwydro ganol nos. Yn anffodus, wrth newid ward, rydan ni'n colli gofal Michelle gan fod Rheolwr Gofal arall ar F4. Ond cyn i ni ei cholli, mae hi'n rhoi galwad ffôn i mi.

Diwrnod heulog ddiwedd mis Gorffennaf oedd hi, a finnau'n ymweld â Dad. Mi es i'r ardd am sgwrs. Roedd Dad yn fwy hwyliog na'r arfer y diwrnod hwnnw; y teledu ymlaen (arwydd da) ac roedd wrthi'n rhoi ei ginio yn y popty microdon. Edrychai'n dda hefyd, ei wallt wedi ei dorri. Dywedais wrtho fod Mam yn well ac y byddai'n dod adref cyn hir, ond ysgydwodd ei ben. "Alla i ddim gofalu amdani. Mae gen i ddigon o waith i ofalu amdana i fy hun." Roedd eisoes wedi dweud hynny'r wythnos gynt. A nawr mae o'n ei ailadrodd ei hun.

Mae Michelle o'r farn nad yw Mam yn barod i ddod adref. "Pe bawn i'n clywed dy dad yn dweud 'Dwi isio iddi ddod adref, doed a ddêl, ac mi ofala i amdani tra medra i', yna mi faswn yn dweud yn wahanol. Ond nid dyna'r neges dwi'n ei chlywed." Hi oedd yn iawn. Nid dyna'r neges o'n i'n ei chlywed ychwaith.

Dad oedd yr unig un oedd yn gwybod pa effaith oedd y dementia fasgwlar yn ei gael arno. Roedd ganddo well syniad na fi beth oedd o'n gallu, a ddim yn gallu, ei wneud. "Mae'n ddigon anodd gofalu amdana i'n hun," oedd y neges yr oedd o'n ceisio'i chyfleu, ond doedd ei ddementia ddim yn caniatáu iddo ddod o hyd i'r geiriau i'w fynegi ei hun yn iawn. Dylai'r ffaith ei fod o'n methu egluro'n glir wedi bod yn arwydd ei fod mewn cyflwr gwaeth nag o'n i'n ei feddwl.

Roedd o yn llygad ei le; doedd o ddim yn gymwys i ofalu am wraig â dementia.

Mae Michelle yn dweud ei dweud yn blwmp ac yn blaen. Yr hyn y byddai 'gofal llawn' yn ei olygu o bosib fyddai cael gofalwyr yn galw draw bedair gwaith y dydd am hanner awr: "Mae hynny'n gadael 22 awr pob diwrnod pan fydd o'n gyfrifol." Ac mi fyddai o'n cysgu dwy ran o dair o'r amser, meddyliais. Wrth edrych ar y ffeithiau hynny, sut all cymdeithas ystyried bod anfon gofalwyr yno am gyfnodau byr, bedair gwaith y dydd, yn 'ofal'? Fel pobl ymarferol, rydan ni'n rhoi'r pwyslais ar y corfforol: mae hanner awr yn ddigon o amser, am wn i, i godi rhywun o'i wely a'i olchi. Ond be wedyn? Eu gadael ar eu pennau eu hunain tan yr ymweliad nesaf? Hynny'n iawn, os ydyn nhw yn eu hiawn bwyll ac yn byw bywyd cymharol normal. Ond beth os ydyn nhw'n wan, yn anghofus ac ar ymylon cymdeithas? Ydan ni'n twyllo'n hunain?

Dwi'n teimlo 'mod i mewn drama ond wedi anghofio'r sgript. Onid ydi hi'n well i hen bobl fod gartref? Onid dyna fyddai'n ddoeth? Ond os na fedar Dad ofalu am Mam gyda gofalwyr yn galw yno bedair gwaith y dydd...

Mae'n amlwg bod Dad a Mam wedi llwyddo i ymdopi am flynyddoedd am fod dau ohonyn nhw; yn gallu cynnal ei gilydd mewn amseroedd anodd pan oedd Mam yn ailadrodd popeth a Dad yn dioddef o iselder. "Bwysig edrych ar yr ochr orau," oedd cred Mam. "Ac os yw pethau'n edrych yn dywyll, gweithio'n galetach a chwilio am y goleuni." Ond nawr roedd dementia'n gwau ei ffordd yn gyfrwys i'w bywydau, gan rwygo'u perthynas hir a chlòs. Wrth i Dad gredu nad oedd ganddo ddewis ond gollwng gafael ynddi, ro'n i'n dyst i ddiwedd y cwpl hwn fel uned hunangynhaliol.

"A ddyliwn i feddwl am eu rhoi mewn cartref gofal?"

"A ddyliwn i chwilio am gartref gofal?" clywaf fy hun yn gofyn i Michelle. "Allwch chi ddechrau chwilio gan bwyll bach," ateba hithau. Un ffaith arall do'n i ddim yn ymwybodol ohoni: mae gan ysbytai adran arbennig sy'n gyfrifol am chwilio am gartrefi gofal. Dechreuais ddeall beth oedd 'blocio gwely' yn ei olygu: mae'n ymwneud â chleifion fel Mam, am wn i, sy'n feddygol iach i fynd adref ond nad yw'r 'system' wedi gallu dod o hyd i drefniadau gofal addas. Ond fel y digwyddodd hi, ni fu Mam yn 'blocio' gwely am fwy nag wythnos.

O safbwynt yr ysbyty, sylweddolais fod ein sefyllfa ni'n gyffredin: dyma hen wraig sy'n methu byw gartref ac angen gofal. Roedd Michelle yn garedig a chefnogol wrth ein sicrhau na fydden ni'n gorfod penderfynu ffawd Mam yn syth bìn. Roedd gen i bryder arall beth bynnag: roedd fy mywyd personol yn dioddef ac ro'n i'n bwriadu mynd ar gwrs ioga i Ffrainc yn gynnar ym mis Awst. Wedi llwyr ymlâdd, ro'n i'n awyddus iawn i gael hoe fach. Ro'n i eisiau bod yn hunanol, mwynhau cefn gwlad Ffrainc, canolbwyntio arna i fy hun yn hytrach nag ar Dad a Mam. Un o'r pethau ddysgais amdana i fy hun yn y cyfnod hwn oedd 'mod i'n amddiffynnol. Ro'n i'n gallu helpu a helpu a helpu – ond yna, ar ryw bwynt, gwyddwn ei bod hi'n amser i ofalu amdana *i*. Dyliat fynd, meddai Michelle, gan awgrymu – ond heb gadarnhau'n bendant – na fyddai Mam yn debygol o gael gadael yr ysbyty pan o'n i dramor.

Cerddais i mewn i'r tŷ o'r ardd a cheisio wynebu'r ffaith na fyddai Mam yn debygol o ddod adref byth eto, ac y byddai'n mynd i gartref gofal. Roedd meddwl am y peth yn brofiad dieithr. Daeth Charmain, ein gofalwr hyfryd o Crossroads, draw yn ôl ei harfer ar brynhawn dydd Mawrth. Cawsom gyfle eto i drafod gyda Dad y posibilrwydd bod Mam yn dod adref. Gallai Charmain hefyd weld na allai Dad ymdopi â gofalu amdani.

Ac felly symudodd y ddrama yn ei blaen yn ddiwrthdro. Symudodd Mam i Ward F4 ar gyfer yr henoed. Parhaodd yr ysbyty i asesu ei galluoedd. Ymchwiliais innau beth oedd ein dewis. Fi'n ofalwraig llawn amser? Fyddai hynny ddim yn deg iawn ar Terry. Nac arna innau – fy ngreddf i ofalu amdana i fy hun yn dweud yn bendant, 'Na'. Cyflogi gofalwr llawn amser? Hynny'n bosib, ond roedd y tŷ mor fach ac yn annhebygol o ddatrys y broblem. Doedd dim dewis – roedd yn rhaid i mi chwilio am gartref gofal. Parhaodd Mam i fod y prif actor am ychydig rhagor o amser. A derbyniodd Dad yntau ei ran fel 'yr un gafodd ei adael ar ôl'.

Dwi'n cofio dweud wrth Michelle, "Mae hyn yn anodd." "Ac mi aiff yn anoddach," oedd ei hateb hithau.

Pennod 3

Naw diwrnod yn newid dau fywyd

Symudodd Mam i'w ward newydd ar 24 Gorffennaf, heb fod yn ymwybodol o gwbl mai hi oedd prif gymeriad y ddrama. Roedd ei ward dros dro wedi bod yn un glòs, gartrefol. Mynd i mewn drwy ddefnyddio intercom. Ychydig o welyau. Ymdeimlad o frys mewn argyfwng. Roedd hyd yn oed arlliw o fywyd a marwolaeth yn perthyn i'r enw 'Ward Arhosiad Byr Llawdriniaeth Frys'. Ond roedd ymweld â Mam ar F4, un o ddwy ward arbennig ar gyfer yr henoed, yn brofiad cwbl wahanol. Ar waliau'r coridor hir roedd gwybodaeth am glefyd Alzheimer. Od bod ysbytai'n pwysleisio elfennau *meddyliol* pan oedd y meddygon teulu yn canolbwyntio ar elfennau *corfforol*.

Wrth nesáu, roedd rhywun yn gallu clywed y sŵn – wylofain tawel, crio cwynfanllyd a oedd – pe baech am feddwl yn ddychmygol, drosiadol – yn cyfleu tristwch cwymp a dirywiad y cyflwr dynol. A dyna oedd o: wylofain dynes o'r enw Maisie a oedd wedi bod yn byw'n hapus ar ei phen ei hun a dementia cymedrol arni nes i rywbeth ddigwydd, ryw ddiwrnod. Doedd neb yn gwybod yn iawn beth, ond daethpwyd o hyd iddi yn anymwybodol ar lawr. Ar ôl nifer o brofion, y ddamcaniaeth orau oedd ei bod wedi cael trawiad bychan, ond beth bynnag oedd y rheswm, gadawyd Maisie mewn cyflwr trist, prin yn gallu agor ei llygaid, a golau llachar a phresenoldeb pobl yn codi ofn arni. Roedd ei hwylofain cwynfanllyd, cyson yn swnio fel pe bai'n ceisio dweud rhywbeth a chael pobl i'w deall. Treuliodd ei mab a'i merch yng nghyfraith caredig oriau yn ei chwmni yn ceisio'i darbwyllo i yfed. Roedd sŵn ei phoen a'i phryder yn ddigalon.

Y tro cyntaf i mi ymweld â Ward F4, gwelais Mam tu allan i'r ward – roedd un o'r nyrsys yn ei hebrwng hi'n ôl o'r ward arall ar gyfer yr henoed, G4, gan fod Mam wedi crwydro i fan'no. Yn wahanol i'r cleifion eraill a oedd yn hapus i aros yn eu gwelyau, hoffai Mam grwydro, yn

42

busnesu ym mhob dim o'i chwmpas, yn darllen y wybodaeth am glefyd Alzheimer ar y waliau heb ddeall ei ystyr na'i arwyddocâd. Roedd ei gwely ym mhen draw'r ward chwe gwely, heibio ystafell y nyrsys ac yn agos at ystafell Maisie. Ro'n i'n falch o weld bod ei gwely wrth y ffenestr, er nad oedd ganddi'r un syniad beth oedd hi'n ei weld trwyddi.

Crwydryn arall ar y ward oedd Irene, dynes dawel a fyddai'n ymddangos o nunlle ac yn eistedd ar erchwyn gwely Mam am sbel. Neu weithiau, byddai'r ddwy'n mynd ar grwydr gyda'i gilydd yn eu gynau nos blodeuog. "Rydan ni'n eu galw nhw y 'ddwy ddrwg'," meddai un o'r nyrsys yn ysgafn, ar ôl iddi ddod i fy nabod yn iawn. Yn od iawn, roedd cael llysenw'n rhywbeth cadarnhaol: roedd y ddwy'n cael sylw: ac yn fwy na dim, yn cael eu trin yn garedig.

Yn ôl yn y byd real

Yn ôl yn y byd real, ac yn dal mewn sioc ynghylch yr hyn sydd ar fin digwydd i'n bywydau, dechreuaf chwilio am gartref gofal. Un cysur meddwl yw bod Mam yn gallu addasu i bob man. Cyn belled â bod y bobl o'i chwmpas i'w gweld yn hapus, mae hithau'n hapus. Ac mae hyn yn allweddol bwysig. Nid yw'r amgylchedd ffisegol yn bwysig iddi, ond mae naws yr awyrgylch emosiynol yn allweddol. Mae awyrgylch oer yn ei gwneud yn anniddig. Efallai mai dyna'r rheswm pam mae hi'n gwenu fel giât trwy'r adeg, i greu cynhesrwydd o'i chwmpas, cynhesrwydd y mae hi'n gwybod, yn reddfol, fod ei angen arni. Ro'n i'n dysgu gwers hynod bwysig am ddementia: mae emosiynau a theimladau'n aros, tra bod y cof a'r meddwl rhesymegol yn mynd.

Ond mae bywyd yn peri penbleth iddi, fe welaf weithiau. "Ble wyt ti'n mynd pan dwyt ti ddim yma?" gofynna i mi un diwrnod. "Adref," atebaf. "Mae gen i gartref i fynd iddo." "Oes wir?" medd hithau, mewn syndod. "Ble mae o?" Gan nad wyf i'n gwybod yn well bryd hynny, ceisiaf sgwrsio am y dyfodol efo hi, am beth ddigwyddith pan ddaw hi o'r ysbyty. Ond yr hyn a ddaw'n amlwg yn ystod y sgyrsiau yw nad yw hi'n sylweddoli ei bod mewn ysbyty o gwbl. Mae rhan ohonof yn methu derbyn nad yw hi'n deall hynny. "Rydach chi yn yr ysbyty," meddwn, fel man cychwyn trafodaeth. "Ydw i?" Syndod yn ei chwestiwn unwaith yn rhagor, fel pe bai hi'n tynnu fy nghoes yn fwriadol a ddim yn credu'r un gair dwi'n ei ddweud. Dwi'n rhyfeddu at y ffaith bod Mam yn gallu edrych yn ofalus o'i chwmpas, ei bod yn amlwg mewn ysbyty, ond nad yw hi'n sylweddoli hynny. "Pam ydach chi'n meddwl bod cynifer o ddoctoriaid a nyrsys yma, os nad ydach chi mewn sbyty?" Cwestiwn dibwynt. A Mam yn ei anwybyddu.

Dwi'n sylweddoli fy mod i mor chwilfrydig â hi. Ond hi sy'n fy ngwneud i'n chwilfrydig, wrth geisio dyfalu be sy'n mynd ymlaen yn ei phen. Dwi eisio gwybod beth sy'n digwydd ym meddwl rhywun sydd â math Alzheimer o ddementia. Dwi wedi gweld pobl sydd â'i math hi o ddementia a does ganddyn nhw ddim syniad ble maen nhw. Yr hyn dwi eisio wybod yw a ydyn nhw'n gofyn y cwestiwn "Ble ydw i?" neu a ydyn nhw'n fodlon derbyn ble maen nhw. O edrych ar y sefyllfa'n wrthrychol, pan oedd Mam yn yr ysbyty roedd hi'n ymddangos fel pe na bai ganddi fawr o glem ble roedd hi: efallai ei bod wedi anghofio ystyr y gair 'ysbyty', neu efallai fod y syniad o beth *yw* 'ysbyty' wedi mynd yn angof. Ac eto, roedd hi'n dangos diddordeb yn yr hyn oedd o'i chwmpas a'r hyn oedd yn gysylltiedig ag 'ysbyty'. Wrth iddi gryfhau'n gorfforol, roedd ei chwilfrydedd yn cynyddu hefyd: roedd hi'n benderfynol o ddarganfod beth oedd pob smic, pob manylyn, a phob symudiad yn ei olygu.

Rhan arall o'i chymeriad a oedd dal yn bodoli oedd y duedd anffodus i wneud sylwadau personol am bobl. Mae dementia, heb os, yn gwaredu unrhyw swildod neu gywilydd. Yn y gwely nesaf ati, roedd gan y claf berthynas – ei merch o bosib – a oedd braidd yn dew. "Drycha ar ffatso'n fan'na," meddai, gan geisio 'nghael i gytuno, a minnau'n ceisio newid y pwnc yn frysiog gan obeithio doedd neb wedi ei chlywed. Roedd gan glaf arall goesau tew, rhai yr oedd Mam wrth ei bodd yn pwyntio'i bys atyn nhw, yn union fel roedd hi'n pwyntio'i bys at lenni a bylbiau trydan yn y nenfwd. Roedd popeth mor ddiddorol iddi, ac wrth ei bodd yn holi cwestiynau. Ond heb y 'darlun mawr' i'w helpu i wneud synnwyr o'r byd, roedd hi'n anghofio'r atebion yn syth.

Mynd i dir newydd

Wrth chwilio am gartref i ofalu am Mam ro'n i'n troedio ar dir dieithr. A hynny heb fap na chynllun. Mae'n wir dweud bod y doctor erchyll o'r Penwythnos Mawr wedi plannu hedyn yn fy mhen ond doedd yr hedyn hwnnw ddim wedi egino. Tan yr wythnosau diwethaf, do'n i ddim wedi ystyried rhoi fy rhieni mewn cartref gofal.

Credwn y bydden ni'n gallu ymdopi, a fy nghred gref oedd bod hen bobl yn gallu byw gwell bywydau yn eu cartrefi. Sail y gred honno oedd mai dyna beth fyddwn i fy hun yn ei ddymuno. Onid dyna fyddai pob un ohonom eisiau ei wneud, bod gartref? O leia dyna mae pobl ffit, iach ac abl fel fi yn ei gredu. Mae'r rheini sy'n creu polisïau ar gyfer hen bobl fel rheol yn bobl ffit ac iach, yn dra gwahanol i'r rheini y maen nhw'n trefnu eu bywydau drostyn nhw. Does ganddyn nhw fawr o syniad sut all pethau newid pan mae'r cleifion yn wan, yn unig ac wedi colli eu meddyliau. Does gen i'm syniad sut fyddai fy marn i'n newid pe bawn i'n mynd yn wan, yn unig ac yn datblygu clefyd Alzheimer.

Beth bynnag yw barn rhywun, y gwir amdani oedd bod dementia Mam wedi datblygu i'r fath raddau fel na allai ddychwelyd i'w chartref – cartref yr oedd hi eisoes wedi anghofio amdano hyd yn oed gyda gofal pum seren. Yn ystod y 22 awr pan fyddai'r gofalwyr yn absennol, ni fyddai Dad yn gallu gofalu amdani. Mae'n cysgu drwy'r nos ac yn pendwmpian yn ystod y dydd, a hithau'n tueddu i grwydro. Ac er 'mod i'n barod iawn i roi cymaint o gymorth ag y gallwn i, do'n i ddim yn barod i roi gofal pedair awr ar hugain y dydd. Ro'n i'n gwybod hynny'n bendant. Roedd gen i fy mywyd a fy nheulu fy hun. Felly doedd dim dewis ond dod o hyd i gartref gofal.

Byddai'r ysbyty wedi rhoi cymorth i mi – cefais enw 'trefnydd cartrefi gofal' ond roedd hi'n digwydd bod ar ei gwyliau. Felly dechreuais chwilio fy hun gan ddefnyddio cyfeirlyfr gwasanaethau i'r henoed yn yr ardal a'r rhyngrwyd.

Ro'n i'n ymwybodol iawn bod y cartrefi gofal yn ddrud ac os oedd gennych dros £20,000 o gynilion yna byddai'n rhaid talu'r cwbl. Ychydig cyn hyn, wrth baratoi'r holl waith papur (gwaith yr oedd Dad yn arfer ei wneud cyn iddo lithro i bwll o iselder) ro'n i wedi darganfod faint o gynilion oedd gan y ddau. Felly roedd gen i syniad beth oedd y sefyllfa ariannol. Roedd gan Dad bensiwn gwaith bychan a phensiwn y wlad; doedd gan Mam ddim arian yn ei henw'i hun heblaw am 'bensiwn dyncs briod'. Ac roedd gan y ddau ohonyn nhw 'Lwfans Gweini' a oedd yn cael ei drethu ar y gyfradd isaf. Doeddan nhw ddim yn gyfoethog o gwbl. Ond roeddan nhw'n 90 oed a throsodd, heb wario rhyw lawr yn ddiweddar, a'u pot pensiwn wedi cynyddu. A gan fod y ddau yn perthyn i genhedlaeth a arferai gynilo arian, roedd yr arian hwn – ynghyd â'u cynilion – yn golygu bod ganddyn nhw lawer mwy nag £20,000 yr un yn y banc.

Sylweddolwn felly o'r dechrau fod hwn yn mynd i fod yn fater costus. Ar yr ochr gadarnhaol (yr unig un o bosib!) roedd 'talu'r cwbl' yn rhoi rhyddid i ni oblegid doedd dim angen disgwyl i'r awdurdodau wneud penderfyniadau a chytuno ar bob dim. Pe bawn i'n dod o hyd i gartref ro'n i'n hoff ohono, a bod lle i Mam yno, gallwn ysgrifennu siec a hithau wedyn yn symud i fyw yno. Syml.

Dechrau chwilio

Roedd y cyfeirlyfr gwasanaethau i'r henoed yn rhestru cartrefi yn y ddinas a'r cyffiniau. Dywedodd wyth ohonyn nhw eu bod yn derbyn cleifion oedd â dementia. Defnyddiais y rhyngrwyd i weld adroddiad y Comisiwn Arolygu Gofal Cymdeithasol (CSCI) ar bob un ohonynt. (Yn anffodus, mae'r comisiwn hwn bellach wedi cael ei ddisodli gan y Comisiwn Ansawdd Gofal sy'n canolbwyntio'n fwy ar gydymffurfiaeth ac felly ddim mor ddefnyddiol wrth geisio mynd ati i ddewis cartref.) Bwriad yr adroddiadau oedd canmol rhywfaint ar y cartrefi ac, yn bennaf, i ddatgelu eu gwendidau fel bod modd eu gwella a'u cywiro. Darllen digon digalon ydoedd oherwydd roedd nifer o wendidau'n perthyn i'r rhan fwyaf ohonyn nhw (oglau pi-pi, staff anghyson, gweithwyr heb eu hyfforddi'n iawn...).

Cyn digalonni gormod, penderfynais ymweld ag un o'r cartrefi er mwyn gweld sut beth roeddan nhw mewn gwirionedd. Sylwais fod un ohonyn nhw lai na deg munud i ffwrdd o'n tŷ ni, ar ben stryd dawel. Hwylus, meddyliais. Alla i fynd i weld Mam pryd bynnag dwi eisiau. Doedd yr adroddiad ddim yn rhy wael, er ei fod yn tynnu sylw at yr oglau pi-pi ar y llawr oedd yn benodol i'r rhai oedd â dementia. Debyg bod hyn yn golygu na châi'r preswylwyr â dementia grwydro o gwmpas. Byddan nhw ar wahân i'r gweddill. Drysau wedi'u cloi.

Ar y trywydd

Ffoniais i drefnu ymweliad. Roedd yr ymateb yn gwrtais er braidd yn ddi-hid; dowch draw pan allwch chi, bydd rhywun yma i ddangos y lle i chi. A'r prynhawn hwnnw, dyna wnes i. Canu'r gloch, egluro fy mwriad. Doedd y rheolwr ddim yno ond roedd y ferch ifanc a aeth â fi o gwmpas yn ddigon dymunol: "Mae o'n gartref da," meddai, wrth i ni fynd lawr y grisiau i lolfa'r preswylwyr a honno'n teimlo'n fach ac yn llawn.

Pan ailadroddais fod gan fy mam ddementia, aethpwyd â fi i fyny'r grisiau i'r 'llawr dementia'. Gyda ffenestri ar bob ochr, roedd digon o olau yn y coridor. Ac ar bob drws roedd enw a llun y claf. Ym mhob ystafell ymolchi roedd craen a oedd yn f'atgoffa o realaeth henaint; dyna sut câi'r preswylwyr eu codi a'u rhoi yn y bath. Cefais f'atgoffa o ba mor bwysig yw cadw fy nghorff yn ystwyth a'r cyhyrau'n gryf.

Roedd yr ystafell fwyta'n foddhaol. Ond nid y ddwy lolfa. Roedd oglau pi-pi yn y ddwy ohonyn nhw. Onid oedd y ferch ifanc yn gallu ei ogleuo? Na, allwn i ddim dod â Mam i fan'ma achos roedd hi'n gallu arogli'n dda. Na, allwn i ddim. Dangosodd fy nhywysydd yr ystafell gofal seibiant i mi hefyd: "Dowch â hi i fan'ma am wythnos brawf, iddi roi cynnig ar y lle. Dyna'r ffordd orau. Mae'n gartref da iawn." Dywedais y buaswn i'n meddwl am y peth a gadael cyn gynted ag yr oedd yn weddus i mi wneud hynny.

Daeth y felan i afael ynof. Dyma oedd realiti y cartrefi a doedd o ddim yn un pleserus. Gofidiais y byddai pob cartref yr un peth, yn ddrewllyd a digalon. Neu'n tu hwnt o ddrud. A chyn belled ag o'n i'n deall y gyfundrefn, pe bawn i'n dod o hyd i le drud, un fyddai'n gwagio pwrs Mam mewn dim o dro, byddai'r awdurdod lleol yn mynnu ei gyrru i le rhatach cyn bod yn fodlon talu'r un geiniog i ofalu amdani.

Yn ôl i'r dechrau

Yn ôl i'r dechrau: cefais hyd i ddau gartref oedd yn honni eu bod yn derbyn cleifion oedd â dementia. Alla i ddod draw? Wrth gwrs. O, na, arhoswch funud, meddan nhw, pan soniais am y gair 'dementia'. Yn ôl be a ddeallwn, pe byddai un o'r bobl oedd eisoes yno yn dechrau mynd yn ddryslyd, do'n nhw ddim yn debygol o'u hel nhw allan, ond do'n nhw ddim yn fodlon cymryd pobl oedd yn amlwg â dementia ar y dechrau.

Roedd dementia, felly, yn rhyw fater annelwig gan y cartrefi gofal. Os oes gennych *ychydig* o ddementia (sef eich bod braidd yn gymysglyd ond yn hawdd gofalu amdanoch oherwydd bod gennych nam corfforol sy'n eich rhwystro rhag crwydro i unlle!) yna doedd dim ots am eich cyflwr meddyliol. Byddai'r cartref yn trin eich nam meddyliol fel rhan naturiol o heneiddio.

Ond os yw rhywun yn ddryslyd iawn ac yn debygol o grwydro, mae hynny'n cael ei ystyried yn ddementia. Dyna sut o'n i'n deall y sefyllfa, sefyllfa od iawn sy'n gallu digwydd oherwydd nad oes gan ddau o bob tri sydd â dementia ddiagnosis ffurfiol, ac roedd Mam, wrth gwrs, yn un o'r ddau hynny. Dechreuais feddwl a ddyliwn grybwyll y dementia o gwbl: efallai dyliwn i geisio ei rhoi yn un o'r cartrefi bychain 'delfrydol' hynny i weld a fyddai rhywun yn sylwi! Gwendid y cynllun hwn oedd y bydden nhw'n siŵr o sylwi!

Ochenaid o ryddhad

Roedd anobaith ar y gorwel. Allwn i ddim goddef meddwl am Mam mewn cartref gofal gwael. Roedd gwraig i gymydog i mi newydd ddatblygu clefyd Alzheimer ac mewn cartref gofal yr ochr arall i'r dref. Ond doedd adroddiad y Comisiwn amdano ddim yn dda. Ac roedd adroddiad am gartref gofal arall yn sôn am arogl pi-pi yno eto fyth. Dim ond dau oedd ar ôl ar fy rhestr, a'u hadroddiadau ddim yn rhy wael. Ffoniais un ohonyn nhw ond doedd dim ateb; ffoniais y llall a chael ateb croesawgar. Alla i ddod i ymweld â'r lle? Wrth gwrs. Heddiw?

Roedd y cartref mewn adeilad modern, siâp U, ac iddo faes parcio bychan a gardd yn y canol. Roedd yr haul yn tywynnu a hen wraig yn pendwmpian yn y cyntedd heulog. Gallwn ddod i weld Mam yn fan'ma, meddyliais, yn syth. Roedd o'n lle agored, llawer o wydr a golau. Gallwn anadlu.

Aethpwyd â fi i fyny'r grisiau i ddechrau, y rhan i'r preswylwyr 'cyffredin'; ystafell fwyta/lolfa olau a dwy res o ystafelloedd unigol. A'r Uned Werdd (sef yr Uned i'r Henoed Bregus eu Meddwl fel y'i gelwid bryd hynny) ar y llawr isaf, ar hyd coridor byr o'r fynedfa a thrwy ddrws oedd angen cod diogelwch i'w agor. Pwysleisiai fy nhywysydd y câi'r preswylwyr fynd allan o'r Uned, ond bod yn rhaid iddyn nhw gael cwmni. Pwrpas y cod oedd eu rhwystro rhag crwydro a'u cadw nhw'n ddiogel.

"Mae ganddon ni stafell yn rhydd ar y funud," meddai, cyn dangos Ystafell Rhif 5. "Tydan nhw ddim ar gael yn aml ond mae sawl un wedi marw yn ddiweddar." Mae'r ystafell yn lân, ac mae ganddi ei stafell ymolchi ei hun. Trwy'r ffenestr, gwelais wiwer; roedd hi fel negesydd. Arferai Mam agor y llenni gartref a gweld wiwerod yn y coed yng nghefn y tŷ ond doedd hi ddim bob amser yn gallu cofio'r gair: "Y rheini efo cynffonnau," dywedai. Gwiwerod. "Ia. Wiwerod."

Rydan ni'n mynd i'r lolfa: hen ferched yn eistedd o gwmpas mewn cadeiriau. Un yn cael peintio'i hewinedd, ac yn trafod y lliw. Mae'r lolfa'n llawn golau gyda lle bwyta ar un pen, ffenestri ar bob ochr a gardd fechan trwy'r drysau Ffrengig. Mae lle i un ar ddeg o bobl yn yr uned; dim ond deg sydd yno ar y funud. "Mae'ch mam yn swnio'n ddynes hyfryd," meddai fy nhywysydd. Mae hi'n dweud wrtha i beth yw'r pris – drud, ond ddim yn rhy ddrud; yr hyn o'n i'n ei ddisgwyl. Dylech lenwi'r ffurflen hon, meddai, i ddangos bod gennych ddiddordeb er mwyn ei rhoi yn ein system. Does dim rhaid penderfynu ar hyn o bryd.

Llenwais y ffurflen. Fel rheol, dydw i ddim yn un dda am benderfynu ond tro hwn dwi'n gwneud penderfyniad. Llawer o olau. Dim arogl pi-pi. Gallwn ymweld â fan hyn heb fod yn ddigalon. A heb ymgynghori â neb arall, dwi'n dangos diddordeb cryf yn Ystafell 5 gan felly ddechrau'r cam nesaf: y cartref yn asesu Mam. Roedd hyn ar y dydd Iau, 26 Gorffennaf, ddeuddydd ar ôl i mi ddechrau chwilio am gartref. Yn ddiweddarach y diwrnod hwnnw, cefais alwad gan un o'r is-reolwyr yn dweud y bydden nhw'n mynd i'r ysbyty i asesu Mam ar y bore dydd Llun canlynol. Roedd pethau'n symud yn gyflym.

Galwais heibio i weld Dad. "Dwi wedi ffeindio cartref da i Mam," dywedaf wrtho. "Dim ond rownd y gornel." Gallai hyd yn oed ddod adref o bryd i'w gilydd ar ôl iddi setlo: dyna'r llun roeddwn wedi'i greu yn fy meddwl, gan nad oeddwn wir yn credu y gallai Mam fod wedi anghofio popeth am ei chartref am 30 mlynedd. Roedd Dad i'w weld yn fodlon. Cawsom sgwrs am arian a chytunodd Dad ar y gost – a hynny yn fy synnu braidd gan fod arian yn gallu bod yn boen meddwl iddo. Efallai fod y ffaith 'mod i wedi ei sicrhau'n hyderus y byddai popeth yn iawn gyda'r ochr ariannol yn tawelu ei feddwl. Dyna ddechrau, hefyd, drosglwyddo'r baich ariannol i gyd arna i. Mi wnaeth un sylw ychydig o ddyddiau'n ddiweddarach am "Mam yn mynd i'r lle yna fydd yn ei wneud yn fethdalwr". Ond dyna'r cyfan fwy neu lai. Doedd arian ddim yn broblem oedd ar ei feddwl ar ôl hynny.

Rhwystrau olaf

Ar y ward, mae Mam yn dal i grwydro. Un diwrnod, dwi'n dod o hyd iddi yn gwisgo gŵn nos felen, un do'n i erioed wedi'i gweld o'r blaen, yn ystafell Maisie, y ddynes oedd mewn cyflwr pryderus. Eistedda Mam ar erchwyn gwely Maisie; mae'n fy ngweld ond mae ganddi fwy o ddiddordeb yn llais cwynfanllyd Maisie wrth i'w mab a'i merch yng nghyfraith geisio'i bwydo. Mae Mam wedi dweud wrthyn nhw mai Maddie yw ei henw.

Mae hi'n llawn chwilfrydedd wrth syllu ar Maisie yn griddfan yn ddi-baid, ei llygaid wedi cau. Mae ei theulu'n ceisio'i chysuro. Ar ôl sbel, penderfyna Mam gynnig cymorth: "Cau dy geg!" medd. Mae teulu Maisie yn chwerthin. Ond nid yw'n gweithio. Mae ei mab yn sôn am yr adeg pan aeth Mam, ac Irene hefyd y tro hwnnw, yno a llwyddo i dawelu Maisie yn y diwedd. Ond dechreuodd yr hen wraig riddfan eto. "O, blydi hel!" oedd geiriau Mam.

Mae diwrnod asesiad Mam gan y cartref gofal yn prysur agosáu. Fel un sydd wastad yn poeni, dwi'n ofni bod rhywbeth am fynd o'i le. Dod o hyd i gartref gofal da ond yna'r cynlluniau'n cael eu chwalu'n deilchion. Ond nid yw hynny'n digwydd. Mae'r asesiad yn un digon syml, mater bach o fynd trwy'r cwestiynau ar y ffurflen gyda Mam, a finnau eisoes wedi rhoi'r atebion. Mae Mam yn edrych yn dda, yn gadael i mi siarad ar ei rhan, ac yn gwneud ambell sylw od am yr hyn mae hi'n weld trwy'r ffenestr. Dwi'n egluro wrthi pwy yw'r ddau is-reolwr ifanc, fel y gwnaethon nhw ar y dechrau, ond dwi'n amau'n gryf a yw Mam yn deall beth sy'n mynd ymlaen, er ei bod yn gwneud sioe dda o gymryd arni ei bod hi.

Yr unig faen tramgwydd rhag ei symud o'r ysbyty i'r cartref gofal cyn diwedd yr wythnos yw ei meddyg teulu sy'n gorfod llenwi ffurflen ynghylch ei hiechyd meddwl. Os ceith y gwaith papur ei gwblhau, gallaf ei rhoi yn y cartref gofal a mynd ar y cwrs ioga gan adael Dad yng ngofal fy mrawd Alan am ryw ddeg diwrnod. Mae un o'r is-reolwyr yn dweud y gall hi fynd â'r ffurflen i'r feddygfa ar ei ffordd adref a'i chael yn ôl drannoeth. Cyn gynted ag y cawn ni adroddiad y meddyg teulu, gallan nhw gynnig lle yn y cartref gofal a gallem fwrw ymlaen. Mae dydd Mawrth yn mynd heibio, ond dim gair.

Ar y bore Mercher, mae'r feddygfa'n dweud bydd angen wythnos arall: mae'n eironig mai nhw yw'r bobl sy'n oedi'r broses a hwythau heb gymryd affliw o ddim diddordeb yn Mam na'i dementia, a phrin wedi ei gweld yn ystod y blynyddoedd diwethaf. Ond yn ffodus iawn, gan fod Mam wedi bod yn yr ysbyty ac wedi cael archwiliad trylwyr, mae'r cartref gofal yn fodlon cynnig lle iddi cyn cael adroddiad y meddyg teulu – a byddai hwnnw wedyn ond yn cadarnhau'r asesiad. Wedi'r cwbl, mae gan y cartref gofal gyfnod prawf o dri mis.

Maen nhw'n cynnig lle iddi'r diwrnod hwnnw. Hwrê! Dwi'n mynd i mewn i gwblhau'r gwaith papur, cael siec gan Dad i dalu am y mis cyntaf (roedd hyn cyn i mi ymweld â banc Dad a Mam i wahanu eu hasedau ariannol a chofrestru fy Atwrneiaeth gyda nhw), a ffonio fy mrawd i gadarnhau y gall fod yno i helpu gyda'r symud. Caf gipolwg arall hefyd ar yr ystafell i weld beth arall oedd ei angen yno: bwrdd bach ger y gwely, rhagor o ddroriau, lluniau a mân bethau eraill.

Alla i'm credu beth sy'n digwydd. Y cyfan wedi digwydd mor gyflym. Dwi'n cyfri'r diwrnodau. Naw diwrnod ers yr alwad ffôn â Michelle yn yr heulwen pan gytunon ni ei bod hi'n amhosib i Dad ofalu am Mam, a symud i mewn i gartref gofal. Naw diwrnod i newid meddylfryd, a ffordd o fyw.

"Dwi'n dy garu di"

Bellach dwi'n byw ac yn bod yn yr ysbyty neu yng nghartref Dad. A thra bod Mam yn hapus, mae Dad yn drist. Ychydig ddiwrnodau cyn i Mam fynd i'r cartref gofal, dwi'n galw draw i ganfod Dad yn eistedd yn ddigalon yn ei gadair. Mae ganddo ddau ofalwr yn dod i'w weld yn ogystal â Charmain o Crossroads. Mae ei nodiadau hi'n dweud ei fod yn hiraethu am Mam. "Ydach chi isio dod efo fi i'r ysbyty i'w gweld hi?" Mae hi'n noson braf o haf; dwi'n parcio'r car ac yn cael gafael mewn cadair olwyn sbâr i Dad. Mae'n ddigon ysgafn i'w gwthio ond ddim mor hawdd i'w llywio – dwi bron â gwasgu ei draed wrth i mi anelu'n lletchwith trwy ddrws lifft yr ysbyty.

Rydan ni'n cyrraedd pen gwely Mam ac mae ei hwyneb yn goleuo. Tydi Dad ddim yn dweud rhyw lawer ond, fel rhamantydd, mae'n ceisio cydio yn ei llaw. Yna, ei chusanu: "Ti'n codi cywilydd arna i," meddai Mam, gan edrych o'i chwmpas, yn fwy o realydd na rhamantydd – enghraifft arall o sut mae dementia yn dinistrio'r meddwl ond yn gadael llonydd i lawer o emosiynau. "Dwi'n dy garu di," meddai o, ac mae hi'n ateb trwy ddatgan ei bod hithau'n ei garu yntau ond mae sylw Mam yn crwydro cyn hir i gyfeiriad pethau eraill: dyna ochr drist eu stori serch. Mae o'n ceisio oedi gyda'i deimladau cryfion am yr unig beth sydd ganddo ar ôl; yr unig beth sy'n bwysig iddo, sef ei gariad tuag ati. Ond mae ganddi hi fylbiau trydan a llenni i ymddiddori ynddynt.

Ar ôl dweud wrthi sawl gwaith ei fod o'n ei charu, mae Dad yn barod i adael. Wrth i ni baratoi i fynd, mae Mam yn cerdded o'i gwely ac yn mynd at y claf yn y gwely gyferbyn: unwaith yn rhagor mae hi'n llawn chwilfrydedd am yr hyn sydd o'i chwmpas. Yna, mae hi'n sylweddoli ein bod ni'n gadael: "Dach chi am 'ngadael i ar fy mhen fy hun?" meddai. Ond eiliad neu ddwy'n ddiweddarach mae'n anghofio'i gofid. Dyna fydd y patrwm o hyn ymlaen – yn falch o'n gweld ond yn anghofio am ein hymweliad yn fuan iawn.

Golygfa 6: Dydd Iau, 2 Awst: Mam yn symud i mewn

Gadawodd Mam ei chartref 'am ychydig ddyddiau' ar 15 Gorffennaf ac ni ddychwelodd. Roedd hynny'n syndod ynddo'i hun. Ond yr hyn oedd yn fwy o syndod fyth yw'r ffaith nad oedd hi wedi sôn gair am ei chartref ers iddi gamu allan trwy'r drws, dim *un* waith. Dim *un* gair. Dros ddeg mlynedd ar hugain wedi ymdoddi i'r gorffennol. Wrth feddwl am y noson honno, yr hyn sy'n drist yw mai hwn oedd dechrau'r diwedd, ond doeddan ni ddim yn sylweddoli hynny ar y pryd. Mae deigryn yn dod i'r llygaid wrth feddwl nad oedd Mam wedi ffarwelio â'r cartref yr oedd hi wedi ei garu erioed. Hoffwn pe bai wedi gallu dweud ffarwél.

Ar 2 Awst, mae ganddi gyfeiriad newydd ond nid yn unig mae hi wedi anghofio'i hen gyfeiriad, tydi hi ddim chwaith yn cofio'r un newydd. Ac wrth i'w dementia waethygu, mae hi'n mynd yn fwy a mwy niwlog ynghylch ble yn union mae hi'n byw.

Wrth i ni ei symud i'r cartref gofal, nid yw Alan a minnau yn gallu credu'r hyn sy'n digwydd. Mae o'n ailadrodd droeon gymaint o gam yw symud o ymdopi gartref i symud i Uned Henoed Bregus eu Meddwl mewn cartref gofal. Ar hyn o bryd teimla fel pe baem yn ei rhoi hi ymysg rhai sydd â gwaeth dementia: ond rydan ni'n siŵr o feddwl hynny. Y gwir yw bod rhai ohonyn nhw'n llai dryslyd na Mam. Mae ganddi o leia ddementia cymedrol erbyn hyn tybiaf: nid un ysgafn ydi o bellach. Ac efallai y bydd y cyflwr yn sadio o gael mwy o ysgogiad: efallai nad aros yn eich cartref eich hun yw'r peth gorau. Caiff Mam fwy o'r ysgogiad mae'n ei awchu yn ei chartref newydd na bod gartref yng nghwmni Dad, sy'n cysgu neu'n dawel y rhan fwyaf o'r amser.

Canu yn y glaw

Rydan ni'n codi Mam o'r ysbyty ddiwedd bore dydd Iau, 2il Awst. Maen nhw'n newid y fatres yn ei hystafell felly dydi hi ddim yn barod eto ac rydan ni'n eistedd i aros wrth ddrws y lolfa. Uned deuluol fechan. Fi, Mam a 'mrawd. Mae o'n perfformio mewn sioe ddiwedd Medi ac mae ganddo ran fechan yn canu 'Singing in the Rain'. Mae o'n dechrau canu'r gân yn dawel. Mae Mam yn ymuno – mae hi wrth ei bodd yn canu. Mae hi eisiau i ni gario mlaen ac felly dwi'n ymuno hefyd: ynys deuluol fechan yn canu 'Singing in the Rain' wrth i'r byd droi o'n cwmpas ni.

Mae Mam hefyd yn ceisio dyfalu pam mae hi yno. Ar un adeg mae'n edrych arna i ac yn dweud, "Dwi'n deall nawr be wyt ti wedi bod yn ei ddweud wrtha i." A dwi'n meddwl, a yw hi'n deall o'r diwedd ei bod mewn cartref gofal? Ond na. Fel popeth arall, mae'r frawddeg yn mynd yn angof. Mae'n poeni fwy bod hwn yn lleoliad gwaith: mae hi eisiau ei gwneud hi'n berffaith glir nad yw hi ar gael i weithio bellach. Mae hi wastad wedi gweithio, ac yn teimlo bod ganddi lot i'w wneud, hyd yn oed â dementia arni. Yn y gorffennol, arferai ddangos hysbysebion am swyddi i ni, fel pe bai am iddi hi neu un ohonon ni ymgeisio amdanynt. Efallai iddi sylweddoli ers mynd i'r ysbyty fod ei dyddiau gwaith ar ben. Roedd yr ochr honno o fywyd drosodd. Gofal oedd ei angen arni.

O'r diwedd mae'r ystafell yn barod: mae'n hapus ein bod ni'n ei gosod i eistedd yn ei chadair. Awgryma'r gofalwyr caredig ein bod yn mynd â hi i'r ystafell fwyta cyn hir. Maen nhw wedi cadw sedd iddi. Mae tair dynes eisoes yn eistedd wrth y bwrdd bwyd – caf gyfle i ddod i'w hadnabod yn well yn ystod y misoedd nesaf. Mae Mam yn dweud pa mor flinedig yw hi cyn eistedd yn ei chadair wag wrth y bwrdd. Mae'r ddynes wrth ei hymyl yn edrych yn normal ac yn dweud y byddai'n gofalu am Mam.

Rydym wedi dod â lluniau, bwrdd ochr gwely, lamp ac ychydig o bethau eraill i'w hystafell, felly rydym yn diflannu i roi trefn arnyn nhw, cyn dychwelyd i wneud yn siŵr ei bod yn iawn: mae'n edrych yn ddigon hapus. Fel yn yr ysbyty, os yw pobl yn neis wrthi hi, ac yn neis i'w gilydd o'i chwmpas, yna mae'n teimlo'n ddiogel ac yn iawn. Gobeithiaf y bydd ei dementia yn parhau yn y ffordd addfwyn hon ac nid yn troi'n rhywbeth llymach a thristach.

Rydan ni'n mynd i dŷ Dad i nôl cwpwrdd droriau iddi. Golyga hyn wagio pedwar drôr o 'nialwch llwyr: mae'n debyg nad oedd Mam byth yn taflu dim i ffwrdd yn ystod y blynyddoedd olaf. Ar ôl gorffen ei thabledi thyroid, byddai'n cadw'r bocs. A phob bocs neu gynhwysydd arall. A phob derbynneb o'r siopau. Ac rydan ni'n darganfod llawer iawn mwy am hyn yn ystod y misoedd nesaf wrth roi trefn ar y tŷ.

y rhan fwyaf o'i fywyd, Mam oedd wedi gofalu amdano ac roedd angen ei chymorth nawr fwy nag erioed o'r blaen. Yn anffodus, rhwystrwyd ei ymdrechion i ddychwelyd i'w safle blaenorol yn ganolbwynt ei bywyd gan fod ei meddwl yn crwydro. Terry gafodd y sylw mwyaf ganddi.

Er na chafodd fawr o gydymdeimlad, roedd Dad yn awyddus i aros yno tan amser te: ceisiodd egluro'r rheswm gydag anhawster am ei fod yn methu dod o hyd i'r geiriau priodol, ond mae'n debyg bod ei ficrodon wedi torri a doedd o ddim yn gallu cynhesu ei fwyd. Aeth Terry ag ef adref, cywiro'r nam, a rhoi Hungarian Goulash yn y popty microdon a chodi ysbryd Dad. Bwyd oedd un o'i bleserau, a bwyta oedd yn rhoi gwên ar ei wyneb.

Dwy lygad fel panda

Erbyn i mi gyrraedd adref o Ffrainc y prynhawn canlynol, roedd y cleisio wedi gwaethygu; edrychai'n ofnadwy, fel hen banda. Ond roedd y ffaith 'mod i'n ôl wedi codi ei ysbryd. Teimlo'n saffach yn fy nghwmni, mae'n siŵr.

Gan fy mod yn poeni am y ddwy lygad ddu, ffoniais y Nyrsys Cymunedol ond doeddan nhw ddim yn gallu dod i'w weld am ychydig ddyddiau. A phan alwais i'w weld yn ddiweddarach y diwrnod hwnnw, cefais sioc o weld bod y gwaedu wedi ymledu dan y croen ac felly penderfynais fynd ag ef i'r feddygfa. Y diwrnod hwnnw roedd Dad yn hapus, yn tynnu coes cleifion yn yr ystafell aros, ac yn llwyddo i ddringo i fyny'r grisiau serth a arweiniai at y stafell ymgynghori. Bu gofalwraig o Crossroads yn ei weld yn gynharach, nid Charmain ond rhywun newydd, a llwyddodd Dad i gofio'i henw.

Ni ddangosodd y meddyg fawr o ddiddordeb yn llygaid panda Dad: pob dim yn normal, meddai. A doedd o'n poeni dim am y ffaith ei fod wedi syrthio, a'r posibiliadau o gael niwed i'r pen. Aethon ni ati i drafod meddyginiaeth Dad a'i ddymuniad i lyncu llai o dabledi at iselder. Ydi hynny'n syniad da? Efallai, meddai'r meddyg. Cyfaddefodd mai 'dyfalu' o'n nhw ond roedd hi'n werth rhoi cynnig arni. Cymerai 30 mg y dydd o Citalopram. Gellid ei leihau i 20 mg, yna 10 mg, ac yna 10 mg bob yn ail ddiwrnod. Ac fe gytunodd y dylai Dad gael asesiad iechyd meddwl arall gan y Gwasanaeth Seiciatrig Cymunedol.

Asesu gofal Dad

Gan fod Mam bellach yn y cartref, gallwn ganolbwyntio'n fwy ar ddyfodol Dad. Roedd Rheolwr Gofal i'r Henoed i fod i alw draw ar y dydd Gwener cyntaf ar ôl i mi ddychwelyd o Ffrainc i roi asesiad a phenderfynu pa ofal tymor hir oedd ei angen ar Dad. Er mwyn paratoi, ceisiais ddarganfod beth oedd o eisiau o'i fywyd 'newydd', nawr ei fod wedi ei wahanu oddi wrth Mam a honno'n byw filltir i ffwrdd. Gallai ymweld â Mam bob dydd os oedd o'n dymuno hynny; gallai fwyta ambell bryd yn y cartref gofal neu… Ond doedd o ddim yn gwybod. A do'n i ddim yn gwybod ychwaith. Pan geisiwn gael ateb, caeai ei lygaid a gwrthod trafod y mater.

Daeth y Rheolwr Gofal draw ar y dydd Gwener, dynes gyfeillgar a siaradus. Gyda Dad, rhaid gadael seibiau hir, hir ar ôl cwestiynau. A hyd yn oed wedyn ni chaem ateb bob tro. Ac yn gwbl ddealladwy, doedd hi ddim yn gallu disgwyl yn rhy hir i gael ateb. Wedi'r cwbl, roedd ganddi nifer o alwadau eraill i'w gwneud mae'n siŵr. Doedd Dad ddim yn gallu dweud yn berffaith eglur sut ofal oedd o'n ei ddymuno. Oedd o eisiau mynd i'r Ganolfan Ddydd? Gallai fynd yno unwaith neu ddwywaith yr wythnos i gael anogaeth a chwmni. Dim ymateb.

Roedd o'n dal i edrych yn eithaf gwael. Cyn belled ag o'n ni'n ei wybod, efallai ei fod o'n dal i ddioddef o'r profiad a gafodd gyda'r wardrob. Rhag pwyso gormod arno, penderfynon ni y byddai 'gofal seibiant' yng nghartref gofal Mam yn gymorth i godi ei galon. Ro'n i wedi holi ac yn gwybod bod yr ystafell scibiant ar gael am ryw ddeg diwrnod. Teimlai'r Rheolwr Gofal a minnau y byddai hynny'n rhoi cyfle iddo ddod ato'i hun a dod i arfer â bod mewn cartref gofal ar yr un pryd. Roedd o'n gyfle hefyd i gymharu'r profiad o fod gartref yn ei dŷ ei hun gyda gofalwyr yn galw'n ysbeidiol, a bod mewn cartref gofal gyda'r gofalwyr yno'n barhaol. Ond yn bwysicach na dim, byddai wrth ymyl Mam.

Nid ein bod ni'n meddwl o ddifri bryd hynny y byddai ef hefyd yn gorfod mynd i gartref gofal.

Trefnodd y Rheolwr Gofal bod Dad yn mynd i'r cartref ar ddydd Sul (19 Awst) ac yn aros am ryw 10 diwrnod tan ddydd Iau y 30ain – roedd rhywun arall wedi bwcio'r lle ar y 31ain. Tra oedd yno, byddai hi'n mynd ati i lunio cynllun gofal ar ei gyfer cyn trafod y cynllun hwnnw efo mi.

Ymladd â drychau

Ond fel y digwyddodd pethau, cododd problem fach arall cyn y byddai Dad yn cyrraedd y cartref gofal. Ar ddydd Sadwrn y 18fed, ddiwrnod cyn yr oedd o i fod i fynd i mewn, soniodd y gofalwyr argyfwng a oedd yn ymweld ag ef ddwywaith y dydd bod Dad wedi 'ymddwyn yn od'. Pan alwais draw, roedd o'n gorwedd ar ei wely ac yn sôn am ymladd â drychau, yn dweud pa mor anodd oedd hynny gan eu bod yn ei daro'n ddidrugaredd. Gan ei fod wedi taro'i ben ychydig ddyddiau ynghynt, credais ei fod o'n cael rhithweledigaethau. A gan ei bod yn benwythnos, ffoniais y meddygon argyfwng a gofynnwyd i mi fynd â fo i'w weld.

Fel mae'n digwydd, mae'r Ganolfan Iechyd Frys gyferbyn â chartref gofal Mam. Er y teimlai ein bod wedi eistedd yn yr ystafell aros am oriau, dim ond ugain munud hir oedd o mae'n siŵr! Mae Dad yn ddiamynedd iawn ac yn casáu disgwyl yn unlle'n hir iawn. Ac mae hynny'n eironig oherwydd rydw i – dynes brysur sydd â digonedd o bethau i'w gwneud – fel arfer yn eithaf amyneddgar mewn ystafelloedd aros. Ond does gan Dad – ac yntau'n segur a di-waith – ddim amynedd o gwbl.

Clywais lais cyfarwydd y meddyg hyfryd hwnnw o Iwerddon ddaeth i weld Mam y diwrnod bythgofiadwy pan adawodd hi ei chartref am y tro olaf. Gweddïais mai hwnnw fyddai'n archwilio Dad, ond yn ofer: yn hytrach, cafodd ei asesu gan Almaenes ddymunol a charedig.

Er i mi ddweud wrthi fod Dad wedi cael diagnosis dementia fasgwlar, aeth ati i wneud y pethau 'meddygol' arferol, y dulliau rhesymegol o archwilio'r systemau corfforol o'r llygaid i'r galon/ysgyfaint, cyn asesu elfennau corfforol megis ystwythder. Ond ni ddangosodd prin ddim diddordeb yn ochr feddyliol ei chlaf, a hwnnw'n hen ddyn oedd yn araf ac yn dangos natur dementia. Mae'n debyg bod hyn yn adlewyrchu agwedd y Gorllewin at feddyginiaeth: deuoliaeth lwyr. Y corff wedi'i wahanu'n llwyr oddi wrth y meddwl.

Rhagor o samplau dŵr

Gofynnodd hi am sampl dŵr. Gwyddwn, o 'mhrofiad gyda Mam, fod doctoriaid sy'n trin yr henoed yn chwilio fel mater o drefn am heintiau yn eu dŵr. Roedd Dad yn deall hynny ac felly roedd y dasg yn haws na cheisio cael sampl gan Mam. Ond roedd cais syml y meddyg yn creu problem bersonol i mi, fel ei ferch. Ro'n i wedi sychu pen-ôl Mam ambell dro, ond nid un Dad. Roedd o'n gwneud pethau personol felly ei hun. Fy ngobaith oedd y byddai'n gallu cynhyrchu ei sampl ei hun, heb gymorth. Gyda'r drws yn gilagored, ceisiais ei annog tu allan i'r ciwbicl ac ar ôl i hynny weithio cymerais y sampl oddi arno a'i arllwys i'r cynhwysydd priodol. Archwiliwyd y dŵr gan y doctor ac roedd y sampl yn iach.

Gan fod Dad wedi taro'i ben, trefnodd y meddyg iddo gael pelydr-X. Felly bu'n rhaid i mi dreulio nos Sadwrn arall yn yr un ysbyty a'r un Uned Asesu Meddygol ble roeddwn i'n ddiweddar gyda Mam. Ond y tro hwn doedd dim Alan na Sue yno i rannu'r profiad; dim ond fi a Dad. Dim hwyl a sbri. Dim ond aros yn hir, hir.

Aros ac aros ac aros

Eu bwriad oedd gwneud sgan CT ond doedd y peiriant ddim ar gael tan oriau mân y bore. Un dewis oedd disgwyl, cael sgan, ac yna mynd adref. Ond doedd gyrru dyn 90 oed sydd â dementia allan i'r nos ddim yn syniad da, meddyliais. Onid oedd gan y bobl yma synnwyr cyffredin? Y dewis arall oedd dod o hyd i wely iddo dros nos, cael sgan pan oedd y peiriant ar gael, a minnau'n dychwelyd i nôl Dad yn y bore. Dywedais ei fod o'n mynd i gael gofal seibiant drannoeth, rhywbeth o'n nhw'n meddwl oedd yn 'syniad da'.

Hir pob aros, hyd yn oed i rywun amyneddgar fel fi. Ond gan fod y dementia fasgwlar yn amharu ar ei ddawn geiriau, ynghyd â'i ysbryd digalon, doedd gan Dad fawr ddim i'w ddweud wrth i'r oriau lusgo. O'r diwedd, toc ar ôl hanner nos, cafodd ei hebrwng i ward ble roedd awyrgylch hapus. Dyna ble roedd chwe aelod o'r staff yn siarad ac yn tynnu coes ei gilydd wrth iddyn nhw roi Dad yn ei wely. Gadewais ef mewn dwylo da.

Tyllau yn ei ymennydd

Trannoeth cefais alwad ffôn gan Omar, a oedd yn gyfrifol am Dad yn yr Uned Asesu, i ddweud bod y sgan yn glir ac nad oedd niwed ar yr ymennydd ond bod rhywfaint o grebachu. Roedd y cyflwr hwn yn gyffredin ymysg hen bobl, ychwanegodd. Dwi'n cofio meddwl, 'Mae gan Dad dyllau yn ei ymennydd.' Roedd y llun hwn yn fy nychymyg yn waeth na'r disgrifiadau geiriol o ddementia fasgwlar. 'Dim rhyfedd tydi o ddim yn gallu gweithredu'n normal,' meddyliais. Y broblem gyda symptomau 'tyllau yn yr ymennydd' yw eu bod yn anweledig a'r claf yn *edrych* yn gwbl normal. Dyna pam mae hi mor hawdd eu beio am eu diffyg cymhelliant a'u hagweddau negyddol. Mae hi'n rhy rhwydd dweud, 'O, trueni na fasa fo'n gwneud tipyn bach mwy o ymdrech,' fel o'n i wedi ei wneud gyda Dad fwy nag unwaith, gan anghofio bod ei ymennydd fel hidlydd a bod ymdrechu'n anodd.

Pan aeth Terry a minnau i nôl Dad yn ddiweddarach, roedd o'n edrych yn effro ac yn hapus. Aethom â fo adref, paratoi cinio iddo, cyn mynd adref i gael ein pryd ni. "Mi fydda i'n ôl am 2.30," dywedais, "er mwyn mynd â chi i'r cartref gofal i chi gael gorffwys." Ond pan ddychwelais, roedd o yn ei wely ac yn bwriadu aros yno.

Dad yn cael gorffwys

O edrych yn ôl, dwi'n sylweddoli ein bod ni wedi disgwyl gormod gan Dad. Oeddwn i o ddifri wedi meddwl ei fod o'n barod i fynd i'r cartref gofal? Yr hyn oedd ei angen (ac eisiau) arno oedd gofal llawn amser. Roedd hyd yn oed awr ar ei ben ei hun yn golygu y byddai'n cysgu, sef ei ffordd o ddianc o ofn a digalondid. A dyna ble roedd o'n pendwmpian, heb syniad i ble roeddem yn mynd. Ac roedd yn rhaid i mi ei baratoi at ei arhosiad deg diwrnod yng nghartref gofal Mam.

Does gen i ddim plant ond ar yr achlysur penodol hwn teimlwn yn wir fy mod yn trin plentyn, yn teimlo rhwystredigaeth yr 'oedolyn cyfrifol' sy'n gwybod bod rhaid paratoi a mynd, tra bod y 'plentyn' yn ymddwyn yn ddi-hid, fel pe bai dim brys o gwbl. Roedd Dad wedi gwisgo'r un dillad ers dyddiau, ac felly roedd yn rhaid i mi ei newid cyn mynd allan. Noder y geiriau 'rhaid i *mi* ei newid' – fi, nid fo. Dyna sut oedd hi.

Estynnais ddillad glân o'r cwpwrdd a gan fy mod i'n gorfod ei helpu bu'n rhaid iddo sefyll o 'mlaen i'n hanner noeth. Do'n i ddim yn rhy siŵr a o'n i eisiau gweld rhannau preifat ei gorff. Ond doedd dim amser i wastraffu oblegid dyma'r cartref yn ffonio i ofyn, "Ble rydach chi?" Mae un o'r rheolwyr wedi aros ar ôl i'n croesawu; felly roedd yn rhaid rhoi tân dani.

Er mwyn gadael y tŷ yn gynt, penderfynais lenwi hanner y cês, rhoi cyfle i Dad setlo, cyn dychwelyd i lenwi'r cês. Wedi'r cwbl, dim ond ychydig funudau yw'r siwrne. Rydan ni'n cyrraedd ac yn cael croeso gan y rheolwr; mae un o'r gofalwyr yn mynd â ni i'w stafell sydd ar wahân i'r stafelloedd eraill ac ychydig yn llai. Ond mae hi'n ddigon boddhaol, gyda'i stafell ymolchi ei hun.

Ymhen dipyn, dwi'n diflannu i ailbacio'r cês: camgymeriad oblegid mae hynny'n peri pryder mawr i Dad, ac mae ei bryder yn gofidio'r staff. Dwi'n dysgu'n araf bach 'mod i'n ganol llonydd mewn byd oedd yn ddryslyd ac yn symud yn gyflym i Dad. Yn ystod y pedair awr ar hugain diwethaf, roedd wedi bod gartref, yna yn y Ganolfan Iechyd Frys, yna yn yr ysbyty dros nos yn cael sgan ar yr ymennydd, yna adref, a nawr mewn cartref gofal. Byddai honna'n siwrne hunllefus i unrhyw un, yn arbennig felly i ddyn sydd â thyllau yn ei ymennydd. Dyliwn fod wedi aros yn ei gwmni'n hirach cyn rhuthro oddi yno. Dyna'r elfen 'eisiau cael pethau wedi'u gwneud' ynof yn amlygu'i hun. Gallai'r cês fod wedi aros.

"Alla i ddim byw efo'r bobl 'ma"

Dwi'n dychwelyd i'r cartref gofal, ei sicrhau 'mod i ddim wedi ei adael, ei dywys o gwmpas y lle (mae ei stafell mewn rhan 'gyffredin' o'r cartref gofal sydd â llawer mwy o stafelloedd na'r llawr isaf, yn yr uned ble mae Mam) cyn mynd â fo i'r stafell fwyta i gael swper. Fel Dad, mae'r rheini sy'n rhannu'r bwrdd gydag o – yn ddynion a gwragedd – yn dawel ac araf. Y diwrnod canlynol, dydd Llun, dwi'n mynd i'w weld ar ôl te, gyda'r nos, tua 6.30. Mae eisoes yn ei wely gan honni ei fod wedi cael gorchymyn i wneud hynny. "Alla i ddim aros efo'r bobl yma," meddai. Mae ei dymer yn anniddig wrth iddo dynnu amdano o'm blaen a gwisgo'i byjamas. I mi, mae hwn yn isafbwynt personol. Dwi wedi ceisio gwneud fy ngorau glas iddo ond dydi hynny ddim digon da. Mae o'n anhapus ac yn blentynnaidd. A dwi'n anhapus ac yn teimlo'n euog am ddod ag ef yma. Gadewais yn ddigalon.

Wrth i'r dyddiau fynd heibio, mae'n dal i ddweud "alla i ddim byw efo'r bobl 'ma"; mae o hefyd yn cwyno na fedar o gysgu'r nos (mae ei ystafell yn wynebu maes parcio yn y cefn, sy'n gallu bod yn swnllyd). Er ei fod yn edrych yn well, mae'n amlwg nad hwn yw'r lle iddo. Penderfynais fy mod i'n iawn o'r dechrau; mae'n well iddo fod yn ei dŷ ei hun. Ac felly rydan ni a'r Rheolwr Gofal yn ceisio llunio cynllun gofal ar ei gyfer, i ddechrau ar ddiwedd y mis. Y cwestiwn mawr yw: sawl ymweliad gan ofalwyr fyddai ei angen arno mewn diwrnod?

Yr hyn mae o'n feddwl pan mae o'n dweud "y bobl 'ma" yw 'hen bobl'. Roedd Dad wastad wedi bod yn ddyn golygus a'i lygaid yn llawn direidi; er ei fod yn swil, roedd ei hiwmor a'i ffraethineb yn hudo pobl. Does yr un ohonom yn *teimlo* mor hen yn fewnol ag yr ydan ni'n *edrych* yn allanol, ac mae'n debyg bod Dad yn dal i'w ystyried ei hun yn ifanc. Felly roedd bod yng nghwmni pobl o'r un oed yn dipyn o sioc (oedran y rhai yn y cartref, ar gyfartaledd, oedd diwedd eu 80au).

Roedd y rhan fwyaf o'r bobl hefyd mewn cyflwr corfforol llawer gwaeth na Dad (er nid o reidrwydd â chyflwr meddyliol gwaeth). Tra oedd Dad yn defnyddio un ffon i gerdded, roedd llawer o'r gweddill yn wyrgam, yn defnyddio ffrâm bulpud ac yn symud yn araf. Yn eithriadol o araf ar adegau. Dyma'r tro cyntaf iddo weld tystiolaeth o henaint a'i effaith, a hynny o'i gwmpas bob dydd. Mae'n wir dweud ei fod yn cwyno ers sbel ei fod o'n 'mynd yn hen' ond doedd Dad ddim wedi gorfod wynebu henaint fel hyn o'r blaen.

Dad yn 90 oed

Ac yntau wedi ei eni yn 1917, roedd Dad yn 90 oed ar 23 Awst, 2007, ychydig ddyddiau cyn mynd i'r un cartref â Mam i gael gofal seibiant. Gan fod Alan a Sue dramor yn eu tŷ newydd yng Nghyprus, a Mam ddim yn cofio na deall bod pen-blwydd Dad ar y gorwel, fy nghyfrifoldeb i oedd trefnu'r parti pen-blwydd. Fis neu ddau cyn hynny, ro'n i wedi ystyried mynd ag ef i'r Amgueddfa Ryfel Imperialaidd er mwyn rhoi cyfle iddo ail-fyw rhai o'i brofiadau yn yr RAF. Ar ddiwrnod da, roedd o'n awyddus i fynd. Ond wrth i'r diwrnod agosáu cafodd draed oer a dweud y byddai'r profiad yn ormod iddo. Penderfynais dderbyn hynny oherwydd roedd Dad wedi bod trwy lawer o brofiadau yn ystod yr wythnosau diwethaf. A doedd o ddim wedi bod yn eiddgar iawn i fynd yno o'r dechrau.

Felly, dyma benderfynu cael dwy ran i'w ddiwrnod pen-blwydd; mynd â fo am ginio, dim ond y ddau ohonan ni, ac wedyn cael te efo Mam tua 4 o'r gloch yn yr uned yn y cartref gofal. Ro'n i eisoes wedi gofyn caniatâd un o'r is-reolwyr a dywedodd hwnnw nad oedd problem o gwbl. Ar fore'r 23ain, piciais i M&S a phrynu cacen ben-blwydd siocled a chanhwyllau. I yfed, dewisais sudd ffrwythau gan nad oedd alcohol at ddant yr un ohonyn nhw. Tua chanol dydd, es draw i godi Dad gan fynd â siwmper borffor yn anrheg iddo. Roedd hi'n plesio, ac fe'i gwisgodd am weddill y diwrnod.

Pendronais am hir iawn ynghylch ble i fynd â fo am ginio: ambell le i'w weld yn rhy swnllyd, eraill heb faes parcio. O'r diwedd, penderfynais chwarae'n saff a mynd i westy lleol, cyfarwydd ble roeddem ni'n tri wedi bod i ddathlu pen-blwydd Mam, gyda digonedd o le parcio yn ogystal ag ystafell wydr hyfryd.

Pensiynwr mwy urddasol

Am resymau nad oeddwn i wedi'u rhagweld, doedd y lleoliad hwn ddim yn berffaith o bell ffordd. Pan gyrhaeddon ni, roedd y lle bron yn wag wrth i ni eistedd yn gyffordus wrth fy hoff fwrdd. Daeth rhagor o giniawyr i mewn. Ac wrth i'r byrddau lenwi, sylweddolais – er mawr siom – bod y rhan fwyaf o'r cwsmeriaid, bron yn ddieithriad, yn hen fel pechod. Pobl hen oedd yn fywiog, heini a dynamig, mae'n wir dweud, ond yn dal yn hen! Yn anfwriadol, ro'n i wedi mynd â Dad o'r badell ffrio i'r tân. Yn hytrach na gadael henaint (a'r sioc o fod yn hen!) yn y cartref gofal, roedd Dad wedi ei amgylchynu gan henaint mwy ystwyth a bywiog.

Dim ond un cwrs fwytaodd o, a doedd o ddim eisiau pwdin. "Pensiynwr mwy urddasol," meddai, gan edrych o'i gwmpas. Tybed a fyddai'r dafarn gastro lawr y ffordd wedi bod yn well dewis – un fwy swnllyd, llai cyffordus a heb faes parcio. Ond alla i ddim â bod yn siŵr y byddai Dad wedi mwynhau fan'no chwaith.

Ar ôl dychwelyd i'r cartref, dywedodd wrth bawb ei fod wedi cael amser da; ac efallai ei fod o. Aeth i'w stafell i gael cyntun, a dychwelais innau adref i gasglu'r gacen a'r canhwyllau.

"Pen-blwydd hapus i chi!"

Ar ôl cyrraedd uned Mam ychydig cyn 4 o'r gloch, penderfynaf mai'r peth gorau i'w wneud fyddai gosod y bwrdd gyda'r gacen a'r canhwyllau cyn mynd i fyny'r grisiau i nôl Dad. Mae Dorothy, un o ffrindiau ieuengaf a doniolaf Mam, eisiau fy helpu. Dywed Mam ei bod wedi blino gormod. Mae'r staff yn rhoi cymorth a dwi'n nôl y platiau o'r gegin, a ffyrc gan fy mod wedi prynu cacen siocled felys a blasus, ond sticlyd.

Dwi'n dod â Dad i lawr y grisiau yn ei siwmper newydd. Mae Mam yn ein cyfarch yn y coridor ac mae'r ddau'n cael cwtsh cyn cydganu 'Pen-blwydd Hapus' fel deuawd. Aaaa, meddai'r staff. Rydan ni – Mam, Dad, fi a rhai o'r preswylwyr – yn eistedd wrth y bwrdd ble mae popeth wedi ei osod. Un o'n 'gwesteion' ar y bwrdd yw Gloria, sy'n dipyn o gymeriad. Mae gan Gloria egni naturiol ac mae wrth ei bodd pan mae rhyw ddigwyddiad ymlaen. Cynnau naw cannwyll (meddyliais y byddai naw deg ohonyn nhw'n ormod iddo eu diffodd!) ac mae Dad yn eu diffodd yn gymharol ddidrafferth: rydan ni wedyn yn canu 'Pen-blwydd Hapus' a dwi'n torri'r gacen cyn rhoi tafell ohoni a gwydraid o sudd i bawb. Mae Gloria eisiau canu 'Pen-blwydd Hapus' eto ac rydan ni'n gwneud hynny. Rydan ni'n cynnig llwncdestun i Dad cyn i Gloria gynnig ein bod yn gwneud yr un peth 'i'r person wnaeth y gacen'.

Gyda gwên ar fy wyneb, rhoddaf dafell o gacen i bawb oedd o gwmpas (diolch i'r drefn 'mod i wedi prynu cacen fawr)… staff, preswylwyr, ac un o'r hen bobl eraill a oedd yn digwydd bod o gwmpas, cyn i hwnnw ledaenu'r newydd da o lawenydd mawr fod cacen ar gael. Teimla Dad ei fod o'n cael ei anwybyddu: "Fy mhen-blwydd i ydi o!" dywed, wrth iddo geisio gwthio'i hun yn ôl i ganol y llwyfan. Maen nhw'n dechrau chwarae hen ganeuon o'r gorffennol ar y CD ac mae pawb yn canu, cyn i Gloria fynnu ein bod yn curo dwylo a chael llwncdestun i fwy fyth o bobl. Ar ôl y miri a'r mwynhau, af â Dad i'w stafell, a rhannu rhagor o'r gacen gyda'r rheini sydd ar y llawr uchaf ar ôl swper. Mae pawb yn cael amser da iawn – gan gynnwys finnau.

Amser penderfynu

Wrth i ddyddiau'r gofal seibiant fynd heibio, daeth Dad i arfer â'r drefn yn y cartref gofal. Roedd i fod i adael ar ddydd Iau, 30 Awst – roedd Terry a minnau'n mynd i ymweld â ffrindiau ar ddydd Gwener y 31ain, dim ond am benwythnos, felly fy mwriad oedd cael Dad i setlo gartref cyn mynd. Byddwn i'n galw draw ar y bore Gwener cyn gadael, ac mi fyddai Alan (wedi dychwelyd bellach o Gyprus) yn mynd draw ar y prynhawn Gwener i sicrhau bod pob dim yn iawn.

Ro'n i eisoes wedi trafod â Dad beth fyddai orau ganddo – aros yn y cartref gofal neu fynd yn ôl i fyw gartref. Doedd o ddim yn agored iawn ond yn ôl beth allwn ddeall roedd eisiau mynd adref, ac felly dyna a drefnais gyda'r Rheolwr Gofal. Byddai'r trefniant gofal brys – hwnnw oedd yn bodoli o'r blaen – ar gael ar y dechrau, cyn sefydlu trefniant parhaol gyda gofalwyr yn ymweld yn ddyddiol.

Ar y diwrnod yr oedd o i fod i adael y cartref gofal, teimlwn ei fod yn gyndyn i fynd. Fel y digwyddai, roedd stafell wedi dod yn wag yn 'rhan gyffredin' y cartref lle roedd Dad wedi bod yn aros, a doedd hi ddim eto wedi ei 'hysbysebu'. Dangosais y stafell i Dad cyn i ni fynd. Er nad oedd hi'n wynebu'r haul ac ar ochr dywyllaf yr adeilad, roedd hi'n stafell dda. Pryder Dad oedd a fyddai'n gallu ffeindio'i ffordd i'r stafell fwyta. Dylai'r gofid hwn fod wedi egluro wrthyf y math o ddementia oedd ganddo: ac y gallai fynd ar goll yn rhwydd. Cerddais y llwybr rhwng y ddwy stafell gydag ef; i fyny'r coridor, troi i'r chwith ac roedd y stafell fwyta rhyw dri deg metr yn syth ymlaen.

Doedd o ddim yn fy nharo fel dyn oedd "yn methu byw efo'r bobl 'ma" ac eisiau mynd adref. Gofynnais i'r is-reolwr a fyddai'n fodlon cadw'r ystafell yn wag tan ar ôl y penwythnos, ac fe gytunodd. Ar ôl dychwelyd yn ôl i'w dŷ, trafodais y dyfodol gyda Dad. Er nad oedd yn rhwydd iawn i'w ddeall, roedd fel petai arno eisiau mynd i'r stafell yn y cartref gofal. Teimlwn hefyd y dylai dreulio ychydig rhagor o amser gartref cyn gwneud penderfyniad mor fawr.

Golygfa 7: Dydd Gwener 31 Awst: Diwrnod Penderfynu

Y bore canlynol, rwy'n piciad i weld Dad cyn i ni fynd i ffwrdd: tydi'r drws ddim wedi ei gloi. Dim golwg ohono i lawr grisiau. Roedd y gofalwyr wedi galw draw ac yn ôl eu nodiadau doedd Dad ddim yn eu disgwyl. Ro'n i wedi meddwl y byddai'n cael tawelwch meddwl o'r ffaith eu bod yn galw draw; ond efallai mai *fi* oedd yn cael tawelwch meddwl o'r ffaith honno.

Mae Dad yn cysgu'n dawel ar ei wely, eu gwely 'nhw' cyn i Mam benderfynu defnyddio'r stafell wely arall rai misoedd yn ôl. Digwyddodd hynny heb unrhyw rybudd na thrafodaeth. Ac wrth i Mam waethygu, doedd gan Dad ddim syniad ble roedd hi'n cysgu.

Mae'n anodd deffro Dad, ond mae'n rhaid iddo ddihuno: alla i ddim ei adael achos mae Alan yn galw draw nes ymlaen. Rydan ni wedi trefnu bod Alan yn galw i'w weld ar y deuddydd rydan ni ffwrdd, ar y dydd Gwener a'r Sadwrn. Ar ôl deffro, mae Dad yn dechrau mwydro am gael ei daro'n galed; ymladd â drychau eto. Mae o'n credu eu bod nhw'n real:

maen nhw'n fygythiol, ac mae'n gwybod ei fod yn mynd i ddioddef poen wrth iddyn nhw ei daro. Ai hunllefau yw'r rhain? "Roedd dy fam yma," medd, gan bwyntio at ganol y stafell. "Estynnais fy llaw i'w chyffwrdd ond doedd neb yno." Rydan ni'n sgwrsio, yn ddigon rhydd, am Jung, yr isymwybod, ac ystyr breuddwydion. Mae'n dweud jôc – dyna un peth mae o'n dal yn dda am ei wneud.

Dwi'n ei berswadio i godi. Unwaith mae o ar ei draed mae i'w weld yn iawn. "Yndw," meddai, "dwi isio'r stafell," yr un yn y cartref gofal. Tydi o ddim yn rhoi rheswm fel 'dwi isio bod wrth ymyl dy fam'. Tydi ei ymennydd ddim yn gadael iddo wneud hynny. "Allwch chi gadw'n saff tan ddydd Llun?" gofynnais, ac mae'n fy sicrhau y bydd o'n iawn. Ac felly mi aethon ni ffwrdd am benwythnos ac ar y ffordd ffoniais y cartref gofal i ddweud y byddwn ni'n debygol iawn o fod eisiau'r ystafell.

Golygfa 8: Dydd Sadwrn 1af a Dydd Sul 2il Medi: Penwythnos Mawr 2

Cawsom benwythnos braf ar lan y môr; dim galwadau ffôn. Dim tan y bore Sul, a neges gan Alan ar ôl brecwast, fel yr oeddem ar fin gadael. Ffoniais yn ôl a dywedodd fod Dad eisoes yn y cartref gofal.

Yn ôl pob sôn, roedd Alan a Sue wedi galw draw brynhawn Gwener ac wedi canfod Dad yn cysgu'n sownd, ac wedi methu ei ddeffro. Aeth yn flin fel cacwn, meddan nhw, pan wnaethon nhw drio'i ddeffro. Penderfynodd Alan aros dros nos. Am 5 o'r gloch yn y bore, disgynnodd Dad o'i wely ac ar lawr. Am 7 o'r gloch, ffoniodd Alan y meddyg brys a ddaeth allan ato ond methu gweld dim o'i le ar Dad. Yna, ffoniodd Alan y cartref i holi a oedd hi'n bosib i Dad fynd i mewn y diwrnod hwnnw. Cysylltwyd â'r rheolwraig yn ei chartref a rhoddodd honno'i chaniatâd.

Felly, ar ddydd Sadwrn, aeth Alan ag ef i'w ystafell newydd. Deuddydd ar ôl gadael, roedd Dad yn ôl. Yn barhaol y tro hwn. Ac yn cael gofal. Dyna oedd Dad ei eisiau er mwyn rhoi'r gorau i frwydro byw o ddydd i ddydd. Gofynnodd a fyddai Alan yn fodlon penderfynu ar ei ran achos doedd o ddim yn gallu gwneud hynny ei hun. Efallai fod Dad angen rhywun i roi 'caniatâd'. A chyn gynted ag yr oedd o yn ei ystafell newydd, doedd dim rhagor o ymladd â drychau.

Dad yn y cartref

Dyna fendith, meddyliais, ar adeg o argyfwng rydan ni'n gallu cael Dad i mewn i'r cartref gofal, a hynny'n gyflym. A gan ein bod yn hunangyllido (gyda'r ddau yn y cartref gofal, roedd y pwrs yn gwagio'n gyflym!) doedd dim ond rhaid ysgrifennu siec am y mis cyntaf; dim ymgynghori gyda'r awdurdodau, dim trafferth. Felly roedd Mam *a* Dad o'r diwedd mewn cartref gofal. Ym mis Gorffennaf roedd y ddau'n ceisio ymdopi gartref a llai na deufis yn ddiweddarach, ym mis Medi, doeddan nhw ddim. Mor gyflym â hynna!

Cawsom drafferth efo'r car ar y ffordd yn ôl o'n hoe penwythnos. Ond mi gyrhaeddon ac mi es i weld Dad, a oedd mewn cyflwr gweddol erbyn hyn; roedd y cartref gofal wedi rhoi dwy garthen blu ger ei wely rhag ofn iddo ddisgyn ohono, ond wnaeth o ddim.

Ar y dydd Llun, cawsom gyfarfod â'r Gwasanaeth Seiciatrig Cymunedol yn sgil fy nghais drwy feddyg Dad. Roedd un o'r nyrsys wedi trefnu ymweld â Dad i ailasesu ei gyflwr meddyliol. Ffoniais a gofyn iddi alw yn y cartref gofal yn hytrach na'r tŷ; a dyna wnaeth hi, ond ni ddaeth fawr o fudd o'r cyfarfod ac ni welwyd mohoni byth wedyn.

Roedd Alan wedi mynd â bwrdd bach ger ei wely iddo, minnau wedi mynd â chadair arall a rhagor o ddillad. Pan ymwelodd ganol yr wythnos, dywedodd Alan fod Dad yn ymgartrefu yno. Ro'n i'n ymweld ag o'n gyson bryd hynny ac yn mynd â fo i lawr y grisiau i weld Mam. Ond doedd yr ymweliadau ddim yn rhai hir; eisteddai wrth ei hymyl ond buan iawn yr anghofiai hi ei fod o yno. Roedd yntau'n falch o fynd yn ôl i'w stafell. Byddwn yn mynd â fo am dro 'o gwmpas y bloc', neu'n hytrach ar hyd y coridorau, neu i eistedd yn un o'r cadeiriau ar dop y grisiau ac yntau'n cyfarch pawb wrth iddyn nhw fynd heibio. Fel arall, byddai'n aros yn ei stafell ac yn cysgu. A chysgu. A chysgu.

Y llen yn cau

Ac felly daeth cwymp y llen ar ddrama dementia Fred a Mary. Symudodd eu bywydau nhw, a minnau, ymlaen i gyfnod newydd. Roedd y ddau'n cael gofal, gyda'i gilydd ac eto ar wahân. Ar wahân oblegid roedd Dad yn ddigon da i fyw yn y 'rhan gyffredin' o'r cartref gofal tra oedd Mam yn byw mewn uned bwrpasol i roi rhagor o ofal i'r preswylwyr â dementia. Ar wahân hefyd achos nid oedd gan yr un o'r ddau y gallu meddyliol i ofyn a fydden nhw'n cael gweld ei gilydd – roeddan nhw'n llwyr ddibynnol arna i, y staff ac Alan i drefnu hynny. Ac eto gyda'i gilydd. Yn yr un cartref. Dan yr un to. A Dad yn dal i sibrwd "Dwi'n dy garu di" wrth ei gariad benfelen brydferth, a'i gwallt bellach wedi britho.

Gyda'i gilydd ac eto ar wahân

I fyny ac i lawr y grisiau

Dyna ble roeddan ni, Medi 2007, Mam a Dad wedi gorfod gadael eu cartref ac yn byw mewn cartref gofal, gyda'i gilydd ac eto ar wahân. Sut fath o 'ofalwraig amatur' oeddwn i? Sut oeddwn i'n ymdopi? Ddim mor dda â hynny fyddai barn ambell un. Ail ddewis yw rhoi rhieni mewn cartref. Cael gwared ohonyn nhw yw hynny. A ddyliwn i wedi gwneud yn well, trio'n galetach?

Ond eto, beth oedd y dewis pan oedd dementia Mam mor ddrwg nad oedd hi'n gwybod ei bod hi mewn cartref gofal na ble roedd hi'n byw? A beth oedd y dewis pan oedd Dad eisiau ei dilyn, a'n rhwystro rhag 'gwneud y peth iawn' a'i gadw gartref? Roedd Medi 2007 yn ddechrau ac yn ddiwedd. Diwedd ar yr 'ymdopi', y twyll o feddwl bod popeth yn iawn, a'r anwybyddu arwyddion megis Mam yn methu gwneud paned o de. A dechrau sylweddoli nad oeddan nhw'n iawn, na fyddan nhw byth eto'n iawn yn feddyliol, dechrau derbyn eu dirywiad meddyliol a wynebu'r dyfodol gyda fy llygaid ar agor.

Mewn ffordd amlwg, roedd fy nghyfnod fel 'gofalwraig amatur' wedi dod i ben. Do'n i ddim bellach yn rhywun yr oeddan nhw'n llwyr ddibynnu arni. Ac roedd hynny'n rhyddhad. Ond sylweddolais fod fy nghyfrifoldebau wedi newid o reoli eu cyflwr corfforol i gyfrifoldeb mwy cynnil; rhoi cymorth iddyn nhw gynnal eu perthynas.

Er nad oedd stafelloedd dwbl yn y cartref arbennig hwn, roedd cyplau yn eu hiawn bwyll (cymharol felly) yn gallu cael stafelloedd drws nesaf i'w gilydd, ac roedd un neu ddau o gyplau yn byw felly. Y broblem oedd nad oedd Mam mewn cyflwr meddyliol digon iach i allu byw i fyny'r grisiau yn y 'rhan normal' o'r cartref, ac felly doedd hynny ddim yn ddewis. A doedd Dad ddim digon drwg i fod yn yr Uned Dementia gyda Mam.

Ar y dechrau, doedd hyn ddim yn broblem. Ro'n i'n falch bod gan o leia un o'r ddau droed yn y byd real. Ond doedd yr un o'r ddau wedi dewis eu ffordd o fyw. Aethpwyd â Mam i'r cartref gofal am fod Dad wedi deud na fyddai'n gallu gofalu amdani. Ac roedd o yno am ei fod yn syrthio ar lawr, yn ymladd â drychau ac yn ofni bod ar ei ben ei hun. Penderfynwyd ble yn union roedd y ddau'n aros gan reolwyr y cartref ar ôl ymgynghori gyda'u teulu, sef fi a 'mrawd.

Doeddan ni ddim eisiau rhoi pwysau ar yr un o'r ddau. Yn wir, Dad 'ddewisodd' fynd i'r cartref gofal yn hytrach na byw gartref. Doeddan ni ddim wedi eistedd gyda'n gilydd fel teulu i drafod y mater achos doedd hynny ddim yn bosib. Oherwydd ei dementia, doedd Mam ddim yn deall beth oedd yn digwydd ac roedd dementia fasgwlar Dad yn golygu nad oedd yn gallu gwneud penderfyniadau na dewisiadau.

Roeddan nhw gyda'i gilydd ac eto ar wahân o ganlyniad i benderfyniadau pobl eraill. Mam i lawr grisiau yng nghanol cleifion â dementia drwg, yn crwydro o gwmpas, ddim yn cofio ble mae'r toiled a'i chof wedi mynd yn llwyr. A Dad i fyny'r grisiau yn y 'rhan normal' o'r cartref, ei ddementia, hyd yma, yn caniatáu iddo fyw yn 'y byd go iawn'. Roedd o'n gwybod ble roedd o ac yn gallu gofalu amdano'i hun gyda rhywfaint o gymorth gan y staff.

Ar yr ochr gadarnhaol, roedd Mam fel pe bai'n mwynhau ble roedd hi. Ond yn y dyddiau cynnar, roedd Dad yn anhapus ar ei rhan hi. Teimlai fod yr ail lawr yn well na'r llawr gwaelod. I fyny'r grisiau, roedd lliain bwrdd i'w gael, ond ar y llawr gwaelod dim ond matiau, a rheini'n aml yn fudr. Doedd o ddim yn deall pam na allai hi fod efo fo. Er ei fod wedi byw gyda'i dementia hi, ac wedi ei brofi'n fwy na neb arall, roedd o'n dal i fynnu "tydi hi ddim mor ddrwg â hynny". Wrth edrych yn ôl, efallai ei fod o'n amau'r trefniadau a wnaethpwyd ar eu cyfer. Ai unig oedd o, eisiau ei chwmni, neu a oedd o'n amddiffynnol ohoni ac eisiau iddi gael y gorau... neu'r ddau reswm? Dwn i ddim.

Y realiti oedd bod llawer o'i agwedd yn deillio o'i ddirywiad meddyliol. Pe bai ei ymennydd o wedi bod mewn gwell cyflwr, byddai wedi bod yn bosib i Mam ymweld ag uned Dad unrhyw bryd yr oeddan nhw'n dymuno. Bydden nhw wedi gallu cydfwyta yn rheolaidd. Y broblem oedd y byddai o wedi gorfod gofalu amdani, bod yn gyfrifol, a sicrhau na fyddai hi'n crwydro.

Dod at ei gilydd

Yn fuan iawn, profodd hynny i fod yn ormod iddo. Nid yw cleifion sydd â dementia yn eistedd yn hir iawn ac roedd Mam, fel y gwelsom yn yr ysbyty, yn fusneslyd ac yn crwydro'n gyson. Pan oedd hi'n dod i fyny i'w weld, bydden nhw'n eistedd gyda'i gilydd yn y lolfa ("fel dau gariad", yn ôl Dad) ond ar ôl ychydig funudau byddai Mam eisiau mynd i'r lle chwech, neu fynd i grwydro, a chyn i Dad sylweddoli beth oedd wedi digwydd byddai hi'n busnesu yn stafell rhywun arall. Roedd o'n rhy araf i allu bod yn gwmni iddi – yn rhy araf yn eiriol (rhaid cofio bod y dementia fasgwlar wedi effeithio ar ei allu i drin geiriau) ac yn rhy araf ar ei draed wrth iddo symud yn bwyllog â ffon. Ond roedd hi'n ystwyth, er gwaethaf cricymalau yn ei phengliniau. Wrth gwrs, roedd gofalwyr o gwmpas i roi cymorth ond doedd dim digon o staff ar gael i ofalu bod Dad a Mam yn gallu cyfarfod yn gyson.

Yr ateb amlwg i'r broblem oedd iddo fo fynd i lawr y grisiau ati hi ar amser penodol bob dydd. Roedd Dad *yn* ymweld â hi ond roedd yn rhaid i mi neu aelod o'r staff ei atgoffa. Roedd gallu Dad i wneud penderfyniadau a chynllunio yn gwaethygu oherwydd ei ddementia fasgwlar; dilyn, nid arwain, oedd o'n ei wneud fwyaf. Bob tro ro'n i'n mynd â fo i weld Mam, doedd o byth eisiau aros yn rhy hir. Efallai fod ymddygiad rhai o'r cleifion yno yn ei gynhyrfu neu'n codi ofn arno. "Tydi'r rhain ddim yn rhy hoff ohona i," meddai, ond fe ymlaciodd yng nghwmni ambell un a mwynhau eu cwmni. Un o'i ffrindiau oedd hen wraig yr oedd ei hanhwylder meddyliol yn golygu ei bod wastad mewn hwyliau gwael ac yn ailadrodd yr un llith ddigalon o hyd, megis "Mae'r lle ma'n ddiflas" neu "Dwi wedi laru yma". Tybed a oedd Dad yn gallu uniaethu a chydymdeimlo â hi?

Sylweddolais fod angen cymorth arno i ddygymod â'r drefn o fod 'gyda'i gilydd ond ar wahân' a fi gafodd y dasg o fod yn gyswllt rhwng y ddau. Yn y dyddiau cynnar, byddwn yn ymweld â nhw deirgwaith yr wythnos, a byddai Alan yn mynd yno pan nad oedd o yng Nghyprus. Er nad oeddwn yn cario'r baich i gyd, ro'n i'n dal i deimlo'n gyfrifol am ofalu amdanyn nhw. Cymerodd amser i mi ddygymod â'r newid yn eu bywydau, a hefyd amser i gydnabod y ffaith bod eu meddyliau'n dirywio. Nid yn unig roedd y cartref gofal yn rhoi to uwch eu pennau, roedd hefyd yn sicrhau eu bod nhw'n saff ac yn hapus (mor hapus â phosib). Ond ro'n i'n dal i deimlo mai fy nyletswydd i oedd hynny.

Arferwn ddod â Mam i fyny'r grisiau i weld Dad. A phob tro roedd hi'n mynd i'w ystafell, roedd hi'n cael syndod o'i weld. Iddi hi, roedd pob ymweliad fel y cyntaf. Drosodd a throsodd. Byddai'n cerdded at y ffenestr, edrych trwyddi a rhyfeddu ar... ar be? Wnes i erioed ddeall beth oedd yn ei rhyfeddu cymaint: "Ty'd i weld hwn!" arferai ddweud bob tro, a minnau'n mynd yn ufudd i edrych. Efallai mai'r uchder oedd yn ei rhyfeddu, y ffaith ei bod hi ar y llawr gwaelod a Dad ar y llawr cyntaf. Yna, byddwn yn ceisio'i hannog i roi sylw i Dad yn hytrach na'r olygfa trwy'r ffenestr. Byddai'n eistedd ar erchwyn ei wely ond golygai'r diffyg sgwrs fod rhywbeth arall yn siŵr o dynnu ei sylw. Ceisiwn fy ngorau glas i gadw'r ddau yng nghwmni ei gilydd ond tueddu Mam oedd crwydro'r coridorau a minnau'n gynffon iddi, gan wneud yn siŵr ei bod hi'n ymddwyn yn iawn. Wedi'r cwbl, fi aeth â hi o'i huned ac felly fi oedd yn gyfrifol amdani.

Roedd crwydro Mam yn cael effaith ar eu perthynas. Dyma oedd patrwm yr ymweliadau: gweld ei gilydd a'u hwynebau'n goleuo. Y ddau'n eistedd ochr yn ochr a Dad yn ceisio cael cusan sydyn cyn i rywbeth dynnu ei sylw hi. Weithiau, byddai Mam yn gwrido wrth gael cusan yn gyhoeddus: fel y sylwais yn yr ysbyty, mae cywilydd yn aros er bod y cof a dealltwriaeth yn pallu.

Er mwyn codi calon Dad, ceisiwn lywio'r cyfarfodydd. Er enghraifft, byddwn yn dweud wrth Mam, "Mae o eisio gafael yn eich llaw chi." Byddai hynny'n gweithio am ryw hanner munud cyn i rywbeth dynnu ei sylw unwaith yn rhagor. Weithiau, byddwn i'n gafael yn ei law ac yn rhoi cysur iddo. Roedd gweld hynny'n peri penbleth i Mam wrth iddi geisio dyfalu pwy oedd pwy. Un tro, yn stafell Dad, ro'n i'n gafael yn ei law ac mae'n rhaid ei bod hi wedi anghofio mai fi oedd ei ferch, ac nid ei gariad: "Wyt ti'n trio cael gwared ohona i?" gofynnodd i Dad. Nid yn gas, ond yn bryderus.

Un prynhawn, roedd hen gerddoriaeth ymlaen yn yr uned ac ro'n i'n dawnsio gyda Mam tra oedd Dad yn eistedd. Edrychodd Mam arno a gofyn i mi, "Wyt ti'n briod efo hwnna?" "Na, chi sy'n briod efo fo," atebais. Yna'r ddwy ohonon ni'n chwerthin, a minnau'n falch bod Dad heb glywed. Dwn i ddim a oedd y ffaith bod Mam yn chwerthin yn golygu ei bod hi'n deall *pam* oeddan ni'n chwerthin. Fel y sylweddolais yn ystod y Penwythnos Mawr, roedd Mam yn chwerthin pan nad oedd ganddi syniad beth oedd yn digwydd. Mewn rhyw ffordd od, roedd chwerthin yn ysgafnhau'r tristwch, gan droi trasiedi yn gomedi trasig.

Fred wyt ti? A oedd gen i fam?

Ar ddyddiau eraill, roedd hi fel petai'n deall mai Dad oedd ei gŵr ac yn ymwybodol o'r syniad o 'deulu'. Gwyddai mai hi oedd 'biau' Dad, fi ac Alan ac nad oedd hi ar ei phen ei hun. Roedd ganddi sylfaen gadarn. Ond hyd yn oed o fewn y ddirnadaeth gyffredinol honno, doedd hi ddim yn *berffaith* siŵr pwy o'n ni o ddydd i ddydd. Weithiau, pan oedd hi a Dad yn cyfarfod byddai'n gofyn iddo, "Fred wyt ti?"' Ac mi fyddai'n cyhoeddi wrth bawb o 'mlaen i, "Fi ydi mam hon." "Rydan ni'n gwbod," fyddai ateb y gofalwyr, yn amyneddgar iawn, yn ôl eu harfer. Ond weithiau byddai'n drysu'n lân, yn pwyntio ata i ac yn dweud, "Honna yw fy mam i." Ac unwaith, fi oedd ei "chwaer". "Merch," cywirwn bob tro. A oedd hi'n ymwybodol o'i chamgymeriad? Neu a oedd yr enwau hyn am rolau penodol mewn teulu yn gallu cyfnewid yn rhwydd yn ei byd bach hi?

Er bod Mam yn ymwybodol o'i theulu agosaf, roedd y teulu ehangach wedi mynd yn angof llwyr. "Oedd gen i fam?" gofynnodd un tro. "Oedd." "Ble mae hi?" Er mwyn osgoi'r gwir, dywedais mor hyfryd oedd ei mam, fy nain. Ni wnaeth Mam ailadrodd y cwestiwn hwnnw. Mae dementia yn eich gorfodi i dreulio amser yn rhoi'r jig-so at ei gilydd, yn aml iawn yn aflwyddiannus. Yn ystod un o ymweliadau Dad, gofynnodd iddo, "Oedd gen ti fam?" Dro arall, y cwestiwn oedd, "Oes gynnon ni dad?" Iddi hi a'i dementia clefyd Alzheimer, roedd y rhain yn gwestiynau normal. Ond i Dad gyda'i ddementia fasgwlar doedd ei chwestiynau ddim yn gwneud synnwyr. Bryd hynny, fi fyddai'n ateb ar ei ran: "Oedd, roedd ganddo fam." Roedd yn gas gen i ei weld o'n dioddef a cheisiwn ei arbed rhag dryswch Mam.

Byddwn yn ei holi am ei brodyr a'i chwiorydd: "Oedd gynnoch chi frodyr neu chwiorydd, Mam?" "Nac oedd," atebai'n bendant, er bod ganddi bedair chwaer ac un brawd, a dwy o'r chwiorydd yn dal yn fyw. Ond yna yn achlysurol mi fyddai'n gofyn a oeddwn i wedi gweld ei brawd, George. "Dwi'n poeni amdano," meddai. "Mae o'n iawn," atebais. "Sdim isio poeni amdano."

Trwy ei hateb fel hyn roeddwn yn mynd i'w byd *hi* yn hytrach na cheisio dod â hi i fy myd *i* (y byd 'real'?) trwy ei hatgoffa bod George wedi marw ers blynyddoedd. Dwn i ddim pryd penderfynais, neu dysgais, wneud hyn: teimlai fel 'y peth iawn i'w wneud', yn enwedig ar ôl darllen mwy am ddementia a deall ei fod yn fwy cyfforddus iddi hi.

Gwell oedd mynd i'w byd hi yn hytrach na'i chywiro a chreu rhagor o ddryswch.

Ble wyt ti pan nad wyt ti yma?

Yr hyn o'n ni ddim wedi ei ystyried oedd sut beth oedd hi i Dad a Mam yn eu sefyllfa o fod 'efo'i gilydd ond ar wahân'? Nid gofyn a oeddan nhw *eisiau* bod felly, ond sut fywyd oedd o? Be oeddan nhw'n feddwl oedd yn digwydd i'w perthynas, fel cwpl, wrth fyw o ddydd i ddydd? Faint oeddan nhw'n ei ddeall?

Ar y dechrau, roedd Dad fel petai'n deall ei fod mewn rhan arall o'r cartref gofal. Gwyddai fod Mam yn yr un adeilad ag o er nad oedd o'n gallu ffeindio'i ffordd yno, taith a olygai fynd i lawr mewn lifft. Gwrthodai fynd i'r lifft ar ei ben ei hun. Gwyddai fod ganddo'i stafell ei hunan. Gwyddai'r ffordd rhwng ei stafell a'r stafell fwyta/lolfa, honno ofynnodd i mi ei dangos iddo pan ddaeth i'r cartref gofal am y tro cyntaf. Hwnnw oedd yr unig lwybr oedd o'n cofio.

Ond doedd gan Mam ddim syniad beth oedd 'cartref gofal'. Doedd hi ddim yn ymwybodol ei bod mewn cartref gofal – hyd y gwyddon ni – yn union fel nad oedd hi wedi deall ei bod mewn ysbyty. Mae'n ymddangos nad ydi hi'n gwybod bod ganddi ei stafell ei hun achos mae hi'n synnu wrth glywed y newydd. Dydi hi'n sicr ddim yn gwybod beth yw rhif ei hystafell, ond mae hi *yn* gallu ffeindio'i ffordd yno. Ond dydi hyn yn poeni dim arni. Mae hi'n derbyn ble mae hi. Fel yn yr ysbyty, os yw pobl yn garedig wrthi, mae hi'n hapus.

Ond gan nad oedd Mam yn gwybod ble oedd hi, allai hi ddim 'gwybod' felly bod Dad yn rhan arall y cartref gofal. Sut allai, a hithau ei hun ddim yn gwybod ei bod mewn cartref gofal? Er ei bod yn aml yn mynd i fyny'r grisiau i weld Dad ac i gymryd rhan yn y gweithgareddau, nid oedd hi fel pe bai'n deall y sefyllfa. Neu felly oedd pethau'n ymddangos i mi – ei hymennydd yn dirywio, ymennydd nad oedd yn gallu derbyn gwybodaeth newydd. A thrwy fy ailadrodd fy hun, sylweddolaf erbyn hyn fy mod wedi gwneud y camgymeriad o feddwl, 'Os nad ydi hi'n deall, mi wna i ei ddweud o'n uwch.' Ro'n i fel pe bawn yn dal i gredu o'i ddweud yn ddigon aml y byddai hi'n deall rywbryd bod y ddau ohonyn nhw yn yr un cartref gofal. Ond wnaeth hi erioed ddeall.

Creu storïau

Er bod Alan a finnau'n ceisio dod â'r ddau at ei gilydd mor aml â phosib, roedd Mam gan amlaf ar ei phen ei hun, heb syniad ble roedd hi. Yn y dyddiau cynnar, byddai'n deffro ac yn methu deall ble roedd Fred. Nid ei bod hi wedi egluro hynny wrtha i'n *glir,* ond dyna ddeallais. Ond wrth i amser fynd rhagddo, byddai Mam yn creu storïau – yn chwedleua – ynglŷn â beth ddigwyddodd.

Un diwrnod, clywais hi'n dweud wrth y gofalwr, "Ro'n i'n briod, ond mi wnaethon ni wahanu. Roedd o'n wael iawn." Ddeng munud yn ddiweddarach, daeth Dad ati ac roedd hi mor falch ag erioed o'i weld, a'r stori ddychmygol wedi mynd yn angof. Dro arall, byddai'n dweud pethau cas amdano, ei fod wedi ei gadael a'i fod yn annibynadwy – unwaith eto, doedd hi ddim yn egluro hyn yn glir ond dyna'n fras oedd hi'n ei ddweud.

Weithiau, roedd Dad yn credu bod y diffyg sylw ganddi yn gyfystyr â diffyg cariad. Ei ddymuniad oedd cael ei holl sylw i'w hunan ond doedd hynny ddim yn digwydd pan oedd y ddau gyda'i gilydd. O ganlyniad, dechreuodd gredu nad oedd ots ganddi amdano o gwbl; ac nad oedd hi'n ei garu mwyach. Arweiniai hyn at iselder. Nid yn unig oedd o'n ddiwerth ac yn dda i ddim, doedd cariad mawr ei fywyd ddim yn ei garu ychwaith.

Y broblem gyffredinol oedd y ffaith nad o'n nhw'n gallu trafod gyda'i gilydd yr hyn ddigwyddodd iddyn nhw. Doedd dim modd iddyn nhw gael sgwrs am yr hyn roeddan nhw ei eisiau yn eu bywydau bob dydd. Yr agosaf at fynegi teimladau fyddai brawddeg gecrus fel "Dwyt ti ddim yn fy ngholli i gymaint â dwi'n dy golli di."

Er yn cysylltu â'i gilydd, roedd y ddau'n byw eu bywydau fel unigolion yng ngwahanol rannau o'r cartref gofal. Dad, er enghraifft, yn tynnu coes rhyw wraig gan anelu ffon tuag ati a chymryd arno'i fod yn ei saethu; roedd un o'r gwragedd yn ei alw 'y dyn ei hun'. Ac roedd Mam yn chwerthin trwy'r adeg ac yn mynd o stafell i stafell ar helfa siocled. Bywyd priodasol anfoddhaol i Dad, ac un dryslyd i Mam.

Y cyfarwydd yn troi'n anghyfarwydd

Er nad oeddwn i'n gallu llawn ddeall natur eu dementia, gallwn weld yr effeithiau'n gliriach na phan oeddan nhw adref. Ro'n i'n awyddus iawn i wybod beth oedd yn mynd ymlaen yn eu pennau. Roedd cyflwr meddyliol Mam yn waeth nag un Dad, ond eto hi oedd yr un oedd yn fwy parod i ateb fy nghwestiynau. Efallai mai'r rheswm oedd ei bod hi'n dal i feddwl ei bod yn byw bywyd normal. Roedd ei chof wedi mynd, ond roedd ei chwilfrydedd – fel f'un i – yn dal yno.

Yn y dyddiau cynnar, eglurai Mam ei bod yn methu deall pobl gan nad oedd 'y llun' ganddi. Gallai glywed geiriau ond roedd y 'llun yn y meddwl' wedi diflannu. "Be am ffeindio be ydach chi'n ei gofio," meddwn. "Ydach chi'n cofio mynd i Tesco?" Tydw i ddim yn meddwl ei bod yn fy neall. "Beth oedd Tesco?" prociais. "Siop," atebodd. "Ac efo pwy oeddach chi'n mynd yno?" "'Fred," meddai, fel pe bai'r ateb yn amlwg. Yn araf, dyma ni'n dwy'n ail-fyw'r profiad gan greu llun yn y meddwl. Cofiai elfennau o'r profiad o siopa, ond gyda thrafferth. Awgryma hyn, mae'n debyg, fod yr atgof wedi ei storio'n rhywle yn yr ymennydd ond bod y cysylltiadau wedi eu torri gan wneud y cofio'n anodd. Does dim eiliad ble mae'r jig-so yn ffitio i'w le. Does dim modd adeiladu ar atgof niwlog a chreu darlun clir.

Ond dydi hi ddim wedi ildio'n llwyr. Mae hi'n dal yn chwarae ond nid yw'n siŵr beth yw'r gêm. Un diwrnod, ro'n i ar fin gadael i fynd i weld Dad i fyny'r grisiau: "Dwi'n mynd i weld Fred rŵan," meddwn, "I weld a ydi o'n iawn." Edrychodd yn ofidus arna i. "Oes rhaid i mi roi arian iddo fo?" – gartref, hi oedd yn gofalu am y pwrs. "Na, mae gynno fo ddigon o arian," atebais. "Ti roddodd beth iddo fo?" gofynnodd, gan awgrymu ei bod yn gallu rhesymegu ar brydiau. Unwaith eto, roedd rhai atgofion yn fyw ond y cyd-destun yn farw. Mae hi'n gallu profi'r presennol, ond wedi colli'r deall hwnnw sy'n ei galluogi i ddweud ble mae hi a beth sy'n digwydd.

Ailddysgu sut i fyw bob dydd

Un o'r prif nodweddion yw bod y cyfarwydd, yr hyn mae rhywun yn ei gymryd yn ganiataol, yn mynd yn anghyfarwydd. Yn wrthrychol, mae'n edrych fel petai Mam a'i chyd-breswylwyr yn gorfod ailddysgu sut i fyw eu bywydau bob dydd. Mae eu dementia yn rhoi'r hyn a elwir yn 'amnesia anterograd' iddyn nhw, sy'n golygu nad ydyn nhw'n gallu creu ffyrdd o gofio, ac felly maen nhw wedi eu clymu i'r presennol. Mae un o ffrindiau Mam yn mynd allan o'r stafell. Ychydig o funudau wedyn, mae'n dod yn ôl; mae ei chadair yn dal yn wag. Ond mae hi'n edrych o'i chwmpas ac yn gofyn, "Ble alla i eistedd?" Dro arall, mae hi eisiau mynd i'r tŷ bach. "Ydach chi'n gwybod ble mae o?" gofynnaf. "Nac'dw," ateba, er ei bod wedi byw yn y cartref gofal ers dwy flynedd. "Mi af i â chi yno," dywedaf, ac mae hi'n gafael yn fy llaw yn ddiniwed fel plentyn.

I Mam, mae'r goleuadau crwn yn y nenfwd yn ddirgelwch llwyr. Does ganddi ddim syniad beth ydyn nhw, ac mae hi'n ymddwyn fel pe bai'n disgwyl iddyn nhw wneud rhywbeth annisgwyl. Dwi'n dweud wrthi beth ydyn nhw ond mae hi'n anghofio'n syth ar ôl i mi egluro. Mae hi wedi anghofio beth yw'r 'llun' sy'n ei galluogi i ddeall beth yw 'goleuadau'. Er bod hyn yn ymddangos fel rhywbeth negyddol, gall fod yn bositif. Wrth ymweld â Mam ryw dair blynedd ar ôl iddi gyrraedd y cartref, daeth yr un goleuadau ymlaen a goleuodd wyneb Mam yn llawn pleser wrth edrych arnyn nhw. Roedd hi fel petai'n dweud "Edrycha ar y rheina!" drwy ei hymateb corfforol, gan na allai siarad fawr ddim erbyn hynny. I gleifion dementia, mae mân ddigwyddiadau'r dydd fel petaen nhw'n magu arwyddocâd newydd nad yw'r gweddill ohonom yn sylwi arno.

Yr hyn sy'n fy nharo i bron bob tro yr af yno yw'r ffaith bod rhaid i'r preswylwyr ailddysgu'r drefn ynglŷn â phrydau bwyd, a hynny bob diwrnod. Anaml y bydda i yno amser cinio sef adeg eu prif bryd bwyd ond dwi'n aml yn ymweld ddiwedd y prynhawn. Mae'r pryd gyda'r nos tua 5.30 pm. Yn yr hanner awr cyn hynny, mae'r staff yn gosod y byrddau â chwpanau a soseri a phlatiau. Mae'r lolfa ar un pen yr ystafell a'r lle bwyta, sydd â thri bwrdd i bedwar, ar y pen arall. Dwi'n dweud yn aml wrth Mam, "Mi fyddwch yn cael swper yn y munud." Bydd hithau'n mynegi syndod a phleser. "Fydda i?" "Byddwch. Drychwch, mae hi bron yn bump o'r gloch." Dwi'n pwyntio at y cloc. "I ble dan ni'n gorfod mynd?" "Dim ond i fan'cw – welwch chi'r cwpanau a'r soseri?" Tydi hi ddim fel pe bai'n eu gweld – neu'n hytrach mae'n edrych i gyfeiriad y byrddau ond does ganddi ddim 'llun yn y meddwl' o beth yw arwyddocâd ac ystyr byrddau wedi eu gosod.

Ond unwaith mae hi'n eistedd wrth y bwrdd, mae'n gwybod beth i'w neud – mae arferiad, ailadrodd, creu patrwm yn gymorth i bobl sydd ag amnesia anterograd roi trefn ar fywyd pob dydd, er bod rhywbeth bob amser yn tynnu sylw Mam cyn iddi orffen bwyta ac mae'n anghofio o bosib pam mae hi'n eistedd wrth y bwrdd. Mae'r staff yn dweud eu bod yn gorfod ei bwydo weithiau gan ei bod yn methu canolbwyntio. Pen y daith yw bod rhai ohonyn nhw'n gallu anghofio sut i fwyta.

Cyfnodau amser

Drysu amser yw nodwedd arall o ddementia math Alzheimer Mam, sef fel petai'n gallu byw yn y gorffennol a'r dyfodol ar yr un pryd. Sylwais ar hyn am y tro cyntaf yn yr ysbyty cyn iddi fynd i'r cartref gofal. Doedd y gwaith tŷ ac arferion beunyddiol a oedd yn cadw ei meddwl yn effro ddim yn digwydd bellach gan ddangos yn glir ddirywiad ei chyflwr. Erbyn hynny roedd hi'n mynd yn ôl a blaen mewn amser rhwng y presennol a'r gorffennol, a'i dyddiau caru gyda Dad. "Dwed bod Mary yn dweud wrtho beidio priodi neb arall." A finnau'n addo gwneud hynny.

Ar rai adegau mae hi'n cofio'i hoed, neu mae'n gwybod ei bod hi'n hen. Ond pan ofynnwyd iddi faint oedd hi'n feddwl oedd oed Dad, sy'n 90 oed, edrychodd arno a dweud, "Tua deugain". Ar y pryd credwn fod hynny'n brawf bod ei meddwl mewn cyfnod amser arall, ond credaf nawr mai dyfalu oedd hi. Doedd ganddi ddim clem beth oedd yr ateb. Yn sgil darllen llyfrau am ddementia, dwi wedi dysgu mai un o brif reolau dementia yw peidio â gofyn cwestiynau. Nodyn i mi fy hunan – chwilfrydig neu beidio, rhaid i mi beidio holi cymaint!

I Mam a sawl un o'r preswylwyr eraill yn yr un uned, roedd ffwndro ynghylch amser yn aml yn gysylltiedig ag 'adref'. Mae Dorothy, ei ffrind, yn aml ar binnau yn teimlo bod angen iddi fynd adref at ei mam. Fel Mam, does ganddi ddim syniad ei bod mewn cartref gofal, er bod ei hystafell yn agos iawn at y lolfa a bod llun mawr ohoni ar ddrws ei hystafell. I mi, 'adref' i Mam a Dad oedd y tŷ yn Acrefield Drive, Caergrawnt ble roeddan nhw wedi byw am dros ddeg mlynedd ar hugain, rownd y gornel o'r cartref gofal, y tŷ yr oeddwn i bellach yn gofalu amdano ac yn ei osod ar rent. Ond ro'n i'n ffyddiog bod Mam yn cofio dim am y tŷ hwnnw.

Weithiau mi fyddai hi'n crybwyll 'mynd adref', ac mi fyddwn innau'n dychryn am eiliad yn meddwl ei bod yn cofio'i chartref ac eisiau mynd yn ôl yno. Ac ar yr adegau hynny ro'n i'n dal yn rhyw feddwl y gallai popeth ddychwelyd i fod yn 'normal' unwaith eto. Be fyddai'n ddweud pe bai'n gweld dieithriaid yn byw yn ei thŷ?

Ond na, doedd hynny ddim am ddigwydd. Rhagor o gwestiynau.

"Ble mae gartref, Mam?" Byddai hi'n edrych arna i'n ansicr, fel pe bawn wedi gofyn cwestiwn twp. "Haverton Hill," ateba weithiau, neu "Billingham" dro arall. A hithau wedi ei geni yn Wallsend, roedd wedi byw yn Haverton Hill pan oedd yn blentyn yn y 1920au, ei thad – fy nhaid – wedi mynd i weithio peiriant trin coed mewn iard llongau. Symudon nhw ryw ychydig filltiroedd i lawr y ffordd yn y 1930au i dŷ newydd yn Billingham. Neu ar adegau eraill byddai hi'n dweud "Middlesbrough" ble gweithiai yn ystod yr Ail Ryfel Byd. Fel Dorothy, roedd ei chartref yn bodoli mewn cyfnod pell, pell yn ôl.

Roedd un o'r preswylwyr eraill, Gloria, yn deall y broblem yn iawn wrth iddi gyhoeddi droeon, "Tydan ni ddim yn gwybod ble rydan ni'n byw!" mewn llais uchel, llawen a llon.

Fel Gloria, mae llawer o'r cleifion i'w gweld fel petaen nhw'n ddiniwed a diymgeledd, ac mae temtasiwn ar adegau i'w cymharu â phlant. Dim rhyfedd fod henaint yn aml yn cael ei alw'n 'ail blentyndod'. Mae Mam yn gofyn fy nghaniatâd i wneud pethau, yn union fel yr oeddwn i'n gofyn ei chaniatâd hi pan oeddwn yn blentyn. Ond nid yw'r rolau wedi eu gwrthdrol mewn gwirionedd. Rydym yn rhannu hanes cryf, a Mary yn fam i mi am naw deg y cant o'r amser hwnnw. Ac er ei bod fel petai'n ddiymgeledd nawr, mae hi'n *dal* yn fam i mi. A finnau'n ei charu mewn ffordd fwy syml, a mwy dwys.

Nadolig yn y Cartref Gofal

Aeth Dad a Mam i'r cartref gofal yn yr haf pan oedd y dyddiau'n hir a chynnes ac felly'n dechrau setlo wrth i'r dydd golli. Yna, daeth y Nadolig. Doedd Mam ddim yn gallu cofio'i bod hi'n Nadolig. Pan gâi ei hatgoffa, roedd hi'n cynhyrfu'n lân, yn pryderu am ei diffyg paratoi. Ac yna'n anghofio'r cwbl. Mynnai Dad bod y Nadolig yn 'ormod o drafferth', ond wrth i'r diwrnod mawr nesáu roedd o'n edrych ymlaen yn eiddgar at ei bwdin Nadolig.

Roedd y cartref gofal yn groesawgar iawn ac yn y flwyddyn gyntaf honno, penderfynodd Alan a Sue a minnau dderbyn y gwahoddiad i gael cinio Nadolig gyda Dad a Mam. Gan fod pump ohonon ni, caem fwrdd i'n hunain i fyny'r grisiau yn uned Dad. Gyda'n gilydd, felly, nid ar wahân. Dwi'n cyrraedd tua 11.40 ar y bore Nadolig; mae'r staff eisoes wedi dod â Mam i fyny i'r brif lolfa: ac maen nhw wedi ei gwisgo'n dwt.

Dwi'n diflannu i stafell Dad i ollwng yr anrhegion ac mae o, wrth gwrs, yn cysgu! Ar y bwrdd bach ger ei wely, mae'r anrhegion a gafodd gan y cartref gofal; llond bag o sebonach a llond hosan o ffrwythau a chnau, fel y cefais i, ac yntau fe dybiaf, yn blentyn. Dwi'n ei ddeffro ac yn dymuno 'Nadolig Llawen' iddo; tydi o ddim yn dweud llawer wrth i mi dwtio'i wallt gyda fy mysedd. Mae ganddo wallt hyfryd, esmwyth ac wedi britho, heb ôl moelni ond mae'r ferch torri gwallt sy'n galw yn y cartref gofal ddwywaith yr wythnos yn mynnu rhoi steil Mohican iddo. Sylwaf ei fod o'n gwisgo'r siwmper borffor brynais iddo ar ei ben-blwydd.

Dywedodd rhywun wrtha i ei fod o wedi marw

Mae'n falch o weld Mam ac eisiau rhoi cusan iddi; mae hi'n troi ato cyn troi oddi wrtho ar yr eiliad dyngedfennol. Er mwyn cadw Dad yn hapus, llwyddaf i 'drefnu' cusan Dolig rhwng y ddau cyn i Dad eistedd. Ar ôl ychydig funudau, mae Mam yn dweud wrtha i bod rhywbeth ofnadwy wedi digwydd iddi. Dywedodd rhywun ei fod 'o' – Dad – wedi marw. Mae hi'n dweud hyn wrtha *i*, nid wrtho fo. "Mi dorrais fy nghalon," medd Mam. "Dwi mor falch o'i weld o." O edrych yn ôl, roedd rhyddhad yn gymysg â'r syndod a'r pleser ar ei hwyneb pan welodd hi Dad. Mae hi'n ailadrodd pa mor falch ydi hi ei fod o'n fyw. "Sonioch chi ddim gair pan gyrhaeddais i," meddwn innau. "Do'n i ddim yn siŵr iawn a ddyliwn i sôn," atebodd. Dwi'n ei sicrhau hi mai fi fyddai'n dweud unrhyw newydd mawr felly wrthi. Yn ffodus, nid yw Dad fel petai'n clywed dim o'n sgwrs, er bod offer clyw yn ei glust. Rydan ni i gyd yn yfed sieri cyn mynd i eistedd wrth y bwrdd. Mae un o ffrindiau Dad, dynes gant oed, yn flin am ei bod yn gorfod symud o'i bwrdd arferol. Dwi'n teimlo'n euog am hynny. Mae glynu at drefn ac arferiad yn bwysig i rywun sy'n gant oed, debyg.

Mae Alan a Sue yn cyrraedd ar frys gwyllt. Dwi eisoes wedi rhoi Mam i eistedd wrth y bwrdd, Dad ar y chwith iddi, a finna nesaf ato, gyferbyn â hi. Mae Dad yn gafael yn ei llaw tra'i fod o'n gallu; tydi o ddim yn dweud llawer. Rydan ni'n tynnu'r cracyrs ac yn gwisgo'n hetiau papur. Coctel corgimychiaid yw'r cwrs cyntaf; mae Mam yn bwyta'n araf, yn dewis y tomato ac yn anwybyddu'r corgimychiaid – o bosib, dydi hi ddim yn gwybod beth ydyn nhw. "Bytwch y *prawns*," meddai Alan, ond does ganddi ddim syniad beth mae o'n feddwl; does ganddi ddim 'llun' i nifer o eiriau ac o'r herwydd mae'n cael trafferth creu cysylltiad â'r byd real.

Daw'r prif gwrs: twrci a'r holl fwydydd Nadoligaidd eraill. Mae Dad yn araf, ac yn methu bwyta'r cwbl; roedd gen i atgofion am rai Nadoligau'n ôl pan aethon ni i gyd allan i gael cinio Nadolig ac roedd Dad wedi bwyta'r roliau bara i gyd cyn i'r bwyd gyrraedd a chafodd boen bol. Pawb wedyn yn treulio gweddill y pryd yn trio'i helpu i waredu ei wynt! Ond nid heddiw. O'r diwedd, mae'n llwyddo i orffen ei bryd, gan gynnwys ei bwdin, ond gwrthoda'r cynnig i gael ail blatiaid.

Parsel? I be mae hwnna'n dda?

Ar ôl cinio, awn i gyd i stafell Dad ar gyfer y traddodiad agor anrhegion gyda'n gilydd, er bod Dad yn amlwg eisiau cysgu. Yn ôl ei harfer, mae Mam yn mynd yn syth at y ffenestr: "Dowch i weld hwn." Af ati ond yn dal ddim callach ynghylch beth yr oedd hi'n rhyfeddu ato. Eistedda Dad yn ei gadair freichiau. Alan sy'n dechrau rhannu anrhegion trwy roi ei anrheg gyntaf i Dad; pâr o slipars. Dim ymateb pendant. Mae'r holl barseli'n drysu Mam; does ganddi ddim syniad beth ydyn nhw na beth yw eu hystyr. Ond mae hi'n hoffi'r 'glob Nadolig', yn ei ysgwyd ac yn gwylio'r plu eira'n disgyn i sain canu carolau. Mae hi'n cofio caneuon. Mae Alan a Sue hefyd yn rhoi buwch ddu a gwyn i Dad, un sy'n chwyrnu'n uchel pan fo rhywun yn gwasgu ei throed. Mae'n llwyddo i wenu ar hynny. Dwi'n ei berswadio i orwedd ar ei wely ac mae'n edrych yn hapusach, cyn syrthio i gysgu yn y man.

Mae Alan a Sue yn rhoi parsel i Mam, un sy'n amlwg yn cynnwys siocledi; mae hi'n dweud ei bod am ei agor nes ymlaen. Dyna'i strategaeth gyda pharseli. Dydi hi ddim yn deall beth ydyn nhw ac felly mae'n eu gosod i'r naill ochr. Dwi'n rhoi parsel o fisgedi iddi. "Ydach chi eisio agor hwn nes ymlaen hefyd?" Ydi. Ar ôl i'r rhan fwyaf o'r anrhegion gael eu hagor, rwy'n pwyntio at y ddau sydd ar ôl. "Mae gynnoch chi'r ddau yma i'w hagor hefyd." "Oes wir?" ateba. "Do'n i ddim yn gwybod hynny." Dyna un frawddeg mae hi'n ei defnyddio'n aml pan dwi'n sôn wrthi am ddigwyddiadau pob dydd. "Do'n i ddim yn gwybod hynny."

chwerthin trwy'r adeg, a'r nyrsys yn chwerthin gyda hi. "Mae'n bleser ei chael hi yma. Mae hi'n ddynes hyfryd," meddan nhw, ar y nos Lun pan es i â hi'n ôl.

Do'n i ddim yn rhy siŵr beth i'w ddweud wrth Dad, do'n i ddim eisiau iddo boeni. Ond cyn gynted ag y gwyddwn fod Mam yn iawn, ar y dydd Sul, dywedais wrtho fod Mam yn yr ysbyty a'i bod yn iawn, a bod y meddygon eisiau rhoi archwiliad iddi. Pan ddychwelodd Mam o'r ysbyty, roedd Dad yn disgwyl iddi sôn am ei hamser yno. "Ddeudodd hi ddim byd wrtha i," meddai. "Wnaethoch chi ofyn rhywbeth iddi?" gofynnais, fel pe bawn yn ceisio taflu'r bai arno am ei ddiffyg cyfathrebu.

"Tydi hi ddim yn cofio bod yn yr ysbyty," eglurais, yn fy rôl fel canolwr. Edrychai Dad yn amheus: dydw i'n dal ddim yn siŵr a ydi o'n credu nad yw ymennydd Mam yn gweithio'n iawn. Yn ei hiawn bwyll, byddai hi wedi rhoi disgrifiadau manwl o'i harhosiad yno. Mae ei thawelwch yn rhoi loes iddo.

Dyna oedd eu problem fel cwpl ar yr adeg honno; gallai Dad gofio mwy ond ni allai ei fynegi ei hun yn dda. A gallai hi siarad bymtheg y dwsin, a chwerthin, ond doedd hi ddim yn gallu cofio dim o'r naill funud i'r llall. Y ddau'n byw bywydau od ond yn methu trafod hynny, yn methu siarad ac yn methu helpu ei gilydd mwyach. Gyda'i gilydd ac eto ar wahân. Ar wahân ac eto'n gwpl, yn dal efo'i gilydd.

Pennod 6
Dirywiad Fred

Yn ystod y flwyddyn gyntaf honno, wrth i ni i gyd addasu i'r ffaith bod Dad a Mam mewn cartref gofal, do'n i ddim yn ystyried dementia Dad fel cyflwr 'go iawn'. Ac mae hynny'n od oblegid ei ddementia ef oedd yr unig un gafodd ei gydnabod gan feddygon. Mae'n debyg 'mod i'n cymharu ei gyflwr o ddementia fasgwlar distawach ef â chyflwr dementia mwy dramatig a dryslyd Mam, un tebycach i glefyd Alzheimer. Dementia 'go iawn' i mi oedd y dryswch a'r colli cof sy'n nodweddiadol o glefyd Alzheimer wrth i'r cysylltiadau rhwng celloedd y nerfau a'r ymennydd ddirywio, a'r celloedd yn marw. Roedd Dad, i'r gwrthwyneb, fel pe bai'n gallu cadw gafael ar ei fywyd cynharach. Efallai mai fi oedd yn methu delio â mwy nag un cyflwr meddyliol yn dirywio ar yr un pryd.

Mae dementia fasgwlar yn cael ei achosi gan broblemau cyflenwad gwaed i'r ymennydd, gan effeithio'n bennaf ar y cortecs, sef haen allanol yr ymennydd sy'n gysylltiedig â dysgu a chanolbwyntio, cof ac iaith. Gall symptomau gynnwys problemau â chanolbwyntio a chyfathrebu, cymhelliant a chynllunio, yn ogystal ag iselder. Roedd Dad yn dilyn y patrwm hwn gan mai prif nodweddion ei gyflwr oedd iselder ("Sut dach chi'n teimlo heddiw, Dad?" "Uffernol"), dweud fawr ddim a chysgu trwy'r adeg. Byddai'n dod i'r stafell fwyta, llyncu ei fwyd a dychwelyd yn syth i'w stafell, gorwedd ar ei wely a chau ei lygaid. Roedd ei gysgu gormodol yn peri pryder i'r staff a bu'n rhaid holi barn meddyg bob hyn a hyn am eu bod yn credu bod ei syrthni a'i awydd i gysgu trwy'r adeg yn gysylltiedig â'i ddiabetes neu ei dabledi gwrthiselder, a'r rheini ar ddos llawer is bellach. O'm rhan i, credaf mai cwsg oedd ei ffordd ef o ddianc o'i fywyd dibwrpas, cuddio dan y gynfas ac anghofio am bawb a phob dim.

Ond roedd dementia Dad yn bodoli, os oeddwn i'n ei gydnabod yn llawn ai peidio. Ar ôl ychydig o wythnosau, cafodd drafferth â'i deledu yn y cartref gofal. "Pam na fasan nhw wedi rhoi un hawdd i'w weithio i mi?" cwynodd. Rhoddais y teclyn rheoli yn ei law, un tebyg iawn i'r un oedd ganddo gartref. "Rydach chi'n defnyddio hwn," meddwn, ac yna sylweddoli ei fod yn edrych yn hurt ar y teclyn. Eglurais wrtho sut i'w ddefnyddio ac yntau wedi ymarfer. Ac roedd fel pe bai'n deall. Hynny'n iawn, 'te, meddyliais. Ond ydi o? Pam oedd o wedi trin teclyn newid sianel *cyfarwydd* fel rhywbeth *dieithr*? I Dad, fel i Mam hithau, mae'r cyfarwydd yn troi'n anghyfarwydd, ond gan ei fod o'n ymddwyn yn fwy normal y rhan fwyaf o'r amser, rywsut dydw i ddim yn sylwi cymaint ar ei ddirywiad.

Mae un ffactor arall hefyd: roedd ymweld â Mam yn hwyl, ond doedd ymweld â Dad ddim yn hawdd o gwbl yn ystod y misoedd cyntaf, cyfnod pan oedd o naill ai'n gysglyd, yn dawel neu'n gwynfanllyd. Efallai fod hynny braidd yn annheg: roedd o'n dal i ddweud ambell jôc a gwenu weithiau ond iselder, nid hapusrwydd, oedd yn ei hwyliau fel arfer. Sut oedd fy nhad doniol, hawddgar, dymunol wedi troi yn 'un anodd' a bod Mam, yr un yr oedd wedi bod yn llawer 'anoddach' am lawer o'n perthynas, bellach yr un o'n i'n mwynhau ei chwmni?

Beth sydd ar fai?

Mae'n debyg mai'r hyn ddigwyddodd oedd bod newidiadau corfforol wedi digwydd yn ymennydd Dad, gyda rhannau ohono'n cael llai o waed ac o ganlyniad yn methu gweithredu'n iawn. Roedd hyn yn cael effaith andwyol ar ei hwyl a'i ymddygiad: ni allai wneud yr hyn yr oedd o'n arfer ei wneud, na bod y person yr oedd o'n *arfer* bod. Yn gwbl annheg, ro'n i'n flin wrth Dad am droi'n 'hen ddyn blin a phiwis'. Ac roedd rhan ohona i'n glynu yn y gobaith y gallai waredu'r iselder pe bai ond yn gwneud ychydig o ymdrech.

Yn rhesymegol, wrth gwrs, roeddwn yn gwybod na allai o ddim. Roedd Jane, y Nyrs Seiciatrig Cymunedol a welodd fod dementia fasgwlar ar Dad, wedi egluro'n ofalus sut roedd ei allu i benderfynu ac i'w ysgogi ei hun wedi'i effeithio. "Nid ei fai ef yw hyn," meddai. Pam nad o'n i'n ei chredu? Ai achos bod effeithiau dementia fasgwlar yn gysylltiedig â 'pheidio gweithredu': dydi'r claf ddim yn siarad llawer, does ganddo mo'r awydd i wneud dim, ni all gynllunio a pharatoi ac felly nid yw'n *gwneud* dim. Efallai fod y cyflwr hwn yn hunllef i'r claf. Ond i'r sawl sy'n edrych ar y sefyllfa'n wrthrychol mae'n edrych fel difaterwch ac agwedd 'tydi o ddiawl o ots gen i'.

'Fydda i ddim yn anghofio'

Hefyd, ni sylweddolais yn llawn faint o amser fyddai Dad yn ei gymryd i setlo yn y cartref gofal. Ymgartrefodd Mam yn rhwydd oherwydd doedd hi ddim yn gwybod ble roedd hi ond doedd hynny ddim yn golygu y byddai Dad, er ei fod mewn cyflwr meddyliol gwell, yn gallu gwneud yr un peth. Ei ofid ar y dechrau oedd beth i'w wneud â'i ddillad budr. Un diwrnod, dywedodd ei fod eisiau i'w ddillad isaf fod "yn hongian ar fachyn ar y wal" a awgrymai os na allai weld rhywbeth o'i flaen yna nid oedd yno – effaith arall dementia fasgwlar, un o'r anawsterau y mae'r rhai sy'n byw â'r cyflwr yn eu hwynebu wrth wneud penderfyniadau a dewisiadau. Yr hyn a ddymunai oedd i rywun ddewis ei ddillad ar ei ran bob dydd. Siaradais â'r staff er mwyn ceisio cael rhagor o gymorth iddo. Eu problem, yn ôl pob sôn, oedd bod Dad – er ei fod yn dymuno cymorth – yn aml wedi gwisgo amdano yn ei stafell cyn iddyn nhw gyrraedd bob bore. Mae'n dal i allu gofalu amdano'i hun ond mae ei arafwch meddyliol a'i anallu i'w fynegi ei hun yn eiriol yn peri problemau. Os nad yw'n gwybod rhywbeth, mae'n cael trafferth gofyn. Mae'n dweud ei fod o'n teimlo'n gysglyd a swrth trwy'r adeg – dyna sut mae ei ddementia'n teimlo iddo ef.

Dwi'n mynd i weld Dad un prynhawn Sul, ddiwedd mis Hydref. Yn ôl ei arfer, mae'n cysgu gyda'i geg yn agored. Daw un o'r gofalwyr i mewn i ofyn iddo a ydi o eisiau dod i'r Gwasanaeth sy'n cael ei gynnal yn y lolfa bob dydd Sul am 4 o'r gloch. Rydan ni'n edrych arno'n gorwedd yn braf ac yn penderfynu mai "Na" yw'r ateb. Roedd Alan wedi galw i'w weld ar y dydd Gwener ac roedd Dad wedi cwyno ei fod o'n rhwym. Penderfynaf ei ddeffro. "Sut dach chi heddiw, Dad?" "Ofnadwy." "Be sy'n bod?" "Dwn 'im." Mae'n cydio yn fy llaw; mae'n edrych yn dda, yn sicr nid yw ar fin cicio'r bwced. Mae'n casáu pobl yn dweud wrtho ei fod o'n 'edrych yn dda', felly dwi'n dweud dim.

Mae'n cwyno ei fod o'n gorfod edrych ar bedair wal drwy'r dydd ond eto'n gwrthod yn lân â chymryd rhan yn y digwyddiadau yn y cartref gofal. Neu felly mae'n ymddangos. Ond efallai mai'r niwed i'w ymennydd yw'r rheswm ei fod mor gyndyn i ymuno â'r gweddill. "Oes 'na rywle y basach chi'n hoffi mynd?" gofynnaf. "Oes. Y nefoedd," ateba. Mae fy mhen yn deall ond fy nghalon yn torri. Dwi'n gwybod ei fod eisiau gadael y byd ond does dim alla i wneud. Dwi'n ei godi ar ei draed ac rydan ni'n cytuno i 'fynd am dro' sy'n golygu cerdded ar hyd y coridorau a syllu trwy'r ffenestri. Rydan ni'n eistedd yn y gadair yn y cyntedd ac yn edrych ar yr ardd. Dwi'n tynnu fy nghadair yn nes er mwyn iddo fy nghlywed gan nad yw bob amser yn defnyddio'i offer clyw. "Fasach chi'n hoffi gweld Mam?" Tydi o ddim yn ateb. "Pryd welsoch chi hi ddiwetha?" Tydi o ddim fel pe bai'n gwybod. "Tydi hi ddim yn fy ngholli," mentrodd ddweud. Yn fy rôl fel canolwr, dwi'n egluro ei bod hi'n ei golli ond bod ei phroblemau â'i chof yn golygu ei bod hi weithiau'n anghofio. "Fydda *i* byth yn anghofio," meddai.

Ryw ddydd Sul arall, dwi'n cyrraedd pan mae'r preswylwyr yn mynd i'r Gwasanaeth. Er mawr syndod, mae Dad yno, yn eistedd wrth ymyl Mam ac yn cwyno – roedd dan yr argraff y byddai ef a Mam yn cyfarfod ar eu pennau eu hunain ac nid mewn Gwasanaeth. Mae hi'n fyr ei hamynedd gyda Dad. "Dwi'n trio'i gael o i..." meddai. I wneud beth? *Unrhyw* beth? Bod yn fwy brwdfrydig? Am eiliad, mae'r ddau yn swnio'n normal, hi'n edliw arno, yn trio rhoi ychydig bach o fywyd ynddo. Meddyliais am ennyd ei bod hi'n gwella, eu perthynas yn ôl fel y bu hi ac nad ydan nhw f'angen i mwyach. Yn y bôn, dyna oedd fy nymuniad; gallu camu'n ôl a pheidio trefnu eu bywydau, rhoi eu bywydau'n ôl iddyn nhw.

Wrth i'r dydd golli, sylwaf fod Dad yn cael trafferth gwybod pa amser o'r dydd yw hi, yn union fel oedd Mam pan oedd hi gartref, ond eto tydw i ddim yn ystyried bod ei gyflwr o cyn waethed â'i chyflwr hi. Yn hwyr un prynhawn, mae'n holi a yw hi'n tywyllu neu'n goleuo. Dro arall, mae'n symud bysedd y cloc, a oedd ar amser, achos doedd o ddim yn credu y gallai fod mor dywyll am 4.30 p.m. Mae fel pe bai 90 mlynedd o fyw trwy'r tymhorau wedi mynd yn angof, a'r tymhorau bellach yn ddieithr iddo. Tua 5.15 dwi'n dweud wrtho ei bod hi'n amser mynd i'r stafell fwyta i gael swper. Mae'n ffwndro; mae'n dweud nad yw'n cofio'r ffordd i fynd yno. Ond wrth i ni adael ei stafell, mae o'n cofio.

Dryswch fasgwlar

Pan holir meddygon a rheolwyr cartrefi gofal am ddementia fasgwlar, maen nhw'n dweud ei fod o'n digwydd gam wrth gam. Mae dirywiad clefyd Alzheimer fel mynd lawr llethr yn araf, ond mae datblygiad dementia fasgwlar fel strôc fechan neu bwl ischaemig byrhoedlog (TIA) sy'n mynd â'r cyflwr gam yn is, yna'n lefelu ac yn aros felly am gyfnod amhendant, cyn strôc fechan arall a lefelu eto... ac yn y blaen.

Dydi'r dirywiad ddim yn digwydd dros gyfnod pendant o amser. Ac i gymhlethu pethau'n fwy, gall cleifion dementia fasgwlar ddatblygu clefyd Alzheimer hefyd.

Doeddan ni ddim yn gwybod ar ba lefel oedd Dad pan aeth i'r cartref gofal, na sawl strôc fechan a gafodd achos doedd neb wedi bod yn dyst i hynny. Ond er nad oedd neb wedi ei weld yn cael strôc fechan roedd yr arbenigwr yn dweud bod ei ddementia fasgwlar wedi ei achosi mwy na thebyg gan gyfres o strociau bychain. Mae'n siŵr ei fod o'n hollol gywir ond does yr un ffaith yn bendant wrth drafod yr ymennydd.

Yr hyn a ddigwyddai yn y misoedd cynnar hynny oedd bod Dad wedi cael diwrnodau pan oedd o'n amlwg yn ddryslyd iawn. Mae cyfnodau achlysurol o ddryswch gwael yn un o symptomau cyffredin dementia fasgwlar. Ar y dechrau, roedd y dyddiau hynny'n brin; byddwn i'n dod yno ac yntau'n ceisio dweud rhywbeth wrthyf ond roedd hi fel pe bai'n methu dod o hyd i'r geiriau. Er enghraifft, un diwrnod cyhuddodd un o'r gofalwyr o geisio'i wenwyno; roedd hi wedi rhoi dŵr poeth iddo o'r tap. Credai hynny am ddyddiau. Dro arall, adroddodd stori ddryslyd wrth Alan am rywun o'r enw Pat a bwced. Yn y dyddiau cynnar hynny, ceisiwn ymresymu ag ef gan wrthod derbyn bod ei gyflwr mor ddrwg ag un Mam. Y gwahaniaeth amlwg oedd ei fod yn dychwelyd i'w gyflwr 'normal' rhwng y cyfnodau gwael, yn wahanol i Mam.

Past dannedd, cribau a sanau

Un prynhawn ym mis Ionawr, rydan ni'n cael sgwrs am bast dannedd. Mae Dad yn dweud nad oes ganddo beth. Neu'n hytrach mae'n dweud rhywbeth i'r perwyl hwnnw a minnau'n ei ddehongli felly. Yn ei stafell ymolchi rwy'n gafael mewn tiwb mawr o bast dannedd Tesco – y past wedi caledu ac yn amlwg heb gael ei ddefnyddio ers sbel – a dyma fi'n gofyn iddo, "Be ydi hwn, 'te?" Mae Dad yn edrych arno ond tydi o ddim yn dweud 'O, ia, mae gen i bast dannedd,' nac ychwaith yn gwadu bod ganddo beth. Yn aml iawn rhaid i mi ddyfalu beth sy'n mynd ymlaen yn ei ben.

Y tro hwnnw, gan ddefnyddio fy rhesymeg i nid ei resymeg o, dwi'n dod i'r casgliad nad ydi o efallai yn adnabod y brand gan mai Colgate ydi past dannedd iddo fo achos hwnnw oedd o'n arfer ei ddefnyddio gartref. "Ydach chi eisio i mi brynu Colgate i chi?" gofynnaf. Dim ymateb. Dwi'n gofyn eto. Ond pan ddof â thiwb o Colgate iddo ychydig ddyddiau'n ddiweddarach mae'n edrych arno fel pe bai'n bast dannedd dieithr, yn union fel yr un Tesco.

Tua'r un pryd, rydan ni'n cael sgwrs hefyd am gribau. Mae gan Dad lawer ohonyn nhw – rhai coch, pinc, glas, du. Ei ffefryn yw'r rhai coch a phinc; ei wallt yw un o'i ragoriaethau ac mae ganddo grib yn ei boced bob amser. Ond mae o'n eu colli trwy'r adeg am ei fod yn eu gadael ym mhoced ei drowsus, a hwnnw'n mynd i'r golchdy. I Dad, y golchdy oedd 'y stafell yna' – y stafell y gŵyr o brofiad fy mod i'n mynd iddi ac yn dod oddi yno gyda'i gribau coll. Tydi o ddim yn gwybod ble mae'r golchdy ond mae o'n gwybod fy mod *i'n* gwybod.

Felly rwy'n cyrraedd ei stafell ac yntau'n bwrw ati'n syth i sôn bod ei gribau ar goll, ac mi fydda i'n ceisio deall be mae o'n ddweud: "Ydach chi'n trio deud bod...?" Un diwrnod, mae Dad yn dweud, "Dwi'n cael trafferth dweud dim wrthat ti. Ti'n mynnu torri ar fy nhraws." Mae o yn llygad ei le, wrth gwrs. Ond pe bawn i *ddim* yn torri ar ei draws i geisio cael eglurhad ynghylch beth mae o'n ei ddweud, fyddai ots? Ar y pryd, credwn mai hynny oedd orau – roedd o'n ceisio'i fynegi ei hun a minnau'n ceisio rhoi cymorth iddo. Fel arall fyddai neb yn gallu gwybod beth oedd o'n feddwl, beth oedd o'i angen a sut oedd o'n teimlo. Dyna un o'r ffyrdd anffodus yr o'n i'n gallu mynegi fy nghariad tuag ato.

Sanau oedd testun y sgwrs un tro. Er fy mod i wedi labelu'r rhan fwyaf o'i ddillad, do'n i ddim am roi ei enw ar ei sanau niferus, ac o ganlyniad aeth sawl pâr ar goll yn y golchdy. Sylwais fod sanau'n cael eu rhannu yn y cartref gofal! Ond doedd dim llawer o ddynion yno ac felly doedd y sanau ddim yn cael eu rhoi am nifer fawr o draed! Nawr ac yn y man, ro'n i'n mynd i'r golchdy i weld a allwn ffeindio rhai o sanau Dad. Ar yr achlysur hwnnw, fodd bynnag, ceisiais symud y sgwrs o sôn am sanau i drafod pwnc mwy difrifol sef a oedd o wedi ystyried gwerthu neu rentu'r tŷ. Do'n i ddim eisiau rhoi gormod o bwysau arno; ond beth oedd o'n feddwl oedd orau? Dim gair o'i ben. "Ydach chi isio i *mi* benderfynu be i'w wneud?" Mae'n nodio i gadarnhau hynny. "Dydach chi ddim yn poeni am y peth, ydach chi?" "Dwi'n poeni mwy am fy sanau," oedd yr ateb.

Streics

Pan af i'w weld un diwrnod ym mis Ionawr, mae rhywbeth yn wahanol ynglŷn â Dad. Mae'n gallu bod yn gynnes ac yn groesawgar yn ei 'ddyddiau dryslyd'. Mae'n llai cysglyd, llai tawedog, a llai cwynfanllyd. O'r hyn a ddeallaf i, pan oedd ei feddwl yn fwy effro, doedd o ddim yn gweld llawer o bwrpas i fywyd. Ond pan oedd yn ddryslyd roedd o'n byw yn ei ddychymyg, weithiau mewn cyfnod arall, cyfnod o'i fywyd pan oedd pwrpas ac ystyr i'w fywyd. Yn ystod y misoedd cynnar yn y cartref gofal, prin iawn oedd y 'dyddiau dryslyd' ond wrth i amser fynd rhagddo roedd o'n drysu'n amlach.

Ar y diwrnod arbennig hwnnw ym mis Ionawr, mae'n gorwedd ar ei wely, yn ei 'gwt' – dyna'r gair a ddefnyddir ganddo: "Dwi'n mynd yn ôl i fy nghwt." Ro'n i'n arfer meddwl bod hynny yn eithaf od tan i mi wneud ychydig o ymchwil i'w gyfnod yn yr RAF yn ystod y rhyfel a chanfod mai 'cwt' Nissen oedd llety'r awyrenwyr ger y meysydd awyr. Roedd y cysylltiad rhwng y geiriau 'cwt' a 'gartref' iddo ef yn amlwg felly.

Mae'n gwenu a dwi'n eistedd wrth ei ymyl ac yn gafael yn ei law. Edrychai fel pe bai wedi ymlacio wrth edrych o gwmpas yr ystafell a syllu ar siâp popeth: "O fan'ma, mae'r teledu yn edrych fel fan tair olwyn," dyweda. Yna mae'n edrych ar y wardrob a rhan o garthen yn gorlifo allan drwy'r drws cilagored: "Mae gwaelod y wardrob yn edrych fel hwyaden." A ninnau'n eistedd yno yn ddiddan yng nghwmni ein gilydd, mae'n dechrau sôn am y 'streics'. Meddyliaf ar y dechrau ei fod wedi gwylio rhyw bwt o newyddion ar y teledu, eitem o'n i heb ei gweld. Ond na, mae'n sôn am y cartref gofal. Mae'n honni nad ydi o wedi bwyta ers pedair awr ar hugain oherwydd y streics. Nac yfed yr un diferyn. Hynny'n annhebygol, meddyliaf – ond yn y cyfnod hwn do'n i ddim wedi arfer â'i gyflwr meddyliol a chredwn fod rhywbeth wedi digwydd yn y cartref gofal. Ond siawns na fyddan nhw wedi ei fwydo. Tydi o ddim yn *edrych* yn llwglyd.

Yna mae'n sôn am y tywyllwch. Tywyllwch? Ia, pedair awr ar hugain o dywyllwch. Dwi'n ceisio cynnig eglurhad rhesymegol: mae'n cysgu trwy'r adeg. A yw hi'n bosib ei fod wedi mynd i gysgu ac yna deffro yn y tywyllwch, ac yna meddwl ei bod hi'n dywyll trwy'r adeg? Y Pwyliaid oedd y gwaethaf, meddai. Roedd y rheini i gyd ar streic. Gwyddwn fod ychydig o Bwyliaid yn gweithio yn y cartref gofal a bod un ohonyn nhw wedi bod ar ei gwyliau. Ond ar streic? Dwi'n ymbalfalu erbyn hyn.

Mae Dad yn glynu at ei stori am streics a thywyllwch a dim i'w fwyta. Dwi'n dod â Mam i fyny i'w weld ac mae'n o'n dal i barablu ymlaen am streics, ac yn gofyn iddi gadarnhau beth mae o'n ei ddweud. Ond wrth gwrs does gan Mam ddim syniad am beth mae o'n rwdlan.

Mae o'n edrych fel petai'n torri'i galon. Dwi'n sylweddoli nawr beth o'n i ddim yn ei sylweddoli bryd hynny; mae'n bwysig iddo fod pobl yn ei gredu achos roedd y rheini a oedd yn amheus o'i straeon am streics a thywyllwch a Phwyliaid hefyd yn amheus o'i gyflwr meddwl. Ac roedd yn ddigon call i sylweddoli hynny, ac i bryderu am y peth.

Y Gwanwyn

Gallai dryswch Dad fod yn anodd ei broffwydo. Ar Sul y Mamau, cyrhaeddaf y cartref gofal gydag anrheg i Mam, rhyw deimlad o ddyletswydd yn unig gan nad oedd ganddi syniad pa ddiwrnod oedd hi mewn gwirionedd. Dwi hefyd yn dod â manion i Dad – cribau, hancesi poced ac Earol i lanhau'r cwyr o'i glustiau – a dwi wedi eu rhoi mewn hosan Nadolig goch a oedd yn digwydd bod yn y tŷ, dim ond i wneud i'r anrhegion edrych yn fwy diddorol. Ar ôl i'r ddau ddod o'r Gwasanaeth wythnosol, dwi'n mynd â Mam i stafell Dad er mwyn agor yr anrhegion. Mae Dad mewn hwyliau da, er ei fod yn edrych ar ei wats trwy'r adeg ac yn sôn am gael ei swper lawr grisiau, a oedd braidd yn od. I lawr grisiau – a oedd o'n golygu uned Mam?

"Ydach chi eisio i mi fynd â Mam i lawr y grisiau i gael ei swper?" gofynnaf. "Yndw," ateba. "Ydach chi am ddod efo ni?" Mae'n ymddangos fel pe bai eisiau dod ac felly rydan ni'n tri yn mynd i gyfeiriad y lifft. Mae Dad yn gwrthod mynd i mewn. Dwi'n ei adael ar ben y grisiau ac yn mynd â Mam yn ôl i'w huned. Pan ddychwelaf i fyny'r grisiau, mae Dad yn eistedd ar un o'r cadeiriau ger y lifft. Mae'n gwybod bod fy nghot a fy mag yn ei stafell o ac mae'n dweud wrtha i i fynd i'w hôl nhw – sylw od iawn ganddo. Rydan ni'n mynd yn ôl i'w stafell ond wrth i mi wisgo 'nghot dwi'n sylwi ei fod yn codi'r hosan Nadolig – honno brynais iddo – i'w chario allan a'i fod wedi clymu'r rhuban o gwmpas ei arddwrn. "Pam ydach chi'n mynd â honna efo chi, Dad?"gan gredu mai'r ateb oedd mynd â hi efo fo i'r stafell fwyta i gael swper. Ond nid dyna'r rheswm. "Achos fyddwn ni ddim yn dod yn ôl i fan'ma," meddai. "Rydan ni'n mynd adref."

Mae sôn am 'adref' yn fy nhaflu oddi ar fy echel. Mae gen i'r ofn parhaol hwn bod mynd â'r ddau i gartref gofal wedi bod yn gamgymeriad dybryd, ac y bydd y ddau'n sylweddoli hyn ac eisiau dychwelyd i'w hen gartref. Dwi'n *dal* i gredu y bydd pethau'n normal rhyw ddiwrnod. A'r ffantasi hon yn llenwi fy mhen, gofynnaf, "Ydach chi eisiau mynd yn ôl i Acrefield Drive?" Nac oedd, nid am hwnnw oedd o'n sôn ac mae'n colli amynedd gan fy mod yn ddiddeall. "Fy nghartref un stafell," meddai, gan achosi i mi grafu pen. Beth mae o'n feddwl wrth ddweud 'cartref un stafell'? Os ydi o'n golygu ei stafell yn y cartref gofal, rydan ni yno eisoes. Neu a ydi o'n meddwl...? Doedd gen i ddim syniad ar y pryd – dim ond nawr dwi'n pendroni tybed a oedd ei feddwl mewn cyfnod arall ac mae'r 'cartref un stafell' yr oedd yn sôn amdano oedd cytiau Nissen yr awyrlu yr oedd wedi byw ynddyn nhw yn ystod y rhyfel. Dwi'n ei berswadio i adael yr hosan ar ôl.

Wrth i ni gyrraedd y bwrdd bwyd, mae un o'r preswylwyr wedi cynhyrfu gan honni bod ei chwpan te yn perthyn 'i'r person oedd yn eistedd yn fan'ma cynt'. Roedd ganddi'r ddefod o sychu ei chwpan *cyn* i'r te gael ei arllwys ond roedd yr ofalwraig wedi tywallt cyn iddi gael cyfle i'w sychu. Mae Dad hefyd wedi cynhyrfu. Mae'n eistedd ond yna'n edrych fel pe bai'n meddwl: Na, tydi hyn ddim yn iawn. Mae'n codi ar ei draed ac yn ceisio gadael. Dwi'n ei berswadio i aros. Mae'n yfed ychydig cyn gwthio'r cwpan o'r neilltu. "Tydi hwnna ddim werth ei yfed," meddai. A does ganddo ddim diddordeb yn y brechdanau. Mae'n dymuno codi a mynd. "Ond tydach chi ddim wedi cael eich te," meddwn, yn reit anobeithiol. Sgen i'm syniad be sy'n mynd ymlaen yn ei ben ac mae o'n cael trafferth egluro. "Mi fydd o'n iawn," meddai'r gofalwr, dan wenu, wedi hen arfer â'i ymddygiad od. Ond fel ei ferch, un sy'n ei garu, dwi *eisiau* ei ddeall oblegid alla i ddim goddef ei weld o'n dioddef. "Mi edrycha i ar ei ôl o," meddai'r gofalwr. Dwi'n gadael â 'nghalon i'n drom.

Yr Haf

Sylwais fod Dad yn bywiogi pan mae o'n cael cyfle i gael ymarfer corff ac felly dwi'n ei berswadio'n aml i ddod 'am dro'. Weithiau mae'n casáu'r syniad, dro arall mae wrth ei fodd. Os yw hi'n gynnes rydan ni'n eistedd tu allan, ac os nad yw hi'n ddigon cynnes rydan ni'n eistedd yn y cadeiriau cyfforddus wrth ymyl y ffenestr fawr sy'n mynd o gwmpas y brif lolfa, gan roi digonedd o olau i'r ystafell. Rydan ni'n edrych ar y lluniau mae'r myfyrwyr wedi eu peintio ar y waliau ac yn edmygu'r hwyaid a'r cychod a'r gwartheg lliwgar.

Daw gwenynen i mewn a glanio ar sil y ffenestr. Mae Dad yn gafael yn ei ffon ac yn ei hanelu at y creadur (a finnau'n meddwl nad oedd yn gallu gweld yn dda iawn) ac yn ei gwasgu nes iddi ddisgyn ar lawr yn farw. Mae'n parhau i edrych ar y wenynen fe pe bai'n ysu iddi atgyfodi. Ond na, mae'r pryfyn wedi marw. "Creadur bach," sibryda, yn alarus.

Un prynhawn Sul, mae'r lifft wedi torri a dwi'n cymryd yn ganiataol na fydd Mam a gweddill ei huned yn y Gwasanaeth sy'n cael ei gynnal i fyny'r grisiau; ac os nad yw Mam yno, fydd Dad ddim yno chwaith. Mae ei ddrws ar agor. Mae'n gorwedd ar ei wely gyda'r golau ymlaen a'i lygaid ar agor. Nid yw'n cysgu'n drwm, yn ôl ei arfer. Mae mewn hwyliau da ac yn falch o 'ngweld i.

Y tro hwn, nid sanau sy'n ei boeni, ond hancesi poced. Mae'n ailadrodd drosodd a throsodd bod ganddo 'ddwsin a hanner' ohonyn nhw ond bod pob un wedi mynd ar goll. Yna mae'n adrodd stori am ei wats a gafodd ei chymryd oddi arno, a bod rhywun wedi newid y strap ond bod y strap wreiddiol yn ôl ar y wats bellach. Mmm. Mae'n holi beth maen nhw am wneud ynglŷn â'r ffôns... mae'n debyg ei fod o'n disgrifio ciosg – na, dau giosg – ond bod un wedi cael ei symud. Ceisiaf ddyfalu am ba giosg y mae o'n sôn. "Ydach chi'n golygu'r rhain sydd yn y cartref?" "Y rheini sydd gartref." "Gartref ble roeddach chi'n byw o'r blaen? Acrefield Drive?" Pan mae'n sylweddoli 'mod i'n deall dim arno mae'n gwenu ac yn dweud, "Be am newid y pwnc!" Ni fyddai gan Mam ddigon o grebwyll i allu dweud hynny; dyna pam, am wn i, dwi'n trio gwneud synnwyr o'r cyboli.

Colli cysylltiad

Dwi'n dweud wrtho 'mod i wedi cyfarfod un o'i gymdogion ers talwm. Dwi'n siŵr eich bod yn eu cofio – dau blentyn bach ganddyn nhw. Dim cof o gwbl. Ydach chi'n cofio'r stryd ble roeddach chi'n byw? Acrefield Drive? Dwi eisiau i un o'm rhieni gofio ble roeddan nhw'n byw. "Ble roeddach chi'n byw cyn dod i fan hyn?" Does ganddo ddim syniad. "Ym mha dref ydan ni?" Dio'm yn siŵr. "Roia i gliw i chi." A dwi'n dechrau sillafu enw'r dref, ond mae Dad yn dal yn y niwl. A na, tydi o ddim yn gwybod enw'r adeilad rydan ni ynddo chwaith. "Ti'n holi cwestiynau bob munud," meddai. Sylw teg, ond ddim yn un oedd yn gwerthfawrogi'r ffaith 'mod i'n holi er ei les o, er mwyn ei gadw yn y byd real. Ychydig amser yn ôl, roedd o'n gwybod ble roedd o, a ble roeddan nhw'n arfer byw. Ond nid nawr, ac felly mae'n amlwg yn gwaethygu. Rydan ni'n mynd am dro. "Wna i ddim holi rhagor o gwestiynau," meddwn. "Falch o glywed," ateba. "Wna i ddim eu hateb nhw."

Rydan ni'n mynd 'am dro' ac yn cyfarfod un o'r gofalwyr o wlad Pwyl; mae Dad yn anelu ato gyda'i ffon fel pe bai'n mynd i'w saethu – dyna'i ffordd o gyfathrebu. "Allwn i ddim ymdopi hebddat ti, Chris," mae'n dweud wrtha i. "Ti, a'r merched sy'n mynd â fi o gwmpas." Y gofalwyr oedd y rheini, mae'n debyg. "Alla i ymdopi efo hyn." Rydan ni'n eistedd ac mae'n sylwi bod llinell syth yn cysylltu'r coridor ble'r aethon ni am dro, yr ystafell fwyta, y drysau yn y pen draw a'r coridor ble mae ei stafell. "Ti'n mynd i lawr ffor'cw ac yn troi i'r chwith," meddai. I'r dde oedd y ffordd gywir i'w stafell, ond dio'm ots.

Mae'n amser te; mae'n sefyll ar ei draed ond tydi o ddim yn wynebu'r byrddau. "Dwi wedi cael tua chwe phryd bwyd heddiw," meddai. Na, tydi o ddim eisiau ei de; mae eisiau mynd 'adref' ac mae hynny'n golygu i'w stafell. Ceisiaf ei berswadio i fynd y ffordd arall, i gyfeiriad y stafell ble mae'r te. "Wyt ti'n 'ngadael i?" gofynna, yn bryderus. "Mae'n rhaid i mi fynd adref," meddaf. Yn sydyn, mae ei ymennydd fel pe bai'n ôl ar y llwybr iawn ac mae'n cofio'r drefn. Ac mae pob dim yn iawn. Mae o'n iawn. Mae'n eistedd wrth y bwrdd a dwi'n ei adael.

Yn llithro i dawelwch

Erbyn diwedd Gorffennaf 2008, bron i flwyddyn ar ôl i Dad fynd i'r cartref gofal, mae Dad fel pe bai'n llithro i dawelwch. Pan mae rhywun yn gofyn i mi, "Sut mae dy dad a dy fam?", fy ateb yw, "Mae Dad wedi rhoi'r gorau i siarad." Nid y fo ydi'r unig un; dwi'n sylwi bod llawer o'r lleill yn dawel hefyd. Mae o'n cyfathrebu gydag ambell nod ond pan dwi'n ymweld ag o ar 29 Gorffennaf tydi o ddim yn dweud gair o'i ben. Ac yn ein cyfarfod blaenorol, yr unig beth ddywedodd oedd, "Mae hi'n boeth." Dechreuaf amau ai ei declyn clyw oedd ar fai. "Ydi'ch clyw chi'n iawn, Dad?" Mae'n pwyso'n ôl ac yn cau ei lygaid, cystal â dweud 'Paid â gofyn cwestiynau i mi. Alla i ddim ymdopi efo cwestiynau.' Dwi'n mynd â fo i'r ardd – mae hi'n ddiwrnod braf o haf, blodau ym mhobman, ond yr unig beth mae o'n ei wneud yw syllu'n wag, fel pe bai'n dioddef bywyd am nad oes ganddo unrhyw ddewis.

Ar ôl hynny dwi'n argyhoeddedig bod Dad wedi rhoi'r gorau i siarad ac yn cyfathrebu trwy nodio'i ben neu gyda gwên yn unig. Ychydig ddiwrnodau'n ddiweddarach, rwy'n cael sgwrs ag un o'r Prif Ofalwyr.

"Ydi o'n siarad â phobl eraill?" gofynnaf. Ateba hithau "Nac'di" i ddechrau arni, cyn cofio ychydig wythnosau'n ôl pan oedd Edith, sydd ar fwrdd bwyta Dad, yn dangos ei dillad isaf i bawb ac roedd gofalwraig wedi dweud wrtho, "Peidiwch â phoeni, Fred, symudwn ni chi i fwrdd arall." Edrychodd Dad arni a dweud, "Be, a cholli'r holl hwyl?" Dyna'r stori oedd yn dal yn fy mhen wrth baratoi i fynd â fo at yr optegydd y diwrnod canlynol. A heddiw dyma ble mae Dad yn siarad fel melin bupur. Er nad yw'r hyn mae o'n ei ddweud yn gwneud fawr o synnwyr, mae'n gwenu'n braf wrth geisio disgrifio fel yr oedd babi wedi ei eni yn y stafell gyferbyn. "Do'n i ddim yn gwybod be i'w wneud," medd. "Dwn i'm pryd oedd o i fod i gael ei eni."

Siaradaf ag ef am ein hymweliad â'r optegydd – rhan o'r gofal sydd ar gael i'r rhai sydd â diabetes; pendronais a oedd hi'n werth mynd â fo ond teimlwn fod well i mi wneud. "Ydi fy noctoriaid i'n gwybod?" gofynna. Tybed ai ei ofalwyr y mae'n ei olygu? "Yndyn," atebaf. Mae'n gofyn i mi beth fydd yn digwydd iddo gan ddangos i mi fod o leiaf un rhan ohono yn y presennol, er ei fod newydd sôn am fabi yn cael ei eni yn y stafell gyferbyn. Daw un o'r gofalwyr o wlad Pwyl i mewn ac rydan ni'n dau yn cael sgwrs fer am ei fab. Mae Dad yn clywed y gair 'mab' ac yn holi ai hwn oedd ei fab?

Y tair chwaer

Yn dal i fod yn hwyliog ac yn hapus, mae Dad yn llawen iawn wrth adrodd stori am dair chwaer sydd wedi gwneud apwyntiad gydag ef. Deallais yn ddiweddarach ei fod wedi bod am ginio gyda Mam ond soniodd o'r un gair. Ai dyna'r rheswm am ei dymer hwyliog, neu ai'r digwyddiadau y mae'n dychmygu ei fod yn rhan ohonynt? Ar ôl anghofio am helyntion y tair chwaer, mae'n dechrau mwydro eto am ei wats; mae'r dyddiad yn ei ddrysu. Dwi wedi trio cael y dyddiad yn iawn ond does gen i ddim syniad sut i'w newid. Ac mae'r dyddiau yn Ffrangeg, sy'n peri penbleth. Mae eisiau cael gwared ar y dyddiad yn gyfan gwbl. Pan dwi'n dweud bod hynny'n amhosib mae'n ateb, "O, wel, mi wna i anghofio am hynny, 'te! Bob tro ti'n dod i 'ngweld i ti'n gwneud i mi ddechrau drysu am amser!" Ac rydach chitha'n fy nrysu i hefyd, meddyliaf.

Pan mae rhywun yn drysu, mae'n debyg nad ydy'n gallu gweld y darlun cyflawn, ddim trwy'r adeg. Yn hynny o beth, mae effeithiau dementia fasgwlar yn debyg iawn i effeithiau clefyd Alzheimer. Doedd Dad ddim yn gallu gweld wyneb ei wats fel un cyflawn, fel rhywbeth oedd â phwrpas. Yn hytrach, mae'n canolbwyntio ar *ran* ohoni, y dyddiad, a hynny'n ei ddrysu, hyd yn oed yn ei fygwth, ac felly roedd eisiau i mi fynd â hi oddi arno. Digwyddodd rhywbeth tebyg pan benderfynodd y cartref gofal roi llun ar wal pob un o'r preswylwyr, sef llun o'u 'gweithiwr allweddol', yr un oedd yn bennaf gyfrifol am ofalu amdanynt. Cafodd Dad ei gynhyrfu gan y llun a gwrthododd ddarllen yr eglurhad a oedd dan y llun. Y tro nesaf es i mewn i'w stafell, roedd y llun wedi diflannu. "Ble mae'r llun wedi mynd?" gofynnais, a mwmiodd rywbeth am gael gwared ohono. Gwelais y llun dan y gadair ac egluro beth oedd ei bwrpas. "Mae gan bawb un o'r rhain yn ei stafell." Roedd o'n poeni ei fod wedi gwneud rhywbeth mawr o'i le trwy dynnu'r llun oddi ar y wal. Gosodais y llun ar y silff. Aethom i lawr y grisiau i weld Mam. "Lwcus ein bod ni wedi rhoi'r llun 'na'n ôl ar y silff," meddai wrth Mam, fel pe bai'n dweud, 'Bu bron i ni fynd i drwbwl yn fan'na.'

Yr Hydref

Ddydd Gwener, 17 Hydref 2008, dwi'n mynd i'r cartref gofal i roi ei declyn clyw i Dad ar ôl iddo gael ei drwsio. Mae'n eistedd yn y lolfa'n gwisgo crys *khaki*, un dydw i ddim wedi ei weld o'r blaen – ond mae rhywun wedi ysgrifennu ei enw ar ei goler felly rhaid mai crys Dad ydi o. Mae'n dweud wrtha i'n ddiweddarach ei fod wedi cael y crys 'am ddim yn y garej'. Rwy'n cael ar ddeall fod y doctor wedi cael ei alw i'w weld ar ôl iddo syrthio ar lawr, er nad oes niwed i'w weld. Cafwyd hyd iddo ar lawr y tu allan i'w ystafell. Cyn hynny, gwelwyd Dad yn golchi ei ddwylo yn nŵr y toiled yn hytrach na'r sinc – ni chefais wybod toiled *pwy* yn union, un fo'i hun o bosib. Penderfynaf ddisgwyl i'r meddyg gyrraedd.

Mae'n edrych yn iawn heblaw am ychydig o waed o gwmpas ei geg. Ac mae'n hwyliog ei ysbryd, yn dweud ei fod wedi cael dau frecwast. Mae hefyd yn meddwl bod Alan efo ni, er 'mod i'n dweud wrtho drosodd a throsodd bod Alan yng Nghyprus. Mae'n eistedd gyda Jack, un o'i ffrindiau yn y cartref gofal. Mae'n cyfeirio ato fel 'Mr Hill', ond nid dyna'i enw. Ond dydi Jack ddim fel pe bai'n gweld hynny'n od.

Mae Dad yn parablu ymlaen am doiledau a phlymio – fedra i gael gafael ar blymwr iddo? Mae'n mynnu bod ganddo ddau doiled.

Credais ei fod yn drysu tan i mi fynd i'w stafell ymolchi a gweld bod comôd yno ers yr adeg roeddan nhw eisiau sampl dŵr yn ogystal â'r toiled, felly mae o'n gywir mewn rhyw ffordd. Gofynnaf i'r gofalwyr symud y comôd er mwyn arbed rhagor o ddryswch. Mae'n parhau i sôn am y problemau gyda'r gwaith plymio a dwi'n ei sicrhau bod pob dim yn iawn. Yna, mwyaf sydyn, mae'n dweud, "Rhaid i fi gael gweld dy fam."

Dwi'n mynd i lawr y grisiau i nôl Mam ac yn mynd â hi i fyny yn y lifft. Mae hi'n edrych yn ddel, wedi cael trin ei gwallt. "Pobl yn dweud bod fy ngwallt yn edrych yn ddel iawn," meddai, er nad yw'n cofio cael ei drin. Mae Dad yn cael cysur mawr o fod yn ei chwmni cyn iddi sylwi ar feic ymarfer yng nghornel y stafell ac eisiau sgwrsio amdano. Mae Dad yn sôn wrthi am ddyn yr oedd ei wraig wedi mynd i Darlington ac wedi colli'i theclynnau clyw yno a'r rheini'n cael eu hanfon iddo fo! Mae'n reit glir ei feddwl; dim ond yn y presennol y mae o'n cael trafferth ei fynegi ei hun; mae'n gallu dod o hyd i'r geiriau priodol wrth drafod y gorffennol. Er ei fod yn mwydro, mae ganddo ddigon i'w ddweud. Mae'r diffyg synnwyr yn gwneud synnwyr iddo.

Er bod Dad yn gysglyd yn y presennol, mae'n effro yn y gorffennol. "Rhaid i mi wneud rhagor o ymarfer corff!" dyweda. Rhyfeddol! Mae'r meddyg yn galw, un sy'n ddieithr i mi. Er 'mod i'n ceisio tynnu ei sylw at gyflwr meddyliol Dad, mae'n mynd ati i ganolbwyntio ar bopeth arall; y llygaid, clustiau, lefel siwgr… ac mae Dad i'w weld mewn cyflwr corfforol da. Mae o'n llwyddo i ddilyn cyfarwyddiadau'r doctor yn berffaith, heb ddangos dim o'r dryswch a achosodd iddo syrthio a galw'r doctor. Yr unig beth mae'r meddyg ifanc yn awgrymu yw bod Dad yn cadw golwg ar ei bwysau.

Mae'r meddyg yn gadael a dydi Dad ddim yn siŵr iawn ble mae o: mae'n honni bod ganddo nifer o stafelloedd a thai. Ar y bwrdd bach wrth ymyl ei wely mae nodyn wedi ei hanner sgrifennu, ac ôl te arno. Dyma'r hyn sydd wedi'i ysgrifennu arno: 'Os ydach chi'n dod o hyd i hwn wnewch chi ddweud wrth yr heddlu… Wnes i rioed… adref…' A oedd o'n teimlo ar goll ac yn ceisio ffeindio'i ffordd adref? Wrth i ni fynd yn ôl i'r lolfa, dwi'n dangos rhif ei stafell a'i enw ar y drws. "O, mae hwnna wedi bod yna ers sbel," medd, yn ddi-hid.

Dwi'n gofyn iddo geisio cofio'r rhif ond mae'n dweud wrtha i 'mod i'n ei ddrysu. Mae'n simsan ar ei draed, fel pe bai ei goesau ddim yn gweithio'n iawn, ond rydan ni'n llwyddo i gyrraedd y lolfa ac mae'n hapus i eistedd, ddim yn gysglyd o gwbl. Mae'n edrych yn dda yn ei grys a gafodd 'am ddim yn y garej', cyn gofyn pa gar maen 'nhw' yn ei yrru – does gen i ddim syniad pwy ydyn 'nhw'. Mae'n crybwyll 'pethau' a'r angen i 'setlo pethau'. Yn ei feddwl, mae'n rhan weithredol o ryw fywyd yn y gorffennol, yn gwneud rhywbeth. Os felly, mae hynny'n dda o beth, tybiaf. "Mae'n drist," meddai un o'r gofalwyr. Ond o gofio pa mor isel yw ei ysbryd pan fo Dad yn byw yn y presennol, dydw i ddim mor siŵr.

Crwydro yn y gaeaf

Wrth i'r gaeaf gau amdano, mae Dad yn dechrau peri problemau i'r cartref gofal. Ddiwedd mis Hydref, dechreua syrthio'n amlach ac, yn waeth na dim, grwydro yn y nos. Yn y rhan o'r adeilad ble mae Dad, does dim llawer o staff yn ystod y nos oherwydd does dim rhaid cadw llygaid barcud trwy'r adeg ar y preswylwyr. Ond mae Dad yn dechrau bod angen rhagor o sylw. Y pryder mawr yw y gall syrthio lawr y grisiau. Mae ei stafell yn bell o'r prif risiau, ond mae drws bach gerllaw sy'n arwain at risiau llai sy'n mynd i gyfeiriad stafell Mam, er bod y drws ar waelod y grisiau hynny wedi ei gloi. Deallais eu bod eisoes wedi darganfod Dad ar y grisiau yng nghanol nos. Dwi'n dod i wybod am hyn ddechrau mis Tachwedd pan mae'r rheolwraig yn gofyn am gael sgwrs.

Yr hyn nad oeddwn i wedi'i sylweddoli ar y pryd oedd eu bod eisoes wedi penderfynu y dylai Dad symud i uned Mam ble fyddai o'n saff. Ond roedd yn rhaid disgwyl am stafell wag. Cefais sioc ar y dechrau oherwydd doeddwn i ddim wedi sylweddoli bod cyflwr Dad mor ddrwg. Ro'n i hefyd yn poeni y byddai'n anhapus yn yr uned honno; doedd o ddim yn hoff o fynd i weld Mam yn ei huned, felly pam ddylai fwynhau byw yno? Eglurodd y rheolwraig drwy ddiagram ar bapur sut mae cyflwr dementia fasgwlar yn un sy'n dirywio fesul cam a dywedodd fod posibilrwydd fod Dad wedi cael strôc fechan yr wythnos gynt. Welodd neb mohoni'n digwydd ond roedd 'fel doli glwt' ar ôl hynny. Yr hyn roedd hi'n ei ddweud oedd bod y strôc fechan wedi achosi i gyflwr Dad waethygu a mynd gam yn is.

Rhaid gwneud rhywbeth

Os oedd ei ddementia'n gwaethygu a'r staff nos yn pryderu am ei grwydro gyda'r nos, rhaid oedd gwneud rhywbeth. Ond fyddai dim byd yn digwydd yn syth achos doedd dim stafell ar gael. Dywedodd y rheolwraig y bydden nhw'n cadw llygad arno a phan gwrddais â hi'n ddiweddarach yn yr wythnos, dywedodd ei fod o'n llawer gwell. Ond y diwrnod canlynol, cefais alwad yn dweud ei fod wedi syrthio eto. Bydden nhw'n trefnu cael pulpud (ffrâm Zimmer) iddo i'w helpu i gerdded.

Dwi'n ymweld â Dad ar y dydd Gwener. Mae ei ddrws ar agor ac mae wrthi'n cerdded tuag ato. "Ble mae dy fam?" gofynna, yn siarp. "Mae hi newydd gerdded allan. Sgen i ddim syniad ble'r aeth hi." "Mae hi lawr grisiau," esboniaf. "Ydach chi isio mynd i'w gweld hi?" "Be ddiawl ma hi'n wneud lawr grisiau?" Mae wedi cynhyrfu'n llwyr ac yn grediniol ei bod hi newydd gerdded allan arno a diflannu. Bellach mae wedi cyrraedd lefel newydd o ddryswch ac nid yw'n deall bod Mam yn byw yn yr un cartref gofal. Gan gerdded yn araf, dwi'n ei dywys i lawr y grisiau i uned Mam. Mae gwir angen y pulpud arno.

Pan ydan ni'n cyrraedd, mae Mam yn eistedd yn y lolfa gyda'i ffrind, Dorothy. Dwi'n nôl cadair er mwyn i Dad allu eistedd efo nhw. Mae o'n dechrau dweud y drefn wrth Mam am ei adael yn gynharach ac mae hi'n flin ei fod o'n ei cheryddu. "Mae'ch gwallt chi'n ddel," medd Dorothy wrtha i, yn anwybyddu'r ffrae sy'n digwydd reit dan ei thrwyn. "Ydach chi'n ei drin o'ch hun?" "Yndw," atebaf, wrth i Mam ddweud rhywbeth annealladwy am Alan. Mae'r ffrae fechan fel petai drosodd a dwi'n ceisio helpu Dad i gael sylw Mam. "Deudwch rywbeth wrthi hi." Mae'n rhoi ei wyneb reit yn ei hwyneb ac yn dweud, "Helô." Mae Mam yn chwerthin cyn troi at Dorothy a dweud bod Dad newydd ddweud "Helô" wrthi. Mae Dorothy'n edrych arna i. "Mae'ch gwallt chi'n ddel. Ydach chi'n ei drin o'ch hun?"

Ceisiaf eto i helpu Dad i gael sylw Mam drwy ddangos y crafiad ar ei benelin ers iddo syrthio. Ar ôl dangos eiliad o bryder, mae hi'n anghofio'n llwyr am y peth. Mae Dad yn dal i fod yn argyhoeddedig ei bod hi wedi cerdded i ffwrdd â'i adael ond mae'n methu cyfleu hynny. Felly, mae'n codi ar ei draed. "Ydan ni'n ei gadael hi'n fan'ma?" gofynna. Mae'n amlwg nad yw'n sylweddoli ei fod wedi bod yn byw yn y cartref gofal ers dros flwyddyn. "Yndan," atebaf, "Ond gallwch ei gweld unrhyw adeg rydach chi eisio." Dwi'n edrych draw at yr ofalwraig am gefnogaeth. "Wrth gwrs cewch chi," medd hithau, cyn troi i edrych arna i. "Gall o fod yma trwy'r dydd os ydi o isio."

Mae Dad yn troi ei gefn ac yn dechrau cerdded allan. "Deudwch ta-ta," meddaf, fel pe bawn yn gorchymyn plentyn. Mae'n plygu i lawr yn araf ac yn cusanu Mam; ac mae hithau'n derbyn y gusan. Ar y lefel hon, mae hi'n gwybod pwy yw ei gŵr.

Uno dau gariad

Mae norofeirws, sy'n achosi chwydu, yn taro'r cartref gofal ac maen nhw'n gofyn i deuluoedd gadw draw ac felly dydw i ddim yn gweld Dad a Mam am bythefnos. Ond yn ystod y cyfnod hwnnw, dof i wybod yn ddiweddarach, mae Dad yn dechrau crwydro eto yn ystod y nos. Does neb yn rhoi gwybod i mi ar y pryd be sy'n digwydd – efallai eu bod yn ofni y byddwn i'n cwyno – ond dwi'n cael gafael ar y rheolwraig ac yn canfod bod stafell ar gael i lawr grisiau a bod Dad am gael ei symud yno yr wythnos honno.

Dwi'n dal yn teimlo mewn sioc pan af i weld Dad am y tro olaf yn ei stafell fyny'r grisiau. Ond mae o mewn byd arall. Ei lygaid yn wag. Rydan ni'n dal dwylo; mae'n hoffi pan dwi'n rhwbio'i ddwylo a'i freichiau. Yna, mae'n bywiogi ac yn holi'n synhwyrol beth sydd yn fy mag. Ond pan dwi'n sôn am Mam mae'n gofyn, "Ydi hi'n gweithio?" Mae o hefyd yn amlwg mewn cyfnod arall. Ymhen dim, mae eisiau mynd i gysgu. "Dwi'n blentyn amddifad!" meddyliaf.

Mae Dad yn cael ei symud lawr grisiau ar y dydd Gwener. Penderfynaf gadw draw, allan o'r ffordd. Y noswaith honno, dwi'n cael galwad yn dweud ei fod o'n 'setlo'n iawn'. Y Sul canlynol, dwi'n mynd i'w weld. Wrth gerdded i lawr y coridor, gallaf weld Dad a Mam yn eistedd gyda'i gilydd; Dad yn gwisgo cap pêl fas gwyrdd. Mae'r ddau'n edrych yn gyfforddus yng nghwmni ei gilydd. Wrth i mi gerdded tuag ato, mae Dad yn dweud, "Frances" – Frances oedd gwraig ei frawd hynaf, rhywun nad oedd o wedi sôn amdani cyn hyn; tydi o ddim wedi ei gweld ers dros hanner can mlynedd. Dwi'n ei atgoffa pwy ydw i ac yn ailofyn iddo'n ddiweddarach: "Be ydi f'enw i?" "Christine Carling," ateba.

Mae Mam i'w gweld ychydig yn fwy dryslyd nag arfer; mae'n credu y dylen ni gyd 'fynd adref'. Neu mae'n rhaid iddi roi trefn ar Dad. Mae o'n siarad fel pwll y môr; mae'n cynnig prynu pethau megis "sbectol, fel y rheini sydd yn y papur newydd, am 5 gini." Mae'n crybwyll ICI (cyn-gyflogwr iddo) a'r RAF (gadawodd yn 1945). Mae'n ffidlan gyda'i wats, yn meddwl nad yw hi'n gweithio. "Dwi am werthu hon," dywed. Mae'n mynd at y ffenestr, yn edrych tu ôl i'r llenni cyn eistedd gyda'i draed i fyny ar y bwrdd. "Creadur. Wedi ei cholli hi'n llwyr," meddyliaf.

Ac mae o'n ôl gyda Mam. Mi gymerodd hi amser, ond mae o'n ôl gyda hi. Roedd y ddau gyda'i gilydd ond ar wahân. A nawr maen nhw'n ôl gyda'i gilydd eto. Ac er ei fod wedi dirywio tipyn yn ystod y flwyddyn neu ddwy ddiwethaf, mae'n edrych yn eithaf hapus. Heddiw, beth bynnag.

Pennod 7

Beth petaen nhw'n dod yn ôl?

Un nos Sul un haf, cerddodd Mam allan o'i thŷ teras heb edrych yn ôl. Yn fuan wedyn, dilynodd Dad, yn ei cholli hi ac yn ofni bod wrtho'i hun. Doedd yr un o'r ddau wedi cynllunio hynny. Yn syml iawn, gadawodd y ddau eu bywydau ar eu holau.

Yn y cyfamser, mae'r tŷ yn dal yn llawn ohonynt. Esgidiau Dad wrth y drws, a chylchgronau Mam yn dwmpath yn y gornel. Gadawodd Dad gydag allweddi yn ei boced. Gadawodd Mam heb ddim byd o gwbl. Dim bag llaw, dim pwrs, dim ond y dillad yr oedd hi'n eu gwisgo ac ychydig o sebonach. Ar ôl iddi symud i'r cartref gofal, ychwanegon ni ddillad, cwpwrdd bychan, lluniau o'r teulu, manion, lluniau ar ei wal a blanced liwgar. A gwneud yr un peth i Dad wedyn.

Aeth bywyd yn y tŷ yn ei flaen hebddynt; y cwpwrdd gwydr yn cynnwys mân drysorau, y carped patrymog a'r papur wal yn adlewyrchu oes a fu. Ond roedd eu hôl yn dal i fod o gwmpas y pedair wal, a phenderfynais ei adael fel ag yr oedd am sbel, gan roi'r golau yno ar amserydd er mwyn twyllo'r lladron. Byddwn yn mynd i weld fy rhieni yn y cartref gofal cyn galw heibio'u hen gartref a gwneud yn siŵr bod pob dim yn iawn, fel pe bawn yn berthynas o bell. Yn ffodus, roedd hi'n dymor yr haf a doedd dim rhaid poeni am oerni a thamprwydd.

O edrych yn ôl, dwi'n sylweddoli 'mod i'n methu gollwng gafael ar y baich. Ers sawl blwyddyn bellach, ro'n i wedi cario holl broblemau Dad a Mam a'u cartref ar fy ngefn fel rhyw falwoden enfawr. Er bod y llwyth yn ysgafnach nawr, do'n i dal ddim yn gallu gollwng gafael yn llwyr.

Atwrneiaeth

Am sawl rheswm ymarferol, allwn i ddim gollwng gafael ar y sefyllfa, hyd yn oed pe bawn eisiau gwneud hynny. Er bod Dad a Mam wedi ymddeol tu ôl i furiau'r cartref gofal, roedd eu bywydau dinesig yn parhau. Roeddan nhw'n dal yn berchen ar y tŷ, yn talu trethi, yn bensiynwyr. Ac roedd yn rhaid i rywun ofalu am hynny.

Er eu bod wedi gadael eu hen fywydau ar ôl, doeddan nhw ddim wedi 'ngadael i yn y baw. Yn haf 2006, ar ôl deall bod gan Dad ddementia fasgwlar, cynigiais wrth y ddau y dylen nhw arwyddo ffurflen fel bod Alan a minnau'n cael Atwrneiaeth ac yn gallu gofalu am eu materion ariannol pe baen nhw'n methu. Doedd fawr o drafodaeth rhwng Dad a minnau; cynigiais wneud y gwaith ac mi dderbyniodd. Roedd hynny'n ddealladwy debyg ac yntau ddim yn barod i drafod ei ddirywiad meddyliol graddol.

Ar y pryd roedd hi'n bosib gwneud Atwrneiaeth Barhaus (EPA, sydd bellach wedi'i disodli gan Atwrneiaeth Arhosol (LPA), gweler y Rhestr Adnoddau). Y peth pwysicaf ynglŷn â ffurflenni Atwrneiaeth yw eu bod yn cael eu harwyddo tra mae'r person yn compos mentis. Yr hyn mae rhywun yn ei ddweud wrth arwyddo yw os na fyddaf yn fy iawn bwyll, neu'n gorfforol fethedig, hoffwn i'r atwrnai weithredu ar fy rhan. Roedd cloc Mam eisoes yn tician. Er nad oeddwn yn emosiynol wedi gallu cydnabod cyflwr Mam yn llawn nes iddi fynd i'r cartref gofal, yn ymarferol roeddwn i wedi rhagweld y dirywiad.

Mae Atwrneiaeth yn cael ei gweithredu gan y Llys Gwarchod. Diolch i'r rhyngrwyd, gwelais eu gwefan a chael gafael ar y ffurflenni priodol, cyn eu llenwi ar ran Alan a minnau fel ein bod yn gallu gweithredu fel atwrneiod annibynnol. Yn Awst 2006, gofynnais i gymydog Dad a Mam fod yn dyst. Dwn i ddim a oedd Mam yn deall beth oedd y ddogfen. Roedd wedi datblygu dull amddiffynnol sef nodio fel ymateb i bopeth, hyd yn oed pan nad oedd hi'n deall. Ond ym mhresenoldeb ei chymydog, roedd hi'n benderfynol o edrych yn normal a llwyddodd i'n darbwyllo ni i gyd. O ganlyniad, llofnodwyd y ddogfen gan y ddau.

Mae'r llofnodi dechreuol hwn yn rhoi hawl i weithredu yn y dyfodol pe bai angen hynny rywbryd yn y dyfodol. Gall hynny ddigwydd ar unwaith neu mewn nifer o flynyddoedd. Os yw'r llofnodwyr am ba reswm bynnag yn methu dod i ben â delio â'u materion ariannol (neu'n syrffedu ar drio rheoli eu bywydau, gall y llofnodwyr eu hunain ofyn i'r atwrneiod am gael gweithredu'r Atwrneiaeth), y cam nesaf yw cofrestru'r Atwrneiaeth gyda'r Llys Gwarchod. Golyga hyn rhagor o lenwi ffurflenni a thâl. Ond cyn gynted ag mae'r cofrestru wedi ei gwblhau, mae'r Atwrnai'n gyfan gwbl gyfrifol am eu materion.

Yn 2006, pan lofnodon nhw'r ffurflenni, wnes i ddim cofrestru'r Atwrneiaeth dros yr un ohonyn nhw, ddim yn syth. Roedd Dad a Mam yn bobl annibynnol ac ro'n i eisiau iddyn nhw reoli eu bywydau cyhyd â bod hynny'n bosib. Gallai Dad lofnodi sieciau o hyd, roedd eu biliau ar ddebyd uniongyrchol a gallwn ddefnyddio cerdyn debyd Dad i brynu eu bwyd ar y we. A doedd Mam ddim yn mynd allan bellach nac yn gwario'r un geiniog. Deallais fod hyd yn oed y dyn glanhau'r ffenestri wedi gofyn i Dad ysgrifennu siec gan ei fod wedi sylwi ar anhawster Mam i drafod arian parod.

Erbyn iddyn nhw fynd i'r cartref gofal flwyddyn ar ôl y llofnodi, ro'n i wedi cofrestru Atwrneiaeth Mam ac felly roedd gen i'r awdurdod i roi trefn ar eu cyfrifon banc a thalu am eu gofal. Rai misoedd yn ddiweddarach, cofrestrais Atwrneiaeth Dad. Clywais yn ddiweddarach am gyplau oedd yn gwrthod hyd yn oed ystyried llenwi'r ffurflenni Atwrneiaeth, gan dybio y bydden nhw wastad yn gallu rheoli eu materion eu hunain. Ond yna maen nhw'n cael strôc annisgwyl, neu mae'r dementia'n gwaethygu, a does gan y teulu ddim hawl i ymyrryd na gweithredu ar eu rhan. Hefyd, mae cael Atwrneiaeth pan mae'r claf wedi colli ei bwyll yn ddrud ac yn cymryd amser. Dwi'n ddiolchgar i Dad am ragweld y sefyllfa ac am ei ffydd ynof. Ac i Mam, am wneud y penderfyniad yn un hawdd.

Clirio, clirio, clirio

Mae clirio tŷ yn un o'r defodau mae rhywun yn gorfod ei wneud ar ôl colli rhieni. Neu pan maen nhw'n colli eu meddyliau. Yr unig wahaniaeth yw bod marwolaeth yn ddiwedd pendant. Gyda'r rhieni yn dal yn fyw, rhaid gwaredu eu 'geriach' ar yr un pryd â pharhau i fynd i'w gweld gan deimlo y dylen nhw fod yn rhan o'r digwydd. Ond does ganddyn nhw affliw o ddim diddordeb.

Mae clirio tŷ cyfan, dau fywyd llawn, yn mynd i fod yn waith anodd ar unrhyw adeg, hyd yn oed tŷ cyffredin fel un Mam a Dad. Mae rhai pobl yn gwaredu llawer yn ystod eu bywydau – taflu hen filiau, er enghraifft, ac yn cadw dim ond yr hyn sydd ei angen. Tydw i ddim yn berson felly, nac ychwaith fy rhieni. Roedd Alan a minnau'n gwybod y byddai'n rhaid i ni sortio'r gwaith papur, taflu pethau i'r bin a chael trefn. Yr hyn doeddan ni *ddim* wedi sylweddoli oedd bod Dad a Mam yn gymaint o wiwerod, y ddau wedi cadw pob derbynneb, bil cerdyn credyd a chyfriflen banc ers iddyn nhw symud i'r tŷ ddeg mlynedd ar hugain yn ôl.

Yr hydref cyntaf hwnnw, yn 2007, arferai Alan a minnau gyfarfod unwaith yr wythnos, pan oedd y ddau ohonon ni'n rhydd, i sortio'r cypyrddau a'r droriau a oedd wedi storio bywydau ein rhieni. Roeddan ni'n araf iawn, yn aml iawn yn dianc am sgwrs dros baned o goffi am fod y gwaith yn flinedig. I mi, beth bynnag. Mae gwneud penderfyniadau yn anodd i mi ac mae clirio cartref rhieni yn golygu gwneud nifer o benderfyniadau, un ar ôl y llall. Beth i gadw, beth i'w daflu... a'r pethau hynny'n rhan annatod o orffennol fy rhieni. A gan eu bod wedi fy magu, a ydw i'n taflu rhan ohonof i'n hunan hefyd?

Efallai fod yr arafwch i'w wneud â'r amharodrwydd i'm rhyddhau fy hun o'm rhieni, rhan ohonof i eisiau amser i ymgyfarwyddo â'r ffaith bod Dad a Mam wedi gadael cartref. Rhaid eu bod nhw wedi gorfod ymgyfarwyddo eu hunain pan adawon ni'r nyth flynyddoedd yn ôl. Ond pan wnaethon ni'r plant adael roedd hynny'n gam naturiol. Doedd y ffaith eu bod nhw wedi gadael cartref ac anghofio popeth amdano ddim yn ddatblygiad, ac yn sicr ddim yn rhan o'r sgript bywyd o'n i wedi ei ddarllen.

Diogelwch a theimladau

I ddechrau, aethom ati i glirio eu stafell wely. Ar ôl iddyn nhw fynd i'r cartref gofal, roeddan ni wedi gwagio cynnwys y cypyrddau bach a'r droriau ac wedi eu rhoi mewn bagiau er mwyn eu sortio nes ymlaen. Dim ond y cypyrddau bach oedd yn addas i fynd i'r cartref gofal. Mi wnaethon ni ystyried mynd â'r gweddill, ond roedd y cadeiriau'n rhy fawr a blêr a doedd dim lle i'r bwrdd bwyd na'r cypyrddau eraill; a gan nad oeddan nhw'n darllen llawer bellach, nac yn gwneud croeseiriau, doedd dim pwynt mynd â'r cwpwrdd llyfrau.

Gwely, dillad gwelyau, llieiniau, bwrdd bach ger y gwely, wardrob, cadair freichiau a'u stafell ymolchi eu hunain – roedd y rhain i gyd eisoes yn y cartref gofal. Mi aethon ni â lluniau, peintiadau a manion eraill er mwyn gwneud eu stafelloedd yn fwy personol. Roedd y profiad yn brawf ein bod ni'n gallu byw gyda llawer llai o 'geriach' nag y tybiwn.

Ond daeth y sylweddoliad hwnnw yn nes ymlaen; yn y cyfamser roedd yn rhaid clirio a sortio. Yn gyntaf, diogelwch. Bu'n rhaid i ni ddinistrio a gwaredu manylion ariannol – doeddan ni ddim eisiau i'r rheini gael eu dwyn. Yn ail, emosiwn – penderfynon ni gadw unrhyw beth o werth emosiynol a sentimental.

Ond doedd y gwaith ddim mor syml â hynny. A oedd hi'n iawn i ni waredu hen dderbynneb o M&S wedi ei thalu â cherdyn debyd ac felly'n cynnwys manylion ariannol? A oedd angen rhwygo biliau cardiau credyd a oedd yn dyddio o'r wyth degau? Er fy mod i'n berson gofalus, dysgais fod Alan yn llawer mwy trylwyr wrth iddo rwygo dogfennau'n deilchion, rhai bydden i wedi eu gwaredu'n gyfan.

Ar y dechrau, roedd gan bopeth ryw werth sentimental – er enghraifft, roedd y ddau wedi cadw cardiau Nadolig ers blynyddoedd a'n tuedd oedd cadw'r rheini oedd â neges bersonol tan i'r rheini fynd yn dwmpath mawr ac wedyn bu'n rhaid bod yn fwy dideimlad. Codwyd ein calonnau'n fawr pan ddaethom ar draws cerdyn i Mam gan Dad a neges gariadus ynddo. Ar achlysur eu priodas ddiemwnt, ysgrifennodd bwt o neges yn y cerdyn yn datgan bod eu priodas wedi bod yn un berffaith: 'Llongyfarchiadau. Ti'n haeddu pob clod am fod yn sail gref i'n priodas... Dwi'n dy garu di'n fwy nag erioed.'

Ychydig iawn o bethau oedd ganddi hi iddo fo, er inni gael hyd i un Telegram Cyfarch a yrrodd hi at Dad ar ei ben-blwydd yn 21 oed ar 23 Awst, 1938. Nid yn y droriau y daethpwyd o hyd iddo ond mewn bocs pinc a oedd yn cynnwys dogfennau a lluniau a dynnwyd rhwng y 1930au a'r 1960au, rhai oedd yn amlwg yn golygu rhywbeth i'r ddau. Symud tŷ yn 1980 oedd y trydydd gwaith iddyn nhw symud yn ystod eu bywyd priodasol – y tro cyntaf yn y 40au yn ystod yr Ail Ryfel Byd a'r ail waith yn y 50au pan symudon nhw o ogledd-ddwyrain Lloegr, ble roedd eu teuluoedd a'u ffrindiau i gyd yn byw, i ardal Bryste ble roedd cyflogwyr Dad, ICI, wedi agor gweithle newydd.

Olrhain bywyd

Mae'n debyg bod y geriach rydan ni'n ei gasglu yn adlewyrchu ein bywydau. Ac roedd eu geriach yn gosod fframwaith i'r ffordd roeddan nhw wedi byw yn ystod eu blynyddoedd olaf yn y tŷ. Digon cyffredin oedd y bywyd hwnnw: siopa yn Boots, Tesco ac M&S. Roedd Mam yn hoff iawn o golur, yn enwedig powdr Max Factor o'r enw Crème Puff. Roedd ganddi lond droriau ohonyn nhw, a'r rhan fwyaf ohonyn nhw prin wedi eu defnyddio. A llond silffoedd o chwistrelli gwallt. Rhaid ei bod yn anghofio amdanyn nhw ac yn prynu mwy a mwy...

Ond roedd y geriach hefyd yn adrodd cyfrolau am eu cyflwr meddwl. Roedd Dad wedi bod yn ddyn trylwyr iawn, yn gwirio cyfriflenni banc, biliau cardiau credyd, datganiadau nwy a thrydan – ac yn nodi faint o betrol oedd o'n ei brynu er mwyn cadw golwg ar ei wariant. Cadw bywyd dan reolaeth oedd ei nod trwy fod yn fanwl a thrylwyr. Ac ro'n i'n cofio fel yr oedd o'n cynhyrfu pan oedd ceisio bod mor drylwyr yn mynd yn anodd iddo. Wrth iddo golli rheolaeth ar ei fywyd bob dydd, datblygai ei bryder bod ei fywyd yn chwalu'n araf. Ac yn sgil hynny daeth iselder a gorbryder, rhywbeth nad oeddwn i wedi llwyddo i'w ddeall ar y pryd.

Cyffredin neu anghyffredin?

Yr hyn roeddan ni'n ei wneud oedd datgelu trefn a natur bywydau dau 'berson cyffredin', cyffredin yn yr ystyr eu bod nhw wedi byw mewn tai cyffredin ac wedi gwneud swyddi cyffredin. Ond a oes unrhyw un ohonom yn 'gyffredin'? Roedd disgrifio Dad fel rhywun trylwyr yn gorsymleiddio. Pan oeddan ni'n blant, Mam, nid Dad, oedd yn cadw llygaid barcud ar y gwariant, yn cyfrif pob ceiniog ac yn gwneud y gorau o gyflog bychan Dad fel clerc. Trosglwyddwyd y cyfrifoldeb i Dad pan gododd y cyflog. Ac efallai mai'r cyfrifoldeb hwnnw oedd yn gwneud iddo fod mor drylwyr ag arian.

Cyfaddefodd Alan ei fod wedi gobeithio y bydden ni'n darganfod rhywbeth anghyffredin, rhyw gyfrinach fawr a oedd yn gwneud ein rhieni'n gwpl arbennig. Ond yn hytrach daethom o hyd i lyfr nodiadau a'r geiriau 'Torri Gwallt' ar ei glawr, yn nodi pryd roedd y ddau wedi bod yn cael trin eu gwallt. Ai dyma oedd penllanw diflastod? Neu a oeddan nhw'n gwpl od, anarferol, hen ffasiwn? Gwelsom gasgliad o luniau o'r 30au a'r 40au hefyd, heb ddyddiad na sgrifen ar y cefn, fel pe bai'r ddau wedi gwthio hanes i gefn drôr. Nid bod yn ofalus a thrylwyr oedd hynny.

I'r twmpath 'sentimental', rhoddais yr anrhegion a gafodd Dad ar ôl ymddeol o ICI ar ôl 31 mlynedd o wasanaeth. Gorffennodd ei yrfa yn yr adran gyflenwadau lle datblygodd ei natur, o bosib, i fod yn drylwyr. Roedd ei gyd-weithwyr wedi gwerthfawrogi ei natur addfwyn ac un ohonyn nhw wedi ysgrifennu cerdd i gofio'i gyfraniad ac i grynhoi ei fywyd.

Yn y gerdd disgrifiwyd ei 62 mlynedd, o'i blentyndod yn Cowpen

Bewley yn Nyffryn Tees i'w gyfnod yn yr Awyrlu Brenhinol yn yr Ail Ryfel Byd. Bu yng Nghanada ac America yn hyfforddi gyda'r RAF, yr unig dro iddo fod dramor yn ei fywyd. Doedd Mam ddim yn rhy hoff o hedfan ac felly roedd pob gwyliau teuluol ym Mhrydain. Bu'n parasiwtio yn ystod ei gyfnod yn yr RAF. Ar ôl ei swydd gyntaf yng Ngorsaf Bŵer Gogledd Tees, aeth i weithio i ICI yn Wilton i ddechrau, ac yna yn Severnsides ger Bryste. Mae'n debyg ei fod o'n hoff o de lemwn yn ôl y gerdd. Te lemwn? Od. Swnio fel dyn gwahanol i'r un oedd yn dod adref o'i waith ac yn yfed te gyda llefrith.

Clwb yr Hirondelle

Doedd Mam a Dad ddim yn bobl gymdeithasol. Doedd ganddyn nhw ddim ffrindiau, rhai yr oeddan nhw'n eu gweld yn rheolaidd, fel sydd gen i. Y rheswm, debyg gen i, oedd oherwydd eu bod bellach wedi gadael y bywyd cymdeithasol ymysg teulu a ffrindiau yr oeddan nhw wedi cael eu magu ynddo yng ngogledd-ddwyrain Lloegr. Dyna oedd bywyd cymdeithasol iddyn nhw. Er nad oedd eu bywydau yno'n glòs fel bywydau cymeriadau operâu sebon, eto roeddan nhw wedi eu magu yn rhan o gymuned barod o deulu a chymdogion a oedd yn rhannu eu gorffennol, nes iddyn nhw symud i fyw i de Lloegr. Ac roedd cyd-weithwyr newydd yn ffurfio casgliad newydd o ffrindiau yn y gweithle. Felly pam oedd angen mwy?

Ond wrth symud i'r de, collodd y ddau eu gwreiddiau cyn dod i nabod eu cymdogion yn y de gan bwyll bach. Aeth Mam yn ôl i weithio ac roedd siarad â'i chyd-weithwyr yn ddigon o fywyd cymdeithasol iddi. Ac roedd gan Dad fywyd cymdeithasol yn y gweithle hefyd – roedd o'n perthyn i 'Glwb yr Hirondelle'. Roedd hyn golygu ei fod o'n cael diferyn neu ddau gyda'i ffrindiau – yn ystod amser cinio, mae'n rhaid, achos dydw i ddim yn cofio Dad yn dod adref o'i waith yn hwyr erioed. Ar ôl ymddeol, roedd y tri ffrind wedi ysgrifennu cerdd iddo a chafodd honno'i fframio'n barchus ganddo.

Bu'r aelodau'n ysgrifennu at ei gilydd bob Nadolig tan i Dad roi'r gorau i ateb. Pan oedd iselder yn gwmwl drosto, roedd o'n casáu unrhyw un oedd yn ceisio cyfathrebu â'r dyn hapus o'r gorffennol. Baich, nid pleser, oedd cael gair gan un o'i ffrindiau. Ceisiodd Mam ei berswadio i ateb y llythyrau. "Ddyliwn i ddim gorfod trafferthu yn f'oed i," meddai. A daeth yr ysgrifennu rhwng Dad a'i ffrindiau i ben.

Beth ddigwyddodd iddo?

Yn eu cerdd i Dad, roedd ei gyd-weithwyr wedi nodi, 'Duw a ŵyr be ddaw ohono'. Yr hyn ddaeth ohono ar ôl ymddeol yn 62 mlwydd oed – yn ddyn ystwyth, iach, ddim eto'n barod i ymddeol – oedd mynd ar chwâl am gyfnod ac ymddwyn 'braidd yn od'. Penderfynodd gael swydd arall, a chynigiodd Terry a minnau i Mam a Dad symud i Gaergrawnt, ac yno daeth Dad yn borthor yng Ngholeg Clare lle roedd Terry yn Gymrawd. Bu yno am ryw bum mlynedd a chafodd bwrpas newydd i'w fywyd.

Pan adawodd y coleg, yn 68 oed, roedd Dad yn dal i fod yn ffit ac yn iach ond yn fwy parod i ymddeol a dechreuodd roi trefn newydd ar ei fywyd – mynd i Tesco ar ddydd Mawrth, i'r banc ar ddydd Iau a chwblhau croesair y papur newydd ar y Sul. A dyna oedd y drefn tan oedd o yn ei wythdegau pan ddechreuodd ei gorff arafu. Cafodd boen yn ei goes, doedd o ddim yn rhy hoff o gerdded ac yn raddol newidiodd a dirywiodd ei batrwm dyddiol. Heb drefn bendant i'w fywyd, teimlai'n isel ei ysbryd ac ar goll. Soniodd ei fod yn teimlo'n ddiwerth, fel pe bai wedi colli cysylltiad ag unrhyw fath o fywyd gwerth ei fyw. Dyna sut oedd o'n edrych ar yr wyneb. Dan yr wyneb, does wybod pa deimladau negyddol oedd yn llifo.

Doedd hi byth yn hawdd gwybod beth oedd Dad wir yn ei deimlo. Yn ôl ei adroddiad ysgol (a oedd yn y bocs pinc) roedd yn ŵr ifanc cydwybodol a gwasanaethgar. Ysgrifennodd ei athro Saesneg, yn 1933, pan oedd Dad yn 16 oed: 'Mae ei lwyddiant yn yr arholiadau fis Gorffennaf diwethaf yn brawf o'i allu. Mae ei waith yn daclus ac yn dangos ôl meddwl. Mae ei ymddygiad yn gwrtais a bonheddig ac mae bob amser yn barod i roi cymorth i eraill. Mae'n ddibynadwy a'i gymeriad yn ardderchog. Rwy'n ffyddiog y gall weithio'n gydwybodol a gwneud ei orau mewn unrhyw swydd, ac rwy'n barod iawn i'w gymeradwyo.'

Pan oedd o'n hedfan gyda'r RAF yn ystod yr Ail Ryfel Byd, dywedodd Dad nad oedd o byth wedi meddwl 'ddo i ddim yn ôl' er bod bron un o bob dau'n cael eu lladd. Roedd o'n caru Mam, yn ŵr ffyddlon, ac yn fodlon iddi wneud y penderfyniadau. Roedd hi'n gymeriad cryfach nag ef ac yn fwy penderfynol, ac yn fwy tanllyd hefyd. Fel plant, roeddan ni weithiau'n gobeithio y byddai o'n ei gwrthwynebu yn amlach. Ond nid dyna'i ffordd. A oedd o wedi ei chefnogi mor ffyddlon am mai hi oedd ei fywyd? Dim ond yn ddiweddarach y sylweddolais cymaint roedd o'n ei charu ac yn dibynnu arni. Neu a oedd o'n rhy wan i ddadlau'n ôl? Neu'r ddau? Neu'r un o'r ddau? Faint ydan ni'n wir yn ei wybod am berson arall?

A Mam?

A Mam? Er ei bod wedi gweithio'n rhan-amser bron ar hyd ei bywyd, doedd fawr ddim yn y 'geriach' a oedd yn ei chysylltu â'r byd cyhoeddus. Pan adawodd yr ysgol (yn ddiarwybod iddi, roedd Dad yn ddisgybl yn yr ysgol i fechgyn gerllaw) defnyddiodd ei dawn trin rhifau i gael gwaith fel Gweithredydd Comptomedr (rhywbeth tebyg i gyfrifiannell yn y byd busnes, neu gyfrifiadur cyn bod y rheini'n bod!).

Aeth i gael hyfforddiant ar gwrs comptomedr, gan gael marc perffaith yn ei harholiadau, 100% medd ei thystysgrif ynghyd â'r geiriau: 'Cofiwch eich bod wedi eich hyfforddi i weithredu'r peiriant adio a chyfrifo gorau yn y byd ac fe gewch bob cymorth gennym i sicrhau eich bod yn rhoi'r gwasanaeth gorau i'ch cyflogwr gyda'r Comptomedr. Peidiwch â bodloni ar ddim llai na'r canlyniadau gorau, er eich lles chi, eich cyflogwr a'r gymuned.'

Ar ôl gorffen ei hyfforddiant, cafodd swydd gyda chwmni dur lleol, Dorman Long, sef cwmni a oedd yn bodoli ers y bedwaredd ganrif ar bymtheg gan symud o'r maes dur i adeiladu pontydd a'r rheini'n cynnwys Pont Harbwr Sydney a'r bont dros yr afon Tees yn Middlesbrough, yr un roedd Mam yn ei chroesi bob dydd ar ei ffordd i'r gwaith. Roedd Mam wrth ei bodd yn mynd i'w gwaith a chadwodd mewn cysylltiad â llawer o'i chyd-weithwyr ar hyd ei hoes. Pan briododd y ddau ar 23 Rhagfyr 1939, y drefn bryd hynny oedd bod y wraig yn rhoi'r gorau i weithio. Ond nid Mam. "Ro'n i bob amser yn hwyr," arferai ddweud. "Ac un diwrnod, wrth i mi redeg i ddal y bws, gwaeddodd un o'm cyn-athrawon ar f'ôl: 'Alli di ddim gweithio a bod yn wraig tŷ'."

Roedd wedi bod yn Bennaeth Cyfrifo cyn rhoi genedigaeth i mi, Alan a'i phlentyn cyntaf, a fu farw yn y groth. Roedd hyn yng nghanol yr Ail Ryfel Byd, Dad yn yr RAF a hithau'n byw gyda'i mam. "Rwy'n eu cofio nhw'n mynd â'r babi oddi wrtha i, a hynny heb ddweud gair," meddai wrtha i un tro. Ond llwyddodd i ymdopi a dal ati, gan gadw'r tristwch i'w hunan.

Cafodd ei galw i fod yn Warden yn ystod y Rhyfel. Cawsom hyd i'r llythyr a'r dystysgrif a gafodd ar ôl y rhyfel yn diolch iddi am helpu'r wlad yn ei hawr dyngedfennol.

Er na fu hi'n gweithio pan oeddan ni'n blant ifanc, cyfaddefodd ei bod hi'n aml yn gwthio'r pram heibio'r banciau a'r swyddfeydd gan feddwl, "Sgwn i a ydyn nhw'n chwilio am rywun i weithio iddyn nhw". Doedd Mam ddim yn wraig tŷ mor naturiol â bod yn weithwraig mewn swyddfa. Ond wnaeth hi ddim ddechrau gweithio eto nes oeddwn i'n 13 oed ac Alan yn 11, ar ôl i ni symud i fyw i Fryste. Bob tro yn rhan-amser. Er ei bod wrth ei bodd yn gweithio, doedd hi ddim yn ysu am yrfa. Ychydig o arian yn ychwanegol a bywyd cymdeithasol – dyna oedd pwrpas gweithio iddi hi. Fel y rhan fwyaf o'i chenhedlaeth, y gŵr oedd y brif ffynhonnell ariannol, ac roedd hi'n mynd yn flin os oedd merched yn hawlio gormod ac, yn ôl hi, yn 'mynd dros ben llestri'.

Er y byddwn yn colli amynedd gyda'i hagweddau a'i syniadau, dwi'n deall yn awr bod gofyn i wragedd priod bryd hynny aros gartref ac felly roedd Mam, yn ei ffordd fach ei hun, yn protestio trwy fynd allan i weithio. Efallai ei bod hi'n ofni y byddai merched a oedd 'yn mynd dros ben llestri' yn creu gwrthwynebiad cymdeithasol gan orfodi merched i fod yn wragedd tŷ llawn amser.

Yn arwyddocaol iawn, wrth i ddementia Mam ddatblygu, dechreuodd ymddiddori mewn cael swydd arall wrth iddi sylwi ar hysbysebion a ddeuai trwy'r post neu eu dosbarthu ar y stryd. Arferai eu dangos i ni fel pe bai'n disgwyl... disgwyl beth? Efallai ei bod eisiau ymgeisio am swydd; oherwydd ei bod yn byw mewn rhyw gyfnod gwahanol yn ei meddwl, doedd ei hoedran ddim yn berthnasol. Roedd hi'n amlwg wedi ei chyffroi gan y posibilrwydd o weithio eto ac yn disgwyl i ni a Dad ei chefnogi.

A dyna'r drefn trwy gydol dirywiad meddyliol y ddau – Mam â'i diddordeb mawr yn y byd o'i chwmpas yn parhau a Dad yn barod i droedio'n drwm ar hyd y llwybr i'w fedd. Fel rhywun i'w edmygu, byddwn wedi dewis Dad o'i blaen hi. Y rhan fwyaf o'r amser. Ond wrth wynebu henaint a dirywiad meddyliol, mae Dad yn gwireddu ein holl ofnau am heneiddio fel rhywbeth echrydus. Ond mae Mam wedi dangos y gall bywyd, er gwaethaf popeth, fod yn heulog ac yn llawn gobaith, er gwaethaf ei dementia.

Beth petaen nhw'n dod yn ôl...

Erbyn Pasg 2008, a'r rhan fwyaf o'r sortio wedi ei gwblhau, roedd yn rhaid wynebu'r broblem o beth i'w wneud â'r tŷ. Gwerthu neu ei osod ar rent oedd y ddau ddewis amlwg. Byddai ei osod yn golygu cael arian i dalu biliau'r cartref gofal, ond felly hefyd y llog o'r elw ar werthu (roedd hyn cyn yr argyfwng ariannol byd-eang pan syrthiodd y graddfeydd llog).

Buon ni'n ystyried y ddau ddewis – cawsom werthwyr tai draw i brisio'r tŷ, a holi beth fyddai'r incwm o'i osod, gan drafod pa waith fyddai angen ei wneud ar y tŷ ar gyfer y naill opsiwn a'r llall.

Ond roedd y realiti'n fwy cymhleth – i mi, beth bynnag. Roedd gwerthu'n benderfyniad anodd am ei fod yn un terfynol. Penderfyniad dros dro fyddai gosod y tŷ. Nid oedd yn ymrwymiad go iawn. Mynnu rhyw gredu mai dim ond dros dro oedd hyn. Pan mae'r rhai rydach chi'n eu caru'n colli eu meddyliau, mae'n fath o brofedigaeth, ac yn y golled hon mae popeth i'w weld yn normal ar yr wyneb ond gorffwylltra sydd dan y croen. Yn ei llyfr pwerus a theimladwy, *The Year Of Magical Thinking*, mae Joan Didion yn egluro'r gorffwylltra hwn, ac yn ei alw'n 'feddylfryd lledrithiol' wrth ddisgrifio'i hun yn cadw dillad ei diweddar ŵr 'rhag ofn daw o'n ôl'.

Rhaid 'mod innau'n teimlo felly hefyd: "Beth petaen nhw'n dod yn ôl?" Os ydan ni'n penderfynu gosod y tŷ, dros dro yw hynny, gallen nhw ddychwelyd i'r tŷ a byddai popeth yn normal unwaith eto. Yn rhesymegol, wrth gwrs, ro'n i'n gwybod na fyddan nhw'n dychwelyd ond roedd y storm emosiynau o dan yr wyneb yn golygu na allwn werthu'r tŷ. Ddim eto. "Beth petaen nhw'n dod yn ôl?"

I mi, ei osod oedd yr unig ddewis. Nid nawr, ond bryd hynny. Ac roedd hynny'n eironig oblegid fel yr eglurodd y gwerthwr tai byddai'n rhaid gwaredu popeth personol o'r tŷ cyn ei osod – y 'personol' a oedd yn f'atgoffa o Dad a Mam a neb arall – er mwyn gwneud y lle mor niwtral a gwrthrychol â phosib yn barod i'r tenantiaid greu eu cartref eu hunain ynddo. "Tydi llawer o deuluoedd ddim yn sylweddoli hynny," meddai.

Awgrymodd osod y tŷ heb ddodrefn, cael stafell ymolchi newydd, peintio dros y papur wal patrymog: newid o'r personol i'r amhersonol. Os oeddan ni – Alan a minnau – yn penderfynu dilyn y llwybr hwnnw, byddai'n golygu clirio holl geriach Mam a Dad. Yn fy nghyflwr sgitsoffrenig, derbyniais y sefyllfa. Sefyllfa dros dro oedd gosod y tŷ, ond eto byddai olion fy rhieni yn diflannu'n araf. Rhaid fy mod wedi sylweddoli mai dyma ddechrau'r broses o ollwng gafael.

O'r personol i'r amhersonol

Ar ôl trafod, penderfynom ddewis cwmni bychan oedd â dynes llawn bywyd yn barod i'n helpu gyda'r broses o 'baratoi i osod ar rent' – casglu dyfynbrisiau, trefnu'r gwaith ac ysgwyddo llawer o'r baich. Wrth gwrs, fe gostiodd fwy na'r hyn roeddan ni wedi'i ddisgwyl. Ac mi gymerodd fwy o amser. Doedd dod o hyd i denant ddim yn hawdd, yn rhannol am fod rhywfaint o'r papur wal a'r carped patrymog yn dal ar ôl ac yn tueddu i gadw darpar denantiaid draw. A gan fod argyfwng ariannol, roedd mwy o bobl yn gosod eu tai gan greu mwy o gystadleuaeth. Peintiwyd y waliau'n lliw magnolia gan ysgafnu awyrgylch y tŷ yn ogystal â'i oleuo.

Wrth geisio gwaredu eu geriach o'r tŷ, bu'n rhaid i ni ddysgu gwers sy'n gyffredin i sawl un. Does neb eisiau prynu cynnwys y tŷ; i'r gwrthwyneb, bydd rhaid talu i'w waredu. Doedd Mam a Dad ddim yn berchen dim o werth. Does dim marchnad ar gyfer dodrefn ail-law, yr unig beth oedd yn gwerthu oedd dodrefn gwreiddiol, unigryw neu hen iawn.

Mi wnaethon ni ystyried cyfrannu'r dodrefn i Fyddin yr Iachawdwriaeth neu Emmaus cyn sylweddoli mai dim ond ambell eitem benodol y bydden nhw'n fodlon eu casglu, nid clirio'r tŷ cyfan. Er mwyn achub pethau rhag eu taflu, cafwyd sawl trip i Oxfam gyda llyfrau, llestri, manion a pheintiadau. Cadwon ni ambell beth i ni ein hunain, gwerthu ychydig o ddodrefn i'r peintwyr a rhoi'r cwpwrdd gwydr i ffrind sy'n ddylunydd mewnol a werthfawrogai ddodrefn o'r 30au. Yn olaf, gofynnwyd i gwmni gwagio tai glirio'r gweddill.

Y diwrnod olaf

Y diwrnod cyn dyddiad cwblhau'r clirio, aeth Alan a minnau draw i'r tŷ i wneud yn siŵr bod dim byd o werth ar ôl. Trwy gydol y broses glirio, roedd y ddau ohonom wedi darganfod llawer o arian mân mewn droriau, powlenni a bocsys esgidiau. Yn y cyfnod pan oedd hi'n dal i fynd allan, byddai Mam yn mynd i'r banc a chyfnewid siec am £160 mewn arian parod – doedd hi erioed wedi defnyddio twll yn y wal. Byddai'n mynd â'r arian adref, ei gadw, cyn anghofio ble roedd hi wedi ei roi. Wedyn byddai'n mynd i godi rhagor o arian o'r banc. Defnyddiais rywfaint o'r arian coll hwn i dalu'r peintwyr. Hyd yn oed ar y diwrnod olaf hwnnw, daethom o hyd i £170, rhywfaint mewn basged wellt nad oeddem wedi edrych ynddi o'r blaen a'r gweddill wedi ei guddio ym mherfeddion y cwpwrdd dillad.

Roedd y cwmni clirio tŷ yn gwmni teuluol hen a phrofiadol; apeliai hynny ataf. Adroddodd y perchennog stori wrthyf am deulu dynes a oedd wedi cael rhyw nam ar ei hymennydd a dywedwyd wrth ei theulu y byddai'n gorfod byw yn yr ysbyty am weddill ei hoes. "Roedd ganddi sawl llond wardrob o ddillad drud," meddai, "ond roedd y teulu eisiau gwaredu'r cwbl, ac felly mi aethon ni â nhw." Ond cyn hir, mi wellodd y wraig... a thorri'i chalon o golli ei dillad. 'Beth petaen nhw'n dod yn ôl?'

Roedd gadael y tŷ am y tro olaf yn ei gyflwr 'personol Mam a Dad' yn brofiad emosiynol iawn i mi, ond nid cymaint â hynny i Alan. Roeddan ni'n ffarwelio â'u bywydau a'r holl geriach oedd yn eu cysylltu â'r byd hwn. Ond toeddan nhw ddim yn gwybod hynny, nac eisiau gwybod hynny. Ond ro'n i'n gwybod. Ac yn malio.

Y goeden

Gwagiwyd y tŷ ddiwedd mis Mawrth. Ni chyrhaeddodd y tenantiaid cyntaf tan ddechrau mis Awst. Felly am bedwar mis bûm yn cadw golwg ar y tŷ gan ei weld o'n newid o'r personol i'r amhersonol. A bod yn onest, roedd y tŷ'n edrych yn ddelach, yn oleuach ac yn fwy o faint. Daethpwyd o hyd i denantiaid yn gynnar ym mis Gorffennaf ond doeddan nhw ddim yn gallu symud i mewn yn syth ac yn mynnu – wel, yn gofyn – yn y cyfamser am rai newidiadau, heb sylweddoli pa mor bersonol oedd yr holl brofiad i mi.

Un o'r ceisiadau hyn oedd gofyn am wneud y llwyn pyracanthus yn yr ardd ffrynt fach yn llai, un oedd yn llawn aeron coch yn yr hydref. Yn eu barn nhw – un hollol deg – roedd o'n tywyllu'r tŷ.

Mae canghennau'r pyracanthus yn bigog ac roedd hwn wedi ei gydblethu ag eiddew, y math sy'n anodd ei dorri. Er 'mod i'n adnabod garddwraig, dynes hyfryd a oedd wedi bod yn cadw'r ardd yn dwt i Dad a Mam, penderfynais wneud y gwaith fy hun. Ac felly mi fues i'n ymladd â drain, canghennau wedi eu torri ac eiddew wedi ei rwygo o'r ddaear nes bod fy mreichiau'n grafiadau gwaedlyd.

O'r diwedd, enillais y frwydr a'i droi yn llwyn derbyniol ei faint. Teimlwn yn falch ohonof i fy hun. Fy ngwaith olaf yn nhŷ Mam a Dad. Daeth yr arddwraig draw i orffen twtio ar f'ôl, twtio fy llafur cariad.

A gweddill y stori?

Daeth cwpl ifanc i fyw yno a'i wneud o'n gartref, gan gymryd yr awenau oddi ar gwpl oedrannus mewn cartref gofal gerllaw. Roeddan nhw'n byw stori nad oedd yn rhan o'n stori ni. Heblaw'r ffaith eu bod yn disgwyl efeilliaid. Dau fywyd newydd yn dod i'r byd i gymryd lle'r ddau hen fywyd.

Pennod 8
Emosiynau amrywiol

Daeth y gair 'dementia' yn rhan o'm geirfa'r diwrnod hwnnw pan ddaeth Dr Dening i weld Dad. Ers hynny, dwi wedi darllen llawer iawn am ddementia'n gyffredinol, yn arbennig am glefyd Alzheimer a dementia fasgwlar. Mae'n amlwg bod dementia yn achosi anrhefn yn yr ymennydd ac yn effeithio ar y broses feddyliol. Colli cof, dryswch, colli ymwybyddiaeth, ddim yn adnabod pobl... anrhefn meddyliol llwyr. Dyna'r portread cyffredin o ddementia.

Ac eto mae'r ymennydd hefyd yn gartref i emosiynau a theimladau. Ac nid yw'r arbenigwyr yn deall hynny bob amser. Maen nhw'n sôn llawer llai am y cyswllt rhwng emosiynau a dementia, ac os ydyn nhw'n cyfeirio ato, gwneir hynny'n aml yng nghyswllt emosiynau fel un o symptomau ychwanegol dementia megis gorbryder neu iselder neu byliau o fod yn ymosodol. Yr hyn sy'n cael ei ddiystyru yw'r ffaith bod gan bobl â dementia emosiynau, fel pob un ohonom. Mae'n bosib iawn y bydd eu hemosiynau'n wahanol ar ôl datblygu dementia, ac y cânt eu mynegi'n wahanol. Maen nhw'n ymateb yn emosiynol i'r hyn sy'n digwydd iddyn nhw bob awr o'r dydd, fel rydan ni'n ei wneud. Ac mae rhai o'r ymatebion wedi'u hysgogi'n uniongyrchol gan y dementia, ac eraill ddim. Dyna yw fy marn i, beth bynnag.

Pan mae Grace, un o gyd-breswylwyr Dad a Mam, yn dweud, "Mae gen i ofn," credaf mai ymateb i'r dryswch meddyliol cynyddol yw hwn. Mae cleifion dementia'n cyfleu ofn a phryder yn aml. Ond pan mae Elsie'n gweiddi ar Mam, "Alla i ddim gweld y teledu!" mae'r teimlad o fod yn flin yn ymateb cwbl naturiol pan mae rhywun yn sefyll o flaen y teledu. Y ffordd mae hi'n *dweud* hynny – yn uchel, siarp, digywilydd – sy'n awgrymu mai'r dementia yw'r rheswm.

Mae Mam yn dal i sefyll o flaen y teledu, ddim yn ymwybodol o'r hyn sy'n digwydd. Mae Elsie'n gweiddi eto, "Alla i ddim gweld y teledu!" yn rhwystredig ac yn flin. Mae'r gofalwr yn symud Mam o'r ffordd: "Dowch i eistedd i fan'ma, Mary." Ar ôl i Mam eistedd, mae'r gofalwr yn ychwanegu, "Chewch chi mo'ch dwrdio wrth eistedd fan'ma." "Gobeithio ddim," medd Mam, gan daflu cipolwg at Elsie. Er nad oedd hi'n deall mai hi oedd ar fai, efallai ei bod wedi teimlo bod Elsie'n flin a bod ei rhwystredigaeth wedi ei anelu ati. Ond nid y dementia sy'n gyfrifol am hynny – mae Mam wastad wedi bod yn ddynes sensitif, emosiynol. Fel ymateb Elsie yn y lle cyntaf, mae sensitifrwydd Mam yn ymateb emosiynol naturiol.

Emosiynau pwy?

O safbwynt rhywun dibrofiad, mae'r briodas rhwng emosiwn a dementia yn gymhleth a chynnil gan fod ymatebion emosiynol naturiol yn cael eu cyplysu ag ymatebion emosiynol sy'n cael eu hachosi gan ddryswch dementia.

Ac mae un ffactor cymhleth arall. Gan nad yw'r person â dementia yn gallu ei mynegi ei hun yn eglur, rydan ni – gofalwyr, teuluoedd, ffrindiau, meddygon – yn gorfod dyfalu. Ac rydan ni'n aml yn ceisio dychmygu sut y bydden ni'n teimlo pe byddai ein meddyliau ninnau'n methu. Mae'r teimladau hynny'n aml yn rhai negyddol, yn adlewyrchu'r ofn mawr y 'gallwn innau fod fel'na rhyw ddiwrnod'.

Ym mis Mai 2008, gwyliais raglen ddogfen am ddementia o'r enw *Mother and Me* gan Sue Bourne; ffilm am ei hymweliadau misol hi a'i merch i gartref gofal yn yr Alban i weld ei mam, Ethel, oedd â chlefyd Alzheimer. Yn ystod un ymweliad, dywedodd Ethel nad oedd ganddi unrhyw beth i gwyno amdano. Ond protestia Sue, "Mae clefyd Alzheimer arnoch chi, rydach chi'n wraig weddw, ac rydach chi mewn cartref gofal!" Yr hyn oedd Sue'n ei fynegi oedd, "Pe bawn i yn ei sefyllfa hi... byddwn i'n sicr yn teimlo bod gen i lawer i gwyno amdano!"

Cyn gynted ag y daeth y gair 'dementia' yn rhan o'm geirfa, sylwais fy mod yn sôn llawer amdano. Ac mae'r gair 'Alzheimer' yn wirioneddol codi ofn arna i. Pan mae pobl yn dweud "ofnadwy o beth", maen nhw'n dychmygu y byddai'n 'ofnadwy o beth' pe bai'n digwydd iddyn *nhw*. Ac yn dweud hynny oherwydd does ganddyn nhw ddim syniad sut brofiad ydi o. Mae'r ofn yn codi o anwybodaeth.

Galaru am y bobl oeddan nhw

Mae un haen emosiynol arall yn bresennol hefyd, sef ein perthynas â'r person sydd â dementia. Mae rhai'n cael siwrne hir, araf wrth wylio rhiant, gŵr, gwraig, chwaer, brawd neu ffrind yn mynd i afael dementia, profiad sy'n ymdebygu i brofedigaeth hirfaith. Mewn rhyw ffordd, maen nhw'n gorfod mynd trwy'r broses o alaru er bod y person yn dal yn fyw – galaru am y person *oeddan* nhw, a'r person na fydd yn bod byth eto.

Gallaf gydymdeimlo â'r teimladau hyn oblegid dwi'n eu teimlo nhw ar brydiau. Efallai y byddwn i'n eu teimlo'n waeth pe bai dementia wedi trin fy rhieni'n fwy creulon. Fy ngofid yw bod galaru am y bobl oeddan nhw yn golygu bod perygl meddwl eu bod bellach yn bobl ddiwerth o ganlyniad i'r ffaith bod eu cof a'u gallu ymenyddol wedi diflannu. Ond er eu colledion amlwg, maen nhw'n dal i fodoli, ac yn gallu teimlo hefyd er nad ydyn nhw'n gallu mynegi eu teimladau bob amser.

Beth ydw i'n ei deimlo?

I mi, dementia yw anhwylder ar yr ymennydd sy'n nofio mewn môr o emosiwn. Mae'r emosiwn yn perthyn i ni – y rheini sy'n profi'r dementia yn allanol – ac i hwythau sy'n ei brofi'n fewnol. Rydan ni ar y tu allan yn gallu – neu'n *meddwl* ein bod yn gallu – gweld y llun mawr, ac yn edrych ar ddirywiad meddyliol y sawl rydan ni'n ei garu gydag ing. Ond ar yr un pryd rydan ni'n cynnal perthynas gyda nhw, yn gofalu amdanynt, yn gwenu, yn ymateb i'w teimladau gan guddio ein teimladau'n hunain.

Gwn fy mod i'n cadw fy nheimladau dan yr wyneb, yn ymddangos yn ddigyffro, yn ymdopi'n iawn, yn anfodlon mynegi fy ngwir deimladau achos 'mod i'n ofni... ofni beth? Gormod o boen? Boddi mewn emosiynau? Hynny'n od oherwydd mae'r hyn dwi wedi ei wneud ar ran fy rhieni yn cael ei ysgogi gan fy nheimladau. Mae fy nheimladau wedi tyfu a datblygu. A'r teimlad mwyaf, a'r cryfaf, yw cariad.

Cariad

Un sylw rwy'n ei gofio o wylio rhaglen ddogfen Sue Bourne, *Mother and Me*, yw un yn ymwneud â chariad. "Dwi wedi syrthio mewn cariad gyda fy mam," meddai, neu dyna dwi'n ei chofio hi'n ddweud. Doedd ei pherthynas gydag Ethel ddim wedi bod yn un berffaith. Ond nawr bod dementia ar Ethel, roedd popeth yn fwy syml. Roedd hi'n gallu caru ei mam yn ddiamod, heb orfod brwydro efo hi.

Dwi'n cofio'r sylw hwnnw, fe dybiaf, am fy mod i'n gallu uniaethu â hynny. Doedd perthynas Mam a minnau ddim yn berffaith chwaith. Roeddwn yn ferch 'anodd' yn fy arddegau, doeddan ni'n dwy ddim yn deall ein gilydd. Yn oedolion, rydan ni'n gweld y byd trwy sbectol wahanol, er bod ein gwahaniaethau barn yn mynd yn fwy dibwys wrth i ni'n dwy fynd yn hŷn. Yna, wrth i ddementia Mam ddatblygu, llithrais i rôl 'yr oedolyn cyfrifol' wrth i'w phryderon ddiflannu a rhyddhau cymeriad mwy direidus a hwyliog.

Mae fy nheimladau tuag ati yn un o gariad, weithiau'n cael ei fynegi'n syml trwy afael yn ei llaw, cydganu, mynd â hi am dro, rhannu profiadau a dotio wrth iddi ailddarganfod y byd o'i chwmpas. O'r safbwynt hwn, a'r safbwynt hwn yn unig, mae ei dementia wedi bod yn fendith.

Tristwch

Yr ail beth a deimlaf yw tristwch, ynglŷn â Dad y tro hwn. Merch Dad o'n i erioed ac yn ei garu mewn ffordd syml. Wrth i'w goesau fynd yn fwy poenus, a'i iselder yn gwaethygu – yn y cyfnod cyn iddo gael dementia fasgwlar – roedd ei agwedd at fywyd yn faich arna innau hefyd.

Roeddwn yn mynd at gynghorwr ar un adeg, a dyma drafod gwewyr Dad yn un o'r sesiynau. Gofynnodd hi i mi ddelweddu ein perthynas. Dychmygwch chi a'ch tad gyda'ch gilydd, meddai. Ymhle yn eich corff ydach chi'n teimlo cysylltiad? Pwyntiais at fy mrest a oedd fel pe bai'n cyffwrdd â brest Dad, a'm llygaid a oedd fel pe baen nhw'n cysylltu â'i lygaid o.

Meddyliwch am y cysylltiad yna, meddai. O beth mae'r cysylltiad hwnnw wedi ei wneud? Er mawr syndod i mi, daeth rhan enfawr o drac rheilffordd i'm meddwl. A hynny'n fyw iawn. Beth oedd ei angen arna i i dorri trwyddo, gofynnodd. Dwn i ddim – offer torri metel? A phwy oeddwn i eu hangen i'm helpu? Datblygodd y ddelwedd – cefais hyd i offer torri a llifio trwy'r metel gan wahanu fi a Dad. Ac yna, gwneud yr un peth gyda'r llygaid, a oedd yn far metel teneuach. Am ryddhad mawr! Do'n i ddim yn sylweddoli 'mod i wedi trosglwyddo iselder a phoen Dad i'm corff fy hun, i'r isymwybod. Es i'w weld yn fuan ar ôl y sesiwn ac roedd fy ysbryd gwahanol, hwyliog fel pe bai'n codi ei galon yntau hefyd.

O'r profiad hwnnw, gwyddwn fy mod felly yn tueddu i ysgwyddo baich a phoen Dad, yn teimlo'n drist wrth weld ei dristwch ef ac wrth edrych i'w lygaid gallwn weld y dyhead i gael ei ryddhau. Ond ni allwn ei ryddhau tan oedd ei gorff yn barod. Ac felly ro'n i'n aml yn teimlo'n drist. Ac yn ddiymadferth hefyd oherwydd roeddwn i'n methu gwneud dim i godi ei galon.

Teimlaf yn isel hefyd wrth grwydro o gwmpas y dref a chofio'r hyn roeddan nhw'n ei wneud: heddiw, cerddais heibio'r man lle roedd Dad yn codi Mam ar ôl iddi fod yn siopa. Tristwch cyffredin o golli ffordd gyffredin o fyw sydd wedi darfod. Wedi'r cwbl, dwi'n galaru am bobl nad ydan nhw'n gallu bod bellach.

Mae cariad a thristwch yn gwmwl drosta i, ond mae teimladau eraill yn cyniwair ynof hefyd, megis:

Rhyddhad

Rhyddhad eu bod yn cael gofal a charedigrwydd ac nad ydw i'n gorfod ysgwyddo'r baich fel o'n i o'r blaen. Er mai fi yw 'oedolyn cyfrifol' y teulu o hyd, mae'r cyfrifoldeb dyddiol o ofalu am y ddau yn nwylo'r cartref gofal. Rhyddhad yw cael rhywfaint o 'mywyd yn ôl.

Ofn a phoeni'n ormodol

Ond mae'r ofn o gael galwad ffôn yn bod o hyd. Gall unrhyw beth ddigwydd ar unrhyw adeg, gallai'r ddau ein gadael. Neu un ohonyn nhw. Sut fyddai'r llall yn ymdopi wedyn? Yn waeth na'r ofn iddyn nhw farw yw eu bod yn dioddef llawer mwy wrth i'w dementia waethygu. Mam yn colli ei hysbryd hwyliog a Dad yn digalonni mwy. Yr ofn o beidio gwybod. Ofn yr hyn a *allai* ddigwydd.

Llawenydd

Llawenydd yn yr amseroedd syml a gawsom gyda'n gilydd, yn canu gyda Mam a Dorothy, yr hen ganeuon, llawn teimladau. Cariad, hiraeth, gobaith. Dad yn rhwbio fy nwylo, yn dal i ddweud ambell jôc, yn cogio bod yn ofnus wrth i mi ymosod arno gyda fy hoff gi tegan dychmygol:

llygaid mawr a chap gwau. Byddai rhywun o'r tu allan yn edrych ar hyn ac yn meddwl bod y sefyllfa yn un drist, bathetig: yn chwarae â theganau. Ond mae'n ffordd o gyfathrebu, a phan mae Dad yn ymateb dwi'n teimlo llawenydd pur.

Blinder

Blinder ar brydiau yn sgil y ffocws hwn ar henaint a dirywiad, ar adeg pan ddyliwn i fod yn byw fy mywyd yng nghanol pobl ifanc, ffit.

Rhyfeddod

Rhyfeddu ar gymhlethdod yr ymennydd – a chryfder yr ysbryd dynol.

Beth maen nhw'n ei deimlo?

Allwn ni byth wybod yn iawn. Ac er bod llawer o bobl sydd â dementia yn teimlo'r un fath â ni, mewn ffyrdd eraill tydan nhw ddim chwaith. Os ydych yn ffwndro ac yn drysu'n aml, yn methu cofio beth sydd wedi digwydd, mae rhyw fath o ymateb emosiynol yn bownd o ddigwydd. Mae teimladau o gynnwrf a phryder yn gyffredin. Ond dydi teimladau o'r fath ddim yn anochel ac, i bob unigolyn, tydan nhw byth yn dangos y llun cyflawn, ond yn hytrach yn rhan o'r emosiynau cymysg a chyfoethog sy'n eu gwneud nhw yr hyn ydyn nhw, a phwy maen nhw'n parhau i fod.

Er na allwn wybod, gallwn ddyfalu. Yn gywir neu'n anghywir. A gallwn wylio golygfeydd gwahanol. Golygfeydd fel y rhai canlynol, golygfeydd o lawenydd a golygfeydd o dristwch.

Golygfeydd o lawenydd a thristwch

Golygfa 1: "Ti'n ddel iawn"

Digwyddodd y sgwrs hon pan oedd Dad yn fwy siaradus nag yr oedd yn ddiweddarach. Fel y gwelwch chi, fi sy'n chwarae rôl y canolwr rhyngddynt.

Mae Mary wedi bod yn cael trin ei gwallt yn y cartref gofal.

Fred: Ti'n edrych yn ddel iawn.

Dydi Mary ddim yn cymryd fawr o sylw.

Chris: Mae o'n dweud eich bod chi'n edrych yn ddel.

Mae Mary yn edrych yn swil.

Fred: Roedd hi'n ddel pan wnes i ei chyfarfod hi. Ac mae hi'n ddel o hyd.

Mae Fred a Mary'n dal dwylo.

Tra bod Mam wedi colli'r syniad o amser yn sydyn iawn, roedd Dad wedi dal gafael ar ddilyniant amser. Roedd yn gwybod bod ei gariad tuag at Mary wedi bod yn rhywbeth cyson yn ei fywyd, ac roedd yn teimlo'r un fath tuag ati yn ei 90au ag oedd o'n 17 mlwydd oed, pan wnaeth y ddau gyfarfod.

Golygfa 2: Hwyl a sbri wrth siopa dillad

Cyrhaeddodd Mam y cartref gofal gyda llawer o ddillad ond roedd dwyn siocledi pawb arall yn dechrau dangos. Roedd hi'n magu pwysau. Dyma'r ddynes oedd yn dilorni 'petha tew', a hithau bellach yn methu ffitio i mewn i'w dillad. Amser i brynu rhai eraill, ond doedd dim angen mynd i'r dref. Daeth siop ddillad deithiol i'r cartref un bore dydd Gwener a gosod ei stondin yn y lolfa lawr grisiau.

Mae Mary'n gwenu ar bawb; y staff yn ei chyfarch wrth iddyn nhw gerdded heibio. Does ganddi ddim syniad be sy'n digwydd ac mae Chris yn dewis sgert ac yn hebrwng Mary i'r stafell ymolchi i'w thrio. Ond mae gan Mary syniadau eraill.

Chris: Beth am dynnu'ch sgert er mwyn i chi gael trio hon amdanoch?

Mary: (Yn gweld y tŷ bach) Dwi isio piso.

Mae Chris yn ochneidio'n ddistaw, cyn gwenu arni a'i helpu i bi-pi. Gyda thrafferth, mae Mary'n gwisgo'r sgert newydd. Mae hi braidd yn hir ond mae'n ffitio o gwmpas ei chanol. Maen nhw'n mynd i'r coridor ac yn dod ar draws un o'r Uwch Ofalwyr.

Uwch Ofalwr: Helô, Mary.

Mae Mary'n gwenu'n braf.

Chris: Mae hi'n gwisgo sgert newydd.

Uwch Ofalwr: Mae hi'n ddel iawn. Be ydach chi'n feddwl, Mary?

Ond mae sylw Mary wedi cael ei dynnu at un o'r gofalwyr gwrywaidd ifanc mae'n ei hoffi. Mae'n codi ei llaw arno ac yn gwenu. Mae o'n aros i gael sgwrs. Mae Chris yn dewis dwy sgert arall ac mae'r Uwch Ofalwr yn helpu Mary i'w gwisgo. Mae gofalwyr eraill yn mynd heibio ac yn mynegi eu barn. Yna mae'n trio blows. Mae dau ofalwr ifanc yn dweud bod y flows yn ddel. Mae Mary'n chwerthin gyda nhw ac maen nhw'n aros yn hirach er mwyn cael gweld ei dillad.

Chris: (wrth y gwerthwr) Brynwn ni'r tair sgert a'r tair blows yma. (Wrth Mary) Ydach chi isio cadw'r dillad amdanach? (Wrth y Prif Ofalwr sy'n pasio heibio) O, ia, anghofish i, bydd angen gwnïo'i henw hi arnyn nhw, 'n bydd?

Mae'r Uwch Ofalwr yn trafod gyda'r ddynes sy'n gyfrifol am y golchi dillad ac mae honno'n dweud y bydd yn gwneud hynny'n syth. Mae Chris yn mynd â Mary i'r golchdy. Mae hi'n gwirioni ar yr holl gyfarwyddiadau ar y waliau ac yn eu darllen yn uchel. Mae'r ddynes yn garedig ac yn amyneddgar iawn wrth ddangos iddi ble mae'r basgedi dillad gydag enwau'r preswylwyr arnyn nhw. Mae Mary'n parhau i ddarllen beth sydd ar y wal wrth iddi hi a Chris adael. Mae'n chwerthin gyda'r ddau ofalwr ifanc sy'n dal i fod yno. Mae Chris yn clywed un ohonyn nhw'n dweud nad oedd o erioed wedi cyfarfod unrhyw un a oedd yn chwerthin cymaint. Mae Mary'n edrych i mewn i'r swyddfa ac yn codi ei llaw ar y gofalwr ifanc sydd bellach wrth ei ddesg. Mae Chris yn mynd â Mary'n ôl i'w huned. Wrth iddyn nhw gerdded i lawr y coridor gydag un o'r gofalwyr:

Chris: Ydach chi'n hoffi'ch sgert newydd?

Mary: Yndw... ond ma' hi braidd yn hir.

Chris: Mi gadwith chi'n gynnes yn y gaeaf.

Dorothy: (sy'n gwisgo yr un lliw sgert â Mary) Mae'n debyg i f'un i.

Mae Dorothy a Mary'n cymharu sgertiau. Mae Chris yn gadael.

Mae siopa am ddillad efo Mam yn hwyl, meddyliais. Mae hi'n creu awyrgylch hwyliog o'i chwmpas ac mae hynny'n bositif. Gall godi calonnau rhai eraill er bod ei dementia'n gwaethygu.

Golygfa 3: "Wedi hen syrffedu"

Pan aeth Dad i fyw i uned Mam, cytunai pawb ei fod o i'w weld yn 'well'; roedd o'n sicr yn hapusach bod Mam yn ôl yn ei fywyd bob dydd. Ar yr un pryd, yn enwedig yn ystod y misoedd cyntaf, roedd o'n fwy ymwybodol na Mam o'r bobl o'i gwmpas a oedd yn ymddwyn yn od.

Mae Chris a Fred yn eistedd yn y lolfa ar un o'i ddyddiau gwell.

Chris: Ydach chi'n cofio be ydi enw'r lle 'ma?

Fred: Tŷ Pendro!

Mae'n edrych o'i gwmpas ar y preswylwyr eraill, rhai ohonyn nhw'n crwydro'n aflonydd.

Chris: Ydach chi'n iawn, Dad?

Fred: Dwi 'di hen syrffedu yma.

Chris: Mi fydd hi'n amser te ym munud.

Fred: Dwi 'di syrffedu yfed te.

Gyda Dad, caf y teimlad bod amser yn wag ac yn hir, ac na fedar o wneud dim ond eistedd (neu orwedd ar ei wely) ac aros.

Golygfa 4: 'Mary, Mary...'

Mae Alan a'i wraig Sue yn gantorion talentog ac fe wirfoddolon nhw i gynnal noson lawen yng nghartref gofal Mam a Dad. Maen nhw'n cyrraedd. Y ddau wedi gwisgo'n dwt – hi mewn ffrog laes ac yntau mewn dici-bo – a thri ffrind golygus arall. Y Carling Singers yw eu henwau, am y prynhawn hwn, beth bynnag.

Mae Alan wedi paratoi rhaglen dda; casgliad o hen ganeuon a chaneuon adnabyddus o sioeau cerdd. Mae'n rhoi copi o'r geiriau i bawb yn y gynulleidfa.

Mae'r preswylwyr yn eistedd mewn cylch gyda'i gilydd, gyda rhai o'r staff, gan gynnwys y rheolwr a'r is-reolwyr. Mae Fred a Mary'n eistedd gyda'i gilydd, ac mae Chris wedi dod draw hefyd – mae hi'n eistedd ar ochr dde Fred ac yn canu i'w glust gan ei annog i gymryd rhan. Mae'r cyngerdd yn mynd yn dda – a daw tro Alan i ganu'n unigol. Ond yn hytrach na sefyll wrth ymyl y piano, mae'n dod i mewn i'r cylch ac yn sefyll o flaen ei fam, Mary.

Wrth iddo ganu cân drist, mae Chris yn teimlo dagrau yn llifo i lawr ei boch. Mae'r rheolwr a'r is-reolwyr yn profi'r emosiwn hefyd. Mae Alan yn cusanu Mary ac mae pawb yn curo dwylo.

Mae Mary'n falch o gael sylw ond dydi hi ddim yn deall pam oedd y sylw i gyd arni hi. Mae hi'n falch o fod yng nghwmni ei mab ond nid yw'n deall pam ei fod o'n canu'n arbennig iddi hi. Ni, y lleill, y rhai sydd yn eu hiawn bwyll sy'n teimlo emosiwn ac arwyddocâd y digwyddiad: mab yn ei chwedegau yn canu i'w fam yn ei nawdegau gan fynegi, o flaen pawb, ei gariad tuag ati.

Golygfa 5: "Mae hi'n llawer gwell nawr"

Roeddwn wedi dechrau poeni bod Mam yn colli'r gallu i siarad yn eglur; roedd hi'n fwy anodd ei deall ac yn methu gorffen brawddegau. Yna wrth ymweld un diwrnod, teimlwn fy mod wedi bod yn poeni'n ddiangen; roedd ei lleferydd yn llawer gwell. Roedd un o'r gofalwyr yno, yn sefyll tu ôl i gadair Mam. Er mwyn i mi allu siarad â hi, sefais ar fy nhraed a Mam yn dal i eistedd. Golygai hynny ein bod ni'n siarad dros ei phen.

Mae Chris a'r gofalwr yn sgwrsio am Mary, a Chris yn mynegi ei phryder ynglŷn â dirywiad ieithyddol Mary, ond doedd y gofalwr ddim yn ymwybodol o hynny.

Chris: (yn mwytho pen Mary) Ond ta waeth, mae hi'n llawer gwell nawr.

Gofalwr: Yndi, mae hi. Yn tydach, Mary?

Nid yw Mary'n ateb; yn hytrach mae'n ymestyn i gyfeiriad Chris ac yn awgrymu ei bod yn plygu ei phen tuag ati. Mewn penbleth, mae Chris yn gwyro'i phen.

Mary: (Yn mwytho pen Chris) Mae hi'n llawer gwell nawr.

Mae Chris yn sylweddoli bod Mary yn talu'r pwyth yn ôl, yn dangos sut beth yw mwytho pen rhywun a sôn amdanyn nhw dros eu pennau.

Chris: Mae'n ddrwg gen i. Do'n i ddim yn meddwl siarad amdanoch chi o'ch blaen chi. Ond roedd Kate ar ei thraed a...

Rwy'n cofio meddwl bod hwn yn enghraifft o 'ymateb emosiynol normal' Mam yn hytrach nag ymateb oherwydd ei dementia. A hithau'n enaid sensitif, roedd hi'n casáu meddwl (ac mi fyddai hi'n dychmygu hyn yn aml) bod pobl yn nawddoglyd wrthi neu, yn waeth na dim, yn chwerthin am ei phen. Roedd ei chymeriad yn gyson wrth iddi ymateb yn gryf i'r ffaith anffodus 'mod i wedi sôn amdani o'i blaen, a mwytho'i phen ar yr un pryd.

Golygfa 6: "Ydi'r car gen ti?"

Fel rydan ni wedi gweld eisoes, tawel oedd Dad y rhan fwyaf o'r amser, ond roedd yn fwy siaradus yn ei ddyddiau dryslyd, yn union fel pe bai'n fyw ac yn rhan o fywyd unwaith eto. Un dydd Sadwrn yn y gaeaf, cafodd un o'r diwrnodau hynny wrth iddo sgwrsio am y dyddiau 'ar y seit'. (A oedd o'n ôl yn ei ddyddiau yn gweithio yn ICI tybed?)

Mae Fred, Mary a Chris yn eistedd yn y lolfa.

Fred: (yn edrych i gyfeiriad y ffenestr ond yn gweld rhywbeth gwahanol) Does dim gwaith yn digwydd ar y seit heddiw...

Chris: Dydd Sadwrn ydi hi.

Fred: Do'n i ddim yn sylweddoli 'mod i'n gweithio'n fan'ma am ddim. (Saib) Ydi'r car gen ti?

Chris: Yndi.

Fred: Alli di roi lifft adra i ni?

Gan bendroni tybed beth mae 'adref' yn ei olygu iddo, mae Chris yn nodio, heb ymrwymo'i hun i'r cais. Mae Mary hefyd fel pe bai'n teimlo'i bod hi'n cael mynd i rywle.

Chris: Sdim rhaid i ni fynd i unlle.

Ymhen dim, mae hi'n amser te; mae Fred a Mary'n cael eu tywys at y bwrdd. Mae Chris yn mynd gyda nhw cyn paratoi i ddweud ffarwél a rhoi llonydd iddyn nhw gael eu te. Ond wrth iddi fynd, mae Fred yn aflonyddu.

Fred: Paid â mynd. Rhaid i ti roi lifft i ni.

Chris: Ond sdim rhaid i chi fynd i unlle. Mae gynnoch chi stafell yn fan'ma.

Fred: (wrth Mary, heb ei argyhoeddi) Allwn ni fynd ar y bws.

Chris: (Yn anobeithiol) Mae hi'n rhy oer.

Mae Fred wedi cynhyrfu. Mae'n codi o'r bwrdd. Mae un o'r gofalwyr gerllaw.

Gofalwr: Yfwch eich te, Fred.

Fred: Dwi wedi laru ar yfed blydi te!

Mae Chris yn credu mai'r peth gorau iddi wneud fyddai gadael. Wrth iddi gamu i lawr y coridor, mae'n clywed:

Fred: Mae Chris wedi mynd.

Mae Chris yn teimlo'i bod wedi ei fradychu ac yn penderfynu mynd yn ôl.

Chris: Na, dwi'n dal yma, ond mae'n rhaid imi fynd i gael fy swper.

Mae'n gadael eto. Mae Fred yn codi ac yn ceisio'i dilyn. Wrth iddi adael, mae hi'n clywed y gofalwr yn dweud yn garedig:

Gofalwr: Pob dim yn iawn, Fred. Steddwch a gorffennwch eich te.

Daeth emosiynau Dad i'r amlwg yn yr achos hwn am ei fod yn feddyliol (ac yn emosiynol) mewn cyfnod amser arall, ar adeg neu gyfnod pan oedd o'n gorfod bod yn rhywle arall. Roedd yn rhaid i fy emosiynau i aros yn 'y byd real' a pheidio ymuno â'i ddryswch, gan wybod na fyddai Dad yn deall hynny. Yr unig gysur yn y sefyllfaoedd hyn yw eu bod yn cael eu hanghofio'n gyflym, o leiaf gan y sawl â dementia. Pan ymwelais â Dad y tro wedyn, doedd o ddim yn cofio ei fod eisiau lifft adref.

Ond do'n i, ar y llaw arall, ddim yn anghofio. Er ei fod mewn cyfnod arall ac er 'mod i'n gwybod bod dim rheswm i mi deimlo'n euog am nad o'n i wedi 'rhoi lifft adref' iddo, ro'n i'n dal i deimlo cynnwrf a phryder Dad bob tro o'n i'n meddwl am y sefyllfa. "Mae Chris wedi mynd," meddai, gan golli'r cyfle i fynd i ble bynnag oedd o eisiau. Ac ro'n i'n teimlo'n uffernol – un enghraifft o ddementia Dad yn cael effaith emosiynol waeth arna i nag arno ef.

Golygfa 7: Penblwyddi a dathliadau

Datblygodd Mam hiwmor direidus. Ar ei phen-blwydd yn 92 oed, cawsom y sgwrs ganlynol.

Chris: Faint ydi'ch oed chi?

Mary: Cant.

Chris: Rydach chi'n gwybod tydi hynny ddim yn wir.

Mary: Rhaid deud celwyddau weithiau!

Gan nad oedd hi'n ymwybodol o amser, doedd hyd yn oed y dyddiadau pwysig yn golygu dim bellach. Ar 23 Rhagfyr 2008, roedd Fred a Mary wedi bod yn briod ers 69 o flynyddoedd.

Y diwrnod hwnnw, mae Chris yn eistedd gyda Fred a Mary.

Chris: (wrth Mary) Rydach chi wedi bod yn briod ers 69 o flynyddoedd.

Mae Mary'n syllu'n syn.

Mary: (wrth Fred) Wnest ti ddim deud wrtha i!

Mae Fred yn edrych ar Chris fel pe bai'n gofyn iddi ei achub – mae'n amlwg nad oedd o'n gwybod chwaith!

Golygfa 8: Ddydd Nadolig daw plentyn i ymweld

Ymwelais â Mam a Dad fore'r Nadolig a rhoi f'anrhegion iddyn nhw, er nad yw Mam bellach yn deall beth yw anrheg. Mae Dad yn bwyta'i siocled diabetig ond hefyd yn estyn at siocledi Mam, nad ydyn nhw'n rhai i bobl â diabetes, sy'n edrych yn llawer mwy blasus. Mae'r gofalwyr yn ceisio creu awyrgylch Nadoligaidd, ond mae'n waith anodd.

Yna, mae gŵr ifanc, tal yn cyrraedd gyda'i ferch fach deunaw mis oed yn ei freichiau. Maen nhw wedi dod i ymweld â'i daid, hen daid iddi hi, gŵr eiddil sy'n byw yn yr uned heb ddweud fawr ddim wrth neb, dim ond gwenu a chodi llaw. Mae Dad yn ei alw'n Mr Sbonc oherwydd ei duedd i 'hopian' o gwmpas.

Mae'r ferch fach yn swil ar y dechrau ond yn fuan iawn mae hi'n ei rhyddhau ei hun o freichiau ei thad ac yn crwydro'n hapus braf o gwmpas y lolfa. Mae pawb yn edrych arni. Mae'r preswylwyr mud yn gwenu, eu llygaid yn ei dilyn o gwmpas. Mae Dad a Mam wrth eu boddau ac yn ceisio tynnu ei sylw. Mae'r ferch fach wedi gwirioni ar bopeth o'i chwmpas – y pysgod yn yr acwariwm, y papur lapio a'r hen bobl o'i chwmpas. Ddim yn barnu neb na dim, dim ond chwilfrydedd. Ac mae'r preswylwyr, sydd i raddau wedi colli cymaint ohonyn nhw eu hunain, yn dangos eu bod yn dal yn gallu dangos pleser a chael eu swyno gan blentyn bach.

Golygfa 9: "Gallwn ei lladd hi"

Gan fod Dad yn treulio llawer o'i amser yn cysgu, mae Mam yn aml yn eistedd yn y lolfa gyda Dorothy, yn gwneud sylwadau synhwyrol, call ar brydiau, ond ddim trwy'r adeg. Mae Dorothy'n iau na Mam, ac yn teimlo'n fwy cysurus ei byd pan fo ganddi rywun i ofalu amdano. Mae hi wedi dewis Mam i fod dan ei hadain, ond dydi honno ddim fel petai'n sylweddoli hynny'n llawn.

Mae Mam a Dorothy'n eistedd gyda'i gilydd ar gadeiriau breichiau yn y lolfa pan ddaw Chris i mewn. Yn anarferol, mae Dorothy'n cysgu. Ond mae Mary'n parhau i siarad â hi, heb gael unrhyw ymateb.

Mary: (wrth Chris, gan gyfeirio at Dorothy) Gallwn ei lladd hi!

Chris: (bob amser yn barod i ddweud yr amlwg) Mae hi'n cysgu.

Mae Mary'n gwneud synau cas ac yn rhythu ar Dorothy.

Dwi'n cofio synnu pa mor flin oedd Mam efo Dorothy am ei bod hi'n cysgu ac yn peidio ag ymateb i'w sylwadau. Roedd Mam fel pe bai eisiau i rywun gadarnhau'r hyn roedd hi'n ei ddweud. Ond nawr 'mod i yn ei chwmni, gallai Mam gyfeirio ei sylwadau ata i, ond gwrthodai. Roedd hi fel pe bai hi eisiau cefnogaeth Dorothy i ddangos i bobl o'r tu allan – sef fi yn yr achos hwn – fod ganddyn nhw fywyd a'u bod yn gwybod am beth o'n nhw'n sôn.

Wel, dyna un eglurhad posib am deimladau cryfion Mam. Ond efallai fod rhyw reswm cwbl wahanol. A oedd Mam yn meddwl mai rhywun arall oedd Dorothy, rhywun o'i gorffennol a oedd wedi ei siomi? Ni allwn fod yn rhy siŵr beth sy'n tanio emosiwn person sydd â dementia. Gallwn edrych a gallwn ddyfalu. Yn gywir, neu'n anghywir.

Golygfa 10: "O'n i'n mwydro nawr?"

Mae cleifion sydd â dementia sy'n debyg i glefyd Alzheimer yn gallu bod yn llawer llai swil nag o'n nhw yn y gorffennol. Er enghraifft,

wrth fynd â Mam am dro o gwmpas y gerddi dydi hi ddim yn swil
o gwbl. Wel, dyna o'n i'n feddwl, cyn i mi sylweddoli mai dim ond
gyda'r gofalwyr y mae hi'n tynnu coes ac yn chwerthin. Mae hi'n
meddwl mai'r gofalwyr yw ei ffrindiau a phan mae hi'n eu gweld, tu
mewn neu du allan i'r uned, mae hi'n gwbl hapus a chyfforddus yn
eu cwmni.

Nid yw ei hagwedd at ei chyd-breswylwyr yr un peth, hyd yn oed
os ydi hi wedi'u gweld sawl gwaith o'r blaen. Pan dwi'n ei chwmni
ac rydan ni'n cyfarfod ei hoff ofalwyr, mae'n aml yn pwyntio ata i
ac yn dweud wrthyn nhw, "fi yw mam honna" fel pe bai hwnnw'r
tro cyntaf iddyn nhw ei chlywed hi'n dweud hynny. Hyd yn oed pan
maen nhw'n ei hateb gan ddweud eu bod yn gwybod hynny eisoes,
does ganddi ddim ots. Ond nid yw hynny'n wir am ei sgyrsiau â'r
preswylwyr eraill.

*Mae Chris a Mary wedi bod am dro o gwmpas y gerddi. Mae Chris yn
gafael yn llaw Mary. Wrth iddyn nhw nesáu at yr adeilad mae Chris yn
cyfarch hen wraig sy'n ymlacio yn ei chadair freichiau, un sy'n byw yn
'rhan gyffredin' y cartref gofal.*

Mary: (wrth y preswylydd arall, gan bwyntio at Chris) Fi yw mam
hon.

Preswylydd: O, dyna braf.

Chris: Rydan ni wedi bod am dro.

Mary: Fi ydi mam hon.

*Mae Chris a Mary'n mynd i mewn trwy'r drws ac yn cerdded i lawr y
coridor i gyfeiriad yr uned.*

Mary: O'n i'n mwydro nawr?

Chris: Na, roeddach chi'n iawn.

Yn y digwyddiad bychan hwn, sylwais ar ddau beth: yn gyntaf, bod
Mam yn gwahaniaethu rhwng y gofalwyr a'r preswylwyr eraill, rhai
nad oedd hi mor gyfforddus yn eu cwmni. Ac yn ail, bod Mam yn
poeni am rywbeth sy'n gyffredin i ni gyd ar brydiau: o'n i'n swnio'n
dwp? Er nad oedd hi'n swil ar adegau, roedd hi'n dal yn gallu bod
yn hunanymwybodol.

Mae bywyd yn mynd yn ei flaen

Dyna'r math o olygfeydd sy'n digwydd yn ddyddiol. Golygfeydd o lawenydd a thristwch. Golygfeydd o bryder, anfodlonrwydd, a derbyn. Pe bai'r golygfeydd wedi eu canolbwyntio ar un o'r preswylwyr eraill, wedi'u dewis gan eu teulu nhw, byddai'r manylion wedi bod yn wahanol wrth gwrs. Ond byddai amrywiaeth ac ystod yr emosiynau yn dal wedi bod yno.

Pe bai ymwelydd dieithr yn eistedd yn y lolfa mewn cartref gofal, byddai'r preswylwyr, weithiau'n ddryslyd, weithiau'n gysglyd, yn edrych, ar yr olwg gyntaf, fel hen bobl sy'n farw i'r byd o'u cwmpas. Ond wrth dreulio amser yn eu plith, mae'r llun yn fwy cymhleth; casgliad o bersonoliaethau gwahanol sydd ag emosiynau gwahanol yn deillio o brofiadau gwahanol, a'u dementia gwahanol yn creu bywydau gwahanol.

"Cyn belled â'n bod ni gyda'n gilydd, does dim ots o gwbl"

Mewn un ystyr, roedd Dad a Mam yn wahanol i'r preswylwyr eraill yn yr uned lawr grisiau am eu bod wedi rhannu bywyd gyda'i gilydd ac – er bod y bywyd hwnnw wedi newid – maen nhw'n dal i gyd-fyw.

Ar y cerdyn yrrodd Dad i Mam i ddathlu eu priodas ddiemwnt, ysgrifennodd hefyd: 'Efallai nad yw popeth wedi digwydd fel yr oeddan nhw i fod... ond wrth edrych yn ôl, faswn i ddim eisiau rhannu'r chwe deg mlynedd diwethaf efo neb arall ond ti.'

Am ryw reswm, glynodd y cymal 'efallai nad yw popeth wedi digwydd fel yr oeddan nhw i fod' yn fy nghof gan wneud i mi feddwl am eu sefyllfa. Nid oedd byw mewn cartref gofal mewn uned dementia, eu meddyliau wedi dirywio mewn ffyrdd gwahanol, yn rhan o'u cynllun.

Ac eto, er yr holl elfennau negyddol, roedd un peth cadarnhaol iawn; roedd y ddau gyda'i gilydd. Er eu bod yn fregus, roedd eu bywydau emosiynol fel cwpl yn parhau. Ac er bod Dad yn treulio llawer o'i amser yn dawel neu'n diflannu i'w stafell i gysgu, roedd o'n cael cyfnodau cariadus. Arferai'r gofalwyr adrodd hanesion bychain amdanyn nhw:

"Y diwrnod o'r blaen, amser brecwast, mi ddoth Fred i mewn. 'Helô, cariad,' meddai wrth Mary, a rhoi clamp o gusan iddi."

"Roeddan nhw'n eistedd gyda'i gilydd yn y lolfa'n gynharach. Aeth y ddau i gysgu yn gafael yn nwylo'i gilydd."

Waeth pa mor amherffaith, debyg eu bod yn gallu rhoi sefydlogrwydd emosiynol i'w gilydd. Roedd gan y ddau rywun yn eu bywydau a oedd yn eu deall ac yn eu derbyn am bwy o'n nhw. Do'n nhw ddim yn gallu cyfleu eu hunain yn dda bellach na helpu ei gilydd yn ymarferol, ond roeddan nhw'n gallu gwenu ar ei gilydd a dal dwylo.

Nid yw amser o'n plaid

Yn y sgwrs olaf a gefais â Rheolwr Gofal yr ysbyty cyn i Dad a Mam fynd i'r cartref gofal, dywedais pa mor anodd oedd hi. "Ac mi aiff yn anoddach," oedd ei hateb.

Ac roedd hi yn llygad ei lle. Gallwn eisoes ragweld adeg pan na fyddai Mary a Fred yn adnabod ei gilydd, eu stori serch ar ben ar ôl dros saith deg mlynedd.

A gallwn hefyd ragweld y diwrnod pan na fyddan nhw yn fy adnabod i. Er fy mod yn derbyn bod hynny'n anochel, mae'n dristwch enfawr Dementia yw'r ymennydd yn nofio mewn môr o emosiwn.

Eu hemosiwn nhw a ninnau. Ond yn nofio'n hirach yn ein môr ni.

Pennod 9
Y llwybr hir i dawelwch

Beth yw'r dyfodol? Mae un peth yn sicr – ni fydd diweddglo hapus. Ond mae un uchafbwynt arall ar ôl yn hanes carwriaeth Fred a Mary sef dathlu 70 mlynedd o lân briodas ar 23 Rhagfyr 2009, gyda pharti wedi ei drefnu yn y cartref gofal a cherdyn gan y Frenhines, wedi ei drefnu gen i. Dau berson cyffredin wedi llwyddo i wneud rhywbeth go anghyffredin.

Wrth i'r dyddiad agosáu, roedd y ddau wedi bod yn y cartref gofal ers dros ddwy flynedd, a'u dementia'n gwaethygu'n raddol. Roedd Fred bellach wedi rhoi'r gorau i gerdded, ei gyhyrau wedi gwanhau oherwydd iddo beidio â'u defnyddio, ond roedd o'n dal i allu symud yn araf fel malwoden ar ei bulpud rhwng ei ystafell a'r lolfa. Ond ar ei ddyddiau dryslyd byddai'n cael rhyw ail wynt ac yn aflonyddu. Erbyn hyn roedd Mary wedi cael pulpud hefyd ond doedd hi ddim yn ei ddefnyddio'n aml gan fod yn well ganddi ddefnyddio'r rheiliau pren ar waliau'r coridorau, neu fraich un o'r gofalwyr. Yn dal i hoffi crwydro, hi oedd yr un fwyaf bywiog yn ei chymuned glòs, er ei bod wedi dioddef ambell gwymp go hegar.

Ymwelwn â nhw'n gyson gan raddol sylweddoli fod ymweliadau cyson yn fwy o les i mi nag i Mam a Dad. Doeddan nhw ddim yn sylwi pan fyddwn i'n mynd ar fy ngwyliau. Neu'n hytrach, pan fyddwn i'n dychwelyd doeddan nhw ddim wedi sylwi 'mod i wedi mynd. Pam oedd hynny'n syndod i mi? Wedi'r cwbl, dwi'n gwybod bod dementia'n chwalu'r cof gan ddechrau gyda'r digwyddiad mwyaf diweddar ac yn newid trefn amser a lle. Ond roedd rhan ohonof yn disgwyl iddyn nhw ymddwyn yn 'normal', dweud eu bod yn falch o 'ngweld i'n ôl, eu bod nhw wedi 'ngholli i, neu holi sut wyliau ges i. Ro'n i fel pe bawn yn disgwyl iddyn nhw ymddwyn fel rhieni normal a dangos diddordeb! Mae'n anodd newid hen ddisgwyliadau.

Un araf ydw i am ddysgu; cymerodd hi ddwy flynedd i mi sylweddoli bod Mam ddim yn deall 'mod i'n ymweld â hi mewn cartref gofal achos dydi hi ddim yn gwybod ei bod hi mewn lle o'r fath! Sut allai? Pan dwi'n mynd i mewn i'r lolfa mae ei llygaid yn goleuo a minnau'n cymryd yn ganiataol ei bod hi'n falch o 'ngweld i. Ond mae ei llygaid yn goleuo pan mae hi'n gweld gofalwr mae'n ei adnabod hefyd. Ac weithiau mae hi'n edrych arna i fel pe bai'n ceisio fy adnabod, neu'n ceisio dyfalu o ble dois i.

"Ble wyt ti wedi bod?" gofynnodd wrth i mi gerdded i mewn ryw ddiwrnod yn yr hydref, gan awgrymu fy mod wedi diflannu heb reswm a dyma fi'n ôl eto. Gan nad o'n i'n gwybod sut oedd ei meddwl hi'n gweithio, roedd hi'n anodd iawn ateb. "Dwi wedi bod yn siopa," meddwn, ond roedd y gair 'siopa' yn ddieithr iddi, un o'i hoff weithgareddau wedi diflannu o'i chof. Rai dyddiau'n ddiweddarach, roedd wedi dal annwyd a hynny wedi'i gwneud yn fwy dryslyd nag arfer. Y diwrnod hwnnw, doedd hi ddim yn cofio fy enw. "Roia i gliw i chi," meddwn. "C... R..." "Crac!" dyfalodd. "Naci. Chris!" "Chris," ailadroddodd. "Dyna enw del." "Chi ddewisodd o," meddwn. "Chi ydi fy mam i. Dyna pam dwi'n dod i'ch gweld chi. I wneud yn siŵr eich bod chi'n iawn."

Y tro nesaf dwi'n ei gweld mae hi'n gwybod yn bendant fy mod i'n un o'r teulu. "Ble mae 'nhad?" gofynna, wrth i ni yfed te. Roedd hi wedi dechrau cymysgu rhagenwau personol. Roedd hi'n arfer pwyntio ataf a dweud, "Fi ydi mam hon," ond bellach roedd hi'n llawn mor debygol o ddweud, "Fy mam ydi hon." Mae'n bosib hefyd mai gofyn i mi ble roedd Dad mae hi. "Fy nhad *i* ydach chi'n feddwl?" Mae hi'n ystyried am ennyd. "Eich gŵr chi? Fred?" "Ia." "Mae o yn ei stafell." Yna'r syndod yn ei llais. "Ooo, ble ma honno?" "Lawr ffor'cw. Ar hyd y coridor."

Credaf fod Dad, ryw ddwy flynedd ers iddo ddod i'r cartref gofal, yn gwybod ei fod mewn cartref ond alla i ddim cadarnhau hynny oherwydd tydi o ddim yn siarad. Wel, dim ond gair neu ddau. Pan dwi'n cyrraedd, mae weithiau'n gwenu, a weithiau ddim. Ar ddiwrnod da mi ddywedith ychydig eiriau. Un diwrnod gofynnais iddo sut rydoedd ac yn hytrach nag ateb, "Ofnadwy," yn ôl ei arfer, dywedodd, "Gweddol." Ro'n i'n falch o'i glywed yn siarad ac yn ymateb yn gadarnhaol. Os ydi o'n 'weddol', tydi o ddim mewn pwl o iselder, ddim mor drist. A phan mae o'n llai trist, dwi'n fwy hapus.

Pa mor ddrwg?

Nid ydym yn gwybod beth sydd o'n blaenau. Yr unig beth sy'n bendant yw bod eu dementia'n gwaethygu a'r unig ffordd i fesur eu dirywiad yw cymharu'r naill flwyddyn â'r llall. Ymunodd Dad â Mam lawr grisiau yn Hydref 2008. Ar ôl y symud hwn, yn ystod f'ymweliad cyntaf, roedd y ddau'n eistedd gyda'i gilydd mewn cadeiriau yn y lolfa. Y diwrnod hwnnw roedd Dad mewn hwyliau da ac yn gwisgo'i gap pêl-fas. Er nad oedd yn gwneud fawr o synnwyr, roedd o'n siarad cryn dipyn, dweud fel yr oedd eisiau prynu "sbectols pum gini" ac yn sôn am ei ffrindiau yn yr RAF ac ICI. Roedd Mam yn llawn bywyd hefyd, yn dweud bod angen "rhoi trefn ar Dad" er nad oedd yn gwybod yn iawn sut i wneud hynny. Roedd Dad yn aflonydd – gallai gerdded yn weddol er ei fod yn tueddu i ddefnyddio ffon. Arferai godi, croesi'r ystafell, edrych trwy'r llenni, eistedd eto a rhoi ei draed ar y bwrdd bach a oedd yn dal diodydd. Dyna sut oedd bywyd bryd hynny.

Flwyddyn yn ddiweddarach, ym mis Hydref 2009, roeddan nhw'n dal i eistedd yn y cadeiriau yn y lolfa. Ond doedd dim cap ar ben Dad: eisteddai ag un goes ar lawr a'r llall ar y bwrdd bach, yn cysgu. Gwelodd Mam fi'n cyrraedd a rhoddodd hergwd i goes Dad er mwyn ceisio'i ddeffro ond parhaodd i gysgu. "Mae'n iawn. Gadewch iddo gysgu," meddwn, wedi hen arfer â'i weld o'n cysgu. Fel arfer, roedd o'n cysgu yn ei wely, neu arno; ond o leiaf ro'n i'n cael cyfle i'w weld. Yn ystod yr awr o'n i yno, do'n i ddim yn cael fawr o gyfle i gael sgwrs yn ystod y munud neu ddau oedd o'n effro. Yn y dyddiau cynnar roeddwn yn gysur iddo; ond cwsg oedd ei gysur bellach.

Gan nad oedd hi'n deall y syniad o 'ymweliad' roedd Mam yn meddwl bod f'ymweliadau'n arwydd bod rhywbeth ar fin digwydd, ond doedd hi ddim yn siŵr iawn beth. Roedd ei gallu i'w mynegi ei hun yn gwaethygu – gallai ddechrau brawddeg ond byddai'n cael trafferth ei gorffen. Y geiriau mae'n eu defnyddio fel rheol yw, "Be ydi... rheina... hwnna... ddyliat ti fod... yn fan'cw..." Mae llawer o eiriau yn ddieithr iddi. Pan dwi'n pwyso arni i'w mynegi ei hun yn fwy eglur mae'n dweud, "Alla i ddim cofio dim." Ond mae'n dal i allu mynegi teimladau. "Ma' honna'n warthus," meddai am un o'r preswylwyr a oedd yn ymddwyn yn od. "Rydach chi'n chwerthin bob tro rydach chi'n gweld fy wyneb," meddai un o'r gofalwyr wrthi. "Mae gynnoch chi wyneb del," atebodd. Mae ei gallu i ymateb i rai pethau'n fyw o hyd.

A dyna'r sefyllfa ar ôl dwy flynedd. Dad yn dawel ac yn cysgu trwy'r adeg, a Mam yn cael trafferth ei mynegi ei hun. Ac eto...

Dal yn seren

Roedd Dad wedi cilio'n ôl ac arafu cyn iddo ddod i'r cartref gofal ond roedd Mam – er gwaethaf ei meddwl dryslyd – yn dal yn mynnu sylw. "Beth am fynd am dro," dywedaf. Cytuna i fynd er ei bod braidd yn nerfus oblegid doedd hi ddim yn deall yn iawn beth o'n i'n feddwl. Dwi'n gafael yn ei llaw ac rydan ni'n cerdded tuag at y drws sydd â chod diogelwch – cod dwi'n ei wybod ond dydi hi ddim. Mae hi'n hoffi dal dwylo gyda'n bysedd wedi eu gwau drwy'i gilydd, tan i mi gofio rhybudd un o'r is-ofalwyr. Cymerwch bwyll wrth afael yn ei llaw, meddai hi. Daliwch yn ei llaw fel hyn – ac mi ddangosodd sut i gadw fy mawd yn rhydd ac i afael yn llaw Mam ger ei harddwrn. Pam? Oherwydd pe bai hi'n syrthio, mi afaelith mor dynn, a chydio mor galed nes datgymalu'ch bawd. Dwi'n addasu'r gafael dwylo, cyn mynd trwy'r drws i fyd rhydd, sef y rhan 'normal' o'r cartref gofal.

Mae Mam yn mwynhau cyfarfod pobl mae hi'n eu hadnabod, pobl fel y rheolwr – pawb â gwên lydan a "Helô, Mary." Rydan ni'n mynd i lawr i'r lolfa arall ar lawr gwaelod yr uned. A Mam yw'r seren. Yr hyn sy'n dod â deigryn i fy llygaid yw'r ffordd mae hi'n mwynhau gweld pobl mae hi'n gyfarwydd â nhw, yn yr achos hwn yr ofalwraig sydd ar ddyletswydd ac un o'r preswylwyr oedd gyda hi ar yr uned am gyfnod. Does ganddi ddim syniad ble mae hi, dydi hi ddim yn dweud llawer, ond eto mae llygaid pawb yn cael eu denu ati oherwydd mae'n ymddwyn fel plentyn, yn chwilfrydig ac anrhagweladwy. Ar ôl edrych o gwmpas yr ystafell, mae hi'n eistedd yn un o'r cadeiriau. Yn y man, dwi'n ei chodi oddi yno ac mae hi'n protestio, yn union fel plentyn sy'n cael ei dynnu oddi ar siglen. Wrth i ni fynd yn ôl ar hyd un o'r coridorau, sylwaf fod drws un stafell ar agor. Dwi'n gadael Mam am eiliad yn y coridor er mwyn dweud helô wrth un o'r preswylwyr dwi'n eu hadnabod sydd hefyd ag ymwelwyr. Yna, mae Mam yn pipian trwy'r drws. "Helô," meddai un o'r ymwelwyr. "Sut dach chi?" "Dwi'n dda iawn, diolch," ateba Mam, yn gwrtais. Sylwaf ei bod hi'n cofio ymadroddion cwrtais.

Er bod ei dementia'n gwaethygu – ei diffygion ieithyddol yn un arwydd amlwg – mae ganddi bersonoliaeth gref, un sy'n blodeuo wrth i'w swildod ddiflannu. Mae hi'n dal i gyfathrebu â'r byd. Ond dwi'n poeni bod ei thynnu allan o'i phatrwm byw dyddiol yn niweidiol gan ei bod hi'n aflonydd ar ôl dychwelyd i'w hystafell. Dwi'n sicr wedi sylwi bod llawer o'r preswylwyr yn fwy dryslyd ar ôl dychwelyd o'r gwasanaeth eglwysig sy'n cael ei gynnal i fyny'r grisiau yn y cartref gofal. Ond dydi Mam ddim yn ymddwyn felly oherwydd dydi hi ddim yn sylweddoli ei bod wedi bod i'r gwasanaeth. Ond weithiau mae un o'r preswylwyr yn dechrau nadu crio bod ei gŵr wedi marw; a yw hi'n credu mai angladd ei gŵr oedd y gwasanaeth?

Ar y diwrnod arbennig hwn, rydan ni'n mynd yn ôl i'r lolfa ac mae Mam yn eistedd wrth ymyl Dad. Mae o'n dal i gysgu ac mae hi'n dechrau aflonyddu. Mae hi'n mynd at y byrddau sydd wedi eu gosod â chwpanau a soseri cyn dechrau taro cwpan yn galed yn erbyn soser. Mae un o'r gofalwyr yn ceisio tynnu ei sylw trwy ddweud wrthi am edrych trwy'r ffenestr. Fel rheol, mae hi wrth ei bodd yn edrych trwy'r ffenestr ond mae rhywbeth yn peri pryder iddi heddiw. Erbyn hyn, mae hi'n amser cael moddion, amser trafferthus bob tro achos nid oherwydd bod Mam yn gwrthod cymryd y tabledi atal poen ar gyfer ei phengliniau, ond oherwydd ei bod wedi anghofio sut i'w llyncu gyda gwydraid o ddŵr. Mae hi'n ceisio cnoi'r bilsen tra 'mod i a'r gofalwyr yn ceisio'i pherswadio i beidio: "Ych, na, Mary, mae honna'n mynd i flasu'n ofnadwy, llyncwch hi efo diod o ddŵr." Ond fel 'siopa', dydi'r gair 'llyncu' yn golygu dim i Mam bellach. Mae hi'n parhau i gnoi gan anwybyddu'r blas drwg. "Ydi o wedi mynd, Mary?" Mae Mam yn agor ei cheg yn ufudd ac mae'r bilsen, er ei bod wedi ei sugno'n llai, yno o hyd. "Yfwch hwn..." Ac mae hi'n yfed er mwyn llyncu'r bilsen.

Mae hi'n amser te ac mae'r preswylwyr yn cael eu harwain at y byrddau. Gan ei bod yn ysgafndroed, Mam yw un o'r rhai cyntaf i gyrraedd ac mae hi'n cael ei hannog i eistedd. Ond gan nad yw'n deall *pam* mae hi wrth y bwrdd, mae hi'n codi ac yn mynd ar grwydr. Daw Dad i mewn i eistedd wrth ei hymyl ond dydi hynny ddim yn help o gwbl. "Steddwch, Mary, yfwch eich te." Dwi'n penderfynu gadael rhag ofn mai fy mhresenoldeb sy'n cymhlethu'r sefyllfa. "Steddwch, Mary" – mae'r geiriau'n fy nilyn i lawr y coridor wrth i mi bwyso'r cod diogelwch sy'n mynd â fi'n ôl i'r byd 'normal'.

Gallu cydymdeimlo

Er nad ydym yn gwybod beth fydd dyfodol y ddau ohonyn nhw – Mam efallai ddim yn adnabod neb ac wedi anghofio sut i fwyta ac yfed, a Dad yn cael trawiad neu strôc sydyn – rydan ni i gyd yn falch eu bod dan ofal da. Y fantais fawr yw bod y ddau yn yr uned lawr grisiau a bod y staff yn gallu cadw llygaid barcud arnyn nhw. Mae'r gofalwyr rheolaidd yn gyfarwydd iawn â nhw ac yn sylwi'n syth os oes rhywbeth o'i le. Mae'r cartref gofal hefyd yn agos iawn at eu hen gartref sy'n golygu eu bod wedi eu cofrestru o hyd gyda'r un feddygfa. Mae'r feddygfa hefyd fel petai wedi cyflogi staff sy'n fwy rhagweithiol gan fod gwahanol feddygon yn fy ffonio ar adegau i drafod penderfyniadau ynglŷn â gofal meddygol Dad a Mam.

Y dyddiau hyn, mae meddyginiaeth yn y bôn yn seiliedig ar brofion, a'r meddygon teulu yn geidwaid y porth i ymchwiliadau'r ysbyty i symptomau cleifion neu yn sgil anghysonderau'n codi o brofion gwaed. Un o'r profion gwaed hynny ddangosodd fod Mam yn anemig: cefais alwad ffôn gan feddyg dieithr i drafod y cam nesaf. Eglurodd nad oedd anemia Mam yn un y gellid ei drin trwy roi mwy o haearn iddi. Byddai archwilio pellach yn golygu profion treiddiol... y cwestiwn oedd a oeddwn i'n fodlon bod Mam yn cael y profion hynny o gofio'i hoed, ei dementia a'r ffaith nad oedd ganddi symptomau amlwg. "Na" oedd fy ymateb cyntaf ac roedd hynny'n cyd-fynd â barn y meddyg. Cytunodd y ddwy ohonom mai'r peth gorau i'w wneud oedd cadw llygad arni i weld a fyddai rhagor o symptomau'n datblygu ac wedyn ystyried adolygu'r sefyllfa. Ro'n i'n falch bod y meddyg yn meddu ar synnwyr cyffredin ac yn gallu cydymdeimlo.

Chwarae'n saff

Profiadau mwy cymysg gafodd Dad gyda'r gyfundrefn iechyd. Er ei fod yn cysgu trwy'r amser, 'cwsg cyffredin' ydyw – cwsg y gellir ei ddihuno ohono er mwyn iddo gael ei ginio neu ei de. Ond weithiau mae'n cael diwrnodau o gysgu'n eithriadol o drwm ac yn gwrthod deffro. Efallai fod ei lygaid yn agor am eiliad cyn cau'n syth bìn. Ac os yw rhywun yn parhau i geisio'i ddeffro, gall fod yn gas a bygythiol.

Roeddan ni i ffwrdd pan alwodd Alan i weld Dad pan oedd yng nghanol un o'r cyfnodau hyn o drwmgwsg. Er bod y cartref gofal wedi ei weld felly o'r blaen, roeddan nhw'n poeni amdano a chafodd doctor ei alw. Doedd hwnnw ddim yn gwybod beth i'w wneud ac awgrymodd mai'r peth doethaf oedd mynd â Dad i'r ysbyty. Aeth Alan yn gwmni iddo, heb feddwl y byddai Dad yn cael ei gadw yno dros nos. Doedd hi ddim yn amlwg beth oedd yn bod ar Dad a chafodd ei anfon i un o wardiau'r henoed. Yn ôl pob sôn, bu'n ymladd â dau nyrs wrth iddyn nhw geisio'i ddadwisgo i roi gwn ysbyty amdano!

Fel rhan o'r broses gofnodi, gofynnwyd i Alan a ddylid dadebru Dad pe bai ei galon yn stopio (cwestiwn cyffredin, yn ôl beth dwi'n ddeall, nid gofyn am fod hynny'n debygol o ddigwydd). O gofio cyflwr a safon byw Dad, awgrymodd y meddyg na ddylid ei ddadebru. Cafodd Alan sioc wrth sylweddoli pa mor gyflym oedd y sefyllfa wedi datblygu – o 'efallai y dylai'r ysbyty gael golwg arno' i 'dydan ni ddim yn meddwl y dylid ei ddadebru'. Roedd Alan yn credu ei fod wedi anghytuno â barn y meddyg ond pan welais ei nodiadau ddyddiau'n ddiweddarach sylwais eu bod yn dweud na ddylid ei ddadebru, penderfyniad rhesymegol o gofio safon byw Dad. Yr hyn oedd yn fy nychryn oedd bod y gyfundrefn feddygol o'r farn nad oedd bywyd fy nhad yn werth brwydro drosto.

Ond doedd y penderfyniad 'oeraidd' hwn ddim yn golygu y cafodd Dad driniaeth wael. I'r gwrthwyneb – cafodd ei archwilio o'i gorun i'w sawdl. Aethpwyd ag ef i mewn ar y nos Iau a chafodd brofion ar y dydd Gwener. Arhosodd yn yr ysbyty dros y penwythnos; dyna pryd mae llawer o'r profion yn cael eu gwneud. Ac roedd yn dal yno'n cael profion ychwanegol ar y dydd Llun a'r dydd Mawrth, profion a ddangosodd nad oedd fawr ddim yn bod arno heblaw ei fod yn dioddef o ddiffyg hylif. Roedd y gofal meddygol yn ddi-fai a gadawodd wedi ei ailhydradu, ond gallwn weld yn glir mai ward ysbyty yw'r lle gwaethaf i fod i hen bobl sydd â dementia, sy'n araf a dryslyd. Maen nhw'n methu egluro eu hanghenion na deall beth sy'n digwydd iddyn nhw. Gall dementia cymedrol droi'n eithafol yno o'r herwydd. Credaf fod angen rhywun i ofalu'n unigol am bob claf sydd â dementia sy'n mynd i'r ysbyty, yn union fel mae angen gofal personol ar blant. Ro'n i'n casáu'r ffaith bod Dad yno, ac yn ofni y gallai farw, ac felly ro'n i'n hynod falch o glywed ei fod yn well ac am gael mynd yn ôl i'r cartref gofal.

Pan gyrhaeddodd yno, roedd o'n falch o weld ei stafell yn ôl pob sôn. Ond ro'n i'n poeni y byddai'n gorfod dychwelyd i'r ysbyty: do'n i ddim eisiau iddo farw dan oleuadau llachar ac awyrgylch amhersonol ward hen bobl mewn ysbyty.

Ei gadw'n gyfforddus

Rai misoedd yn ddiweddarach, syrthiodd Dad i drwmgwsg arall. Roeddwn yno – dyna'r tro cyntaf i mi ei weld yn y cyflwr hwn. Gan mai dadhydradu oedd y rheswm tro diwethaf, cytunais â'r Prif Ofalwr y dylid ceisio cael rhagor o hylif iddo, a chadw golwg arno. Drannoeth, roedd o'n ôl yn cysgu'n arferol. Yr wythnos ganlynol, digwyddodd yr un peth eto a galwodd y cartref am y doctor. Ro'n i'n cerdded i'r dref pan gefais alwad ffôn gan y meddyg i drafod cyflwr Dad – meddyg newydd i mi oedd hon, un ag acen Awstralia.

Eisteddais yn yr haul i siarad â hi. Pa mor fanwl (dyna oedd y gair dwi'n meddwl 'mod i'n cofio iddi ei ddefnyddio, gallwn fod yn anghywir) oeddan ni eisiau i'r meddygon ymchwilio i gyflwr trwmgwsg Dad? "Tydw i ddim isio iddo fynd yn ôl i'r ysbyty," atebais, gan wrthod ateb ei chwestiwn yn iawn. Dyna'r peth cyntaf a ddaeth i'm meddwl – paid â gadael iddyn nhw fynd â fo i ffwrdd.

"Petai o'n iau a hyn yn digwydd, baswn yn sicr eisiau iddo gael triniaeth yn yr ysbyty," meddai hi. "Ond o gofio'i oed a'i hanes..." Ailadroddais y ffaith 'mod i ddim yn hoff iawn o'r syniad o'i yrru i'r ysbyty. Mae'n fwy dryslyd yn fan'no... Ond wrth gwrs, pe bai'n fater brys neu ei fod mewn poen... A dyna pryd sylweddolais na allwn ddiystyru ei anfon i'r ysbyty dan unrhyw amgylchiadau. Roedd y meddyg yn gydymdeimladol iawn; pe bai eich tad mewn poen, gallem ddelio â hynny. Fyddai dim rhaid iddo fynd i'r ysbyty. "Ydach chi'n awgrymu y ceith aros yn y cartref gofal, sdim ots beth ddigwyddith?" "Gallwn ddweud yn ein nodiadau y dylid ei gadw'n gyfforddus."

"Dydw i ddim yn dweud ei fod o'n mynd i farw," ychwanegodd. "Gallai fyw am gwpl o flynyddoedd eto. A mwy." Yr hyn roeddan ni'n dwy gytûn arno oedd y byddai'n cael ei gadw'n gyfforddus, yn cael triniaeth yn lleol os byddai hynny'n bosib, ond ni fyddai'n gorfod cael archwiliadau a phrofion yn yr ysbyty. Os yw hynny yn ei nodiadau, bydd y cartref gofal yn gwybod beth i'w wneud. Math arall o beidio â dadebru, debyg, ond un oedd yn tawelu fy mhryderon yn fawr iawn.

Syrthio

O ganlyniad i'r digwyddiadau meddygol amrywiol hyn, roedd dyfodol Dad a Mam i fod i olygu cyn lleied o ymyrraeth â phosib. Petaen nhw'n mynd yn sâl y polisi fyddai eu gwneud yn gyfforddus yn y cartref gofal – man cyfarwydd gyda phobl yr oeddan nhw'n eu hadnabod ac, yn bwysicach na dim ar ôl profiad Dad, bod ymysg pobl oedd yn eu hadnabod nhw.

Ond doeddwn i ddim wedi rhagweld y ddau'n cael cynifer o ddamweiniau. Yn gynnar rhyw fore, cawsom ein deffro gan alwad ffôn – un o ofalwyr y shifft nos yn dweud bod Mam wedi codi'n gynnar ac wedi cael codwm, taro'i hwyneb a'i bod ar y ffordd i'r ysbyty. Cymerodd hi sawl wythnos i'r cleisiau ar ei hwyneb wella. Ychydig wythnosau'n ddiweddarach, cefais alwad i ddweud bod Dad wedi syrthio a tharo'i ben yng nghanol nos neu'n gynnar yn y bore. Doedd neb yn siŵr iawn sut ddigwyddodd hynny ond roedd ganddo chwydd a chlais mawr dan ei lygaid.

Dwn i ddim pam oedd Dad a Mam yn cael mwy o godymau na neb arall yn y cartref gofal. Nid dyma'r tro cyntaf i Mam syrthio. Yn ei hachos hi, efallai mai'r prif reswm oedd ei thuedd i grwydro a'r ffaith ei bod yn amharod i ddefnyddio'r pulpud gan wneud syrthio'n fwy tebygol. A Dad? Pwy a ŵyr?

A finnau?

Dyna sut oeddan nhw yn Hydref 2009 ar ôl bod yn y cartref gofal am ddwy flynedd. Presennol ansicr, yn nesáu at dawelwch. I Dad, tawelwch cwsg. I Mam, tawelwch geiriau a aeth yn angof.

A finnau? Sut oeddwn i? Y disgrifiadau cyntaf fyddai 'rhyddhad' a 'llai o faich'. Gallwn anadlu unwaith eto a byw bywyd mwy normal. 'Trist' hefyd, yn enwedig gan fod Dad yn dioddef o'i iselder. Ac 'euog' weithiau gan fy mod i'n teimlo bod bywyd yn haws pan o'n i'n ymweld â'r cartref gofal ac yntau'n cysgu. Do'n i ddim bob amser yn ei ddeffro oherwydd byddai'n cymryd amser i ddod ato'i hun cyn agor ei lygaid am eiliadau a'u cau unwaith eto. Mae'n debyg fy mod i'n casáu gweld y boen yr oedd o'n ddioddef am ei fod yn dal ar y ddaear.

Neu dyna sut o'n i'n gweld y sefyllfa. Ond rhaid cofio mai dyfalu o'n i. Efallai 'mod i'n gwbl anghywir. Ymwelais ag ef un diwrnod a theimlo rhyddhad o'i weld yn cysgu ond pan gododd i gael paned o de yn hwyrach ymlaen roedd o'n llawn hwyl, yn gwenu'n braf wrth ddweud yn gwbl normal, "Dwi isio siafio."

Wrth iddo gerdded yn araf i gyfeiriad y lolfa, yn gwthio'i bulpud ar hyd y coridor, roedd Mam yn sefyll wrth y drws a bu cyfarchiad cynnes a phleserus rhwng y ddau. Cyfarfyddiad byr cyn i'r ddau ddiflannu'n ôl i'w byd bach eu hunain, ond roedd y sbarc yn dal yno a'r stori serch yn sicr heb ddod i'w diwedd eto.

Wrth wylio ymennydd Mam yn dirywio, dwi'n dal i deimlo'n bryderus ond dwi hefyd yn teimlo'n gyfoethocach o gael bod yng nghwmni fy rhieni. Amser o agosatrwydd sy'n anrheg amhrisiadwy. Mae'r rhan o'r cartref gofal ble maen nhw'n byw, sydd ag un ar ddeg o breswylwyr eraill, yn glòs a chartrefol wrth i'r bobl sy'n byw yno stryffaglu â chwestiynau sylfaenol bywyd: Pwy ydw i? Ble ydw i? Dim ffugio mwyach: dyma nhw fel y maen nhw nawr, yn dawel neu'n swnllyd, yn bryderus neu'n llawen, yn anwybyddu ei gilydd neu'n cydgymysgu. Dwi'n teimlo'n freintiedig o fod yn rhan o'u bodolaeth nawr, er bod hynny'n anodd iawn iddyn nhw. Nid yn unig yn anodd i Dad a Mam ond i'r holl breswylwyr. Dwi wedi dysgu llawer – a hynny gobeithio yn fuddiol i minnau wrth heneiddio.

Pennod 10

Stori serch: y bennod olaf?

Ym mhriodas fy rhieni, Dad oedd y rhamantydd a Mam oedd y realydd. Fel eu merch, dwi'n rhamantus ac yn realistig, a'r elfen realistig yn gryfach yn union fel yr oedd Mam yr un gryfaf yn eu perthynas. Ond fel hithau, mae natur ramantus hefyd yn perthyn i mi. Yr ochr ramantus, am wn i, a wnaeth i mi gredu nad oedd priodas Mam a Dad drosodd, ac y byddai eu cariad yn parhau hyd angau.

Mae'n debyg mai'r natur ramantus hwn oedd y rheswm i mi sôn wrth reolwraig y cartref gofal ym Mehefin 2009 – yn ystod yr adolygiad blynyddol ar eu gofal – fod Mam a Dad yn dathlu 70 mlynedd o fywyd priodasol ar 23 Rhagfyr. Deallais yn ddiweddarach mai'r enw ar y pen-blwydd arbennig hwn yw pen-blwydd priodas blatinwm. Does dim llawer o bobl yn gyfarwydd â'r enw am nad oes llawer o gyplau'n cyrraedd y garreg filltir hon.

Doedd dim *rhaid* i mi dynnu sylw at yr achlysur ond ro'n i'n falch ohonyn nhw. Teimlais fod y gamp yn eu gwneud nhw'n bobl arbennig ac unigryw. Ond ro'n i'n ddigon realistig i gydnabod y posibilrwydd na fyddai gan yr un ohonyn nhw, os nad y ddau, erbyn mis Rhagfyr y crebwyll meddyliol i ddeall beth o'n nhw wedi ei gyflawni. Wedi'r cwbl, ro'n nhw'n ddryslyd y flwyddyn cynt wrth ddathlu 69 mlynedd o fywyd priodasol. A fyddai dathliad 'diwedd degawd' yn gwneud unrhyw wahaniaeth?

Roedd y rheolwraig o'r farn bod hwn yn achlysur gwerth ei ddathlu. "Drefnwn ni barti i bawb yn y cartref," meddai hi. Ond roedd mis Rhagfyr yn teimlo'n bell, bell i ffwrdd.

Y Frenhines

Yn yr Hydref, cefais fanylion ganddi ynglŷn â sut i gael cerdyn 'pen-blwydd priodas blatinwm' gan y Frenhines. Mae rhai pobl yn credu bod y Frenhines yn 'gwybod' pan mae rhywun yn gant oed, a phan mae cwpl yn dathlu saith deg mlynedd o briodas. Ond y gwir yw bod trefn arbennig, a ffurflen i'w llenwi a'i hanfon i'r Swyddfa Ddathliadau ym Mhalas Buckingham. Ni ddylid anfon y ffurflen mwy na thair wythnos cyn y dathliad oherwydd dydi pawb ddim yn llwyddo i gyrraedd y garreg filltir.

Roeddwn yn anesmwytho achos ro'n i'n gweld Dad a Mam yn dirywio'n gyflym. Beth pe bai'r cartref gofal yn trefnu parti a'r un o'r ddau'n ymwybodol o'r hyn oedd yn digwydd? Neu, yn waeth fyth, beth pe bai Dad yn cael un o'i ddiwrnodau trwmgwsg? Penderfynais beidio rhannu fy holl ofidiau â'r cartref gofal ac fe nodwyd y parti dathlu yn ei galendr.

Roedd y rheolwraig yn gadarnhaol ac yn galonogol; "Mi fydd Mary'n nabod llun y Frenhines ar y cerdyn, 'n bydd?" A bod yn onest, do'n i ddim mor siŵr o hynny o gofio bod Mam wedi canu 'God Save Our King' yn ystod ei Nadolig cyntaf yn y cartref gofal. Do'n i ddim yn rhy siŵr chwaith a oedd trefnu parti heb ganiatâd Dad a Mam yn benderfyniad moesol. Ddeng mlynedd yn ôl, adeg dathlu eu pen-blwydd priodas ddiemwnt, roedd y ddau yn eu hiawn bwyll a doedd Mam ddim eisiau ffwdan – dim cyhoeddiad yn y papur newydd, dim ond dathliad preifat i'r teulu'n unig. Ond roedd cyflwr meddyliol y ddau'n gallu fy synnu ar adegau. Penderfynais na allai'r dathlu wneud drwg i neb. Cyfle i'r cartref gofal gael ychydig o hwyl. "Mi fydd o'n achlysur i'w gofio," meddai'r rheolwraig. Mmmm. Deallais na fyddai Alan yn gallu bod yn bresennol. Roedd Sue ac yntau wedi penderfynu treulio'r Nadolig yn eu tŷ yng Nghyprus. Byddai'n rhaid i mi fod yn 'oedolyn cyfrifol' unwaith eto.

Wrth i'r diwrnod mawr agosáu, anfonais y ffurflen briodol i Balas Buckingham ynghyd â chopi o'u tystysgrif priodas y bûm yn chwilio amdani am oriau ymysg eu papurau. Roeddwn ar fin rhoi'r gorau i chwilota pan gefais afael ar amlen fechan yn cynnwys dwy dystysgrif geni 92 oed ac yna, mewn du a gwyn, eu tystysgrif priodas. Frederick Carling a Mary Davis. Y ddau ohonyn nhw'n 22 oed, dau 'glerc', hi'n byw yn Billingham ac yntau yn Cowpen Bewley, a'r ddau'n byw gyda'u rhieni. Fe'u priodwyd yn Eglwys Billingham gan y ficer, Mr Timms.

Dechreuais edrych ar eu lluniau priodas a oedd mewn bag yr o'n i'n bwriadu ei 'sortio nes mlaen'. Wrth edrych arnyn nhw, daeth cyfnod y rhyfel yn fyw. Dyna ble roedd Fred yn ei iwnifform RAF, yn ymarfer hedfan yn Florida a Chanada; cerdyn Nadolig i Mary yn dangos y fwydlen Nadolig, ac yn dweud cymaint oedd o'n hiraethu amdani. A llun o Mary gyda'i ffrindiau a'i chwiorydd; un arall gyda'i chomptomedr. Mam a Dad cyn iddyn nhw gael plant.

Priododd y cwpl ifanc ar 23 Rhagfyr 1939, y ddau wedi penderfynu priodi'n gynt oherwydd y rhyfel. Pam oedi, gyda Hitler yn bygwth a'r posibilrwydd y byddai'n rhaid i Fred fynd i ryfel? Edrychai Mary'n hyfryd yn ei gwisg wen, sidan â'i hwyneb wedi ei fframio gan orchudd les ysgafn. Yn realistig ac ymarferol, ei bwriad oedd gwisgo siwt dwt a chael priodas syml, ddi-lol. Ei thad, fy nhaid a fu farw cyn i mi gael fy ngeni, fynnodd ei bod yn gwisgo ffrog wen hir a chael 'priodas go iawn'.

Sut ddiwrnod fydd y Diwrnod Mawr?

Fy mwriad yw rhoi'r lluniau i fyny ar y wal yn y cartref gofal ar y Diwrnod Mawr. Ac felly mi es ati i 'nghladdu fy hun yn y gorffennol gan ddod â cherrig milltir Dad a Mam yn fyw unwaith eto trwy ddewis lluniau o'r ddau fel y briodferch a'r priodfab. Chwiliais yn y siopau am gerdyn pen-blwydd priodas blatinwm ond doedd dim un ar gael ar ôl 'dathlu pen-blwydd priodas ddiemwnt'. Oes, mae galw am gardiau dathlu 60 mlynedd o fywyd priodasol ond nid 70 o flynyddoedd! A doedd dim baner 'Llongyfarchiadau! 70 Mlynedd o Briodas!' chwaith ac felly bu'n rhaid prynu un gyda'r geiriau 'Llongyfarchiadau ar Eich Pen-Blwydd Priodas' ac wedyn ychwanegu'r rhif.

Wrth i Ragfyr fynd rhagddo, ro'n i'n ymwybodol iawn bod cyflwr meddwl y ddau'n dirywio'n gyflym. Mae Dad yn aflonydd pan mae ar ei draed. Pan mae'n effro, mae'n methu setlo. Mae'n codi i fynd i rywle. "Ble ydach chi'n mynd, Dad?" "Dwn i ddim," ateba, yn anobeithiol. Pan mae'n fy ngweld, mae'n gwenu, ond dim mwy na hynny.

A Mam hefyd – mae hi fel petai'n gwenu ac yn chwerthin llai. Rydan ni'n eistedd gyda'n gilydd wrth i ofalwr dywys Dad aton ni. "Mae Fred yma," meddwn wrth Mam, ond dydi hi ddim fel pe bai'n ei 'weld'. Dwi'n pwyntio tuag ato ond mae hi fel pe bai hi'n edrych ond ddim yn gweld.

Mae'r ddau fel petai angen cadw eu nerth i ofalu amdanyn nhw'u hunain. A oes ganddyn nhw unrhyw beth ar ôl i'w gynnig i'w gilydd? Mae'r ferch ramantus ynof yn mynnu bod un sbarc arall ar ôl yn eu perthynas. Efallai y bydd hynny i'w weld ar y Diwrnod Mawr – 23 Rhagfyr – wrth ddathlu 70 mlynedd o briodas?

Mae hyd yn oed yr ochr realistig ohonof yn cydnabod bod hyn yn bosib. Gall cryfder yr ysbryd dynol ein synnu. Yn y cyfamser, dwi'n cario mlaen i drefnu. Mae'r rheolwraig yn gofyn i mi ysgrifennu pwt i'r papur lleol. Rydan ni'n dwy'n cytuno i beidio cael ffotograffydd yno i dynnu eu lluniau. Gallwn ond dychmygu pa mor echrydus fyddai hynny, rhyw newyddiadurwr yn eu holi pa mor hir maen nhw wedi bod yn briod, a beth yw eu cyfrinach? Beth sydd wedi cadw'r ddau ohonoch chi gyda'ch gilydd am gynifer o flynyddoedd? A'r un o'r ddau'n gallu ateb. Yn hytrach na wynebu'r scfyllfa honno, dwi'n anfon llun diweddar ohonyn nhw ac yn e-bostio manylion i'r papur newydd.

Dwi'n ceisio sicrhau bod yr achlysur yn un cystal â phosib. Eu heiliad fawr. Ond dwi'n poeni sut bydd y ddau ar y Diwrnod Mawr. A yw eu partneriaeth agos drosodd eisoes? Na, nid eto, meddai'r ochr ramantus ohona i. Ddim tra bod eu hysbryd yn dal yn fyw. Ychydig ddyddiau'n gynt, ar y teledu, dywedodd arbenigwr ar glefyd Alzheimer, "Mae'n bosib i bawb sydd ag Alzheimer gael pwl o eglurder, o oleuni." Dim ond byw mewn gobaith y bydd y ddau'n cael pwl o 'oleuni' ar 23 Rhagfyr! Ac nad yw Dad yn cael diwrnod o drwmgwsg, a thywyllwch!

Sut aeth hi?

Y noson cyn y Diwrnod Mawr, caf alwad ffôn gan y cartref gofal; a oedd rhywun wedi rhoi gwybod i mi bod Dad wedi syrthio? Na, do'n nhw ddim. Wedi taro'i drwyn. Roedd nyrs wedi rhoi triniaeth iddo. Grêt, meddyliais. Mi fydd Dad yn dathlu ei ben-blwydd priodas gyda rhwymyn am ei drwyn. Mae o'n iawn, meddan nhw, ond wedi cael 'ychydig o sgytwad'.

Ar y diwrnod, cyrhaeddaf y cartref gofal tua 9.30 y bore. Mae'r cerdyn o Balas Buckingham yno eisoes. "Tydi'ch tad ddim yn rhy dda," meddai'r rheolwraig. Ond does gen i'm syniad bryd hynny pa mor wael yw ei gyflwr. Mae un o'r is-reolwyr yn rhoi cymorth i mi roi'r lluniau ar y waliau. Dwi'n falch o'r casgliad, un sy'n dangos Dad a Mam yn eu dyddiau cynnar, yn gwpl hapus, bywiog, nid yn unig ar ddiwrnod eu priodas ond hefyd ar ddiwrnod dathlu eu Priodas Aur. Dwi hefyd wedi cynnwys y cerdyn anfonodd Dad at Mam pan o'n nhw'n dathlu eu priodas ddiemwnt; cadarnhad o'i gariad tuag ati. Roeddwn eisiau dangos cymaint oedd o'n ei charu, er nad yw'n gallu cyfleu hynny bellach.

Gyda'r cerdyn gan y Frenhines yn fy llaw i Mam ei agor, dwi'n mynd i lawr y grisiau i'r uned gyda'r rheolwraig. Mae Mam a Dad yn y lolfa ond dim ond Mam sy'n effro. Mae Dad yn ei gadair olwyn, yn gorwedd yn ôl, ei geg ar agor, ac yn cysgu. Nid yn unig mae'n gwrthod deffro (o, na, gobeithio nad yw'n cael un o'i ddyddiau trwmgwsg), mae ei arddwrn a'i law wedi chwyddo ar ôl syrthio ddoe. Mae'r doctor ar ei ffordd ac mae sôn am ei yrru i'r ysbyty am brawf pelydr-x. Mae'r diwrnod wedi dechrau'n wael iawn. Mae'r gofalwyr yn dychwelyd Dad yn ôl i'w stafell ble mae'n cysgu'n sownd.

Yn ôl yn y lolfa, mae llygaid pawb ar Mam. Mae'r cerdyn gan y Frenhines wedi plesio'n arw. Efallai nad yw'n gwybod yn iawn pam ei bod wedi ei gael ond mae'n ei agor a'i ailagor, wedi gwirioni ar lofnod 'Elisabeth R' a 'Mr a Mrs Frederick Carling' yn y gwaelod ar y chwith. "Chi a Fred ydi'r rheina," dywedaf. Pwy a ŵyr beth mae hi'n ei ddeall?

Dwi'n cyflwyno f'anrhegion: tegeirian pinc, tal a bocs o siocledi, cyn agor nifer o gardiau gan y teulu, nid rhai mor drawiadol ag un y Frenhines ond maen nhw'n gasgliad da. Ro'n i wedi prynu cerdyn i Dad er mwyn iddo'i roi i Mam ac, fel mae'n digwydd, cafodd gymorth gan un o'r gofalwyr ddoe i ysgrifennu 'I Mary' a'i enw 'Fred'. Roedd hyd yn oed hynny'n anodd iddo, meddai. Ond mi lwyddodd. Llygedyn o obaith?

Wrth i Mam ddangos ei chardiau i bawb o'i chwmpas, piciaf yn ôl a blaen rhwng y lolfa a stafell Dad, gan obeithio y byddai'n deffro. Ond parhau i chwyrnu mae o. Yn uchel. A sylwaf nad oedd Mam yn holi ble mae o.

Penderfynaf fy mod yn gorfod wynebu f'ofnau mwyaf: mae Dad yn cael un o'i ddyddiau trwmgwsg. Heddiw. Diwrnod dathlu eu priodas blatinwm. Dylai fod yng nghwmni Mam. Ond y peth gwaethaf yw'r posibilrwydd y bydd y doctor yn galw ac yn ei anfon i'r ysbyty er mwyn iddo gael prawf pelydr-x ar ei law. Pan mae Dad yn 'gwrthod deffro' mae'n anodd ei symud yn gorfforol – ond os ceith lonydd i gysgu mi fydd yn ôl yn fwy 'normal' drannoeth. Dwi'n dod i'r casgliad mai gwell fyddai ei gadw yn ei stafell ac yn y cartref gofal ble mae'n gynnes ac yn saff. Ei gadw draw o'r ysbyty. Ond rhaid i mi aros am ymweliad y doctor. Felly dwi'n aros ac yn aros tra bod Mam yn edmygu ei cherdyn gan y Frenhines a Dad yn chwyrnu cysgu.

O'r diwedd, mae'r meddyg yn cyrraedd – dyn ifanc, dymunol sy'n gweld Dad yn ei gyflwr trwmgwsg ac yn nodi bod ei law wedi chwyddo (ond sy'n edrych yn well): "Dwi am ei yrru am sgan belydr-x i'r ysbyty. Gawn nhw roi archwiliad cyffredinol iddo." "Dydw i ddim yn meddwl bod hynny'n syniad da," atebaf ar fy union, yn fy rôl fel amddiffynnydd. Mae'n synnu fy mod i mor barod i gynnig fy marn ond mae'n fodlon gwrando. O'm plaid, mae canlyniad prawf gwaed Dad a'r lefel siwgr yn foddhaol. Yna, mae'r meddyg ifanc yn archwilio llaw Dad yn drylwyr ac yn penderfynu nad oes asgwrn wedi torri, er gwaetha'r cleisio. Mae'n ailadrodd sawl tro nad yw ei fawd wedi torri cyn egluro na fyddai ganddo ddewis ond ei anfon i'r ysbyty pe bai hynny wedi digwydd. Ond mae'n gwrando arna i'n adrodd hanes Dad yn cael dyddiau trwmgwsg, bod doctoriaid yr ysbyty ddim yn deall *pam* roedd yn cysgu cymaint, ac mai'r peth gorau i'w wneud yw gadael iddo gysgu, a hynny yn y cartref gofal. Mae'r meddyg yn cynnig newid ei feddyginiaeth diabetes ac yn cytuno y dylid ei adael yn y cartref gofal, cyn gadael gyda sampl dŵr yr oedd y gofalwyr wedi ei gael yn gynharach. Hwrê! Dyna un broblem wedi ei datrys!

Mae hi'n hwyr ar ôl cinio erbyn hyn. Mae'r parti i fod i ddechrau am bump o'r gloch gyda bwffe i swper ac yna adloniant i'w ddilyn yn y lolfa fyny'r grisiau am chwech a hynny'n cynnwys sieri a chacen. Dwi'n llwyddo i adael am awr neu ddwy i fynd ag anrhegion Nadolig i fy mhlant bedydd. A dwi'n gweddïo am wyrth y bydd Dad yn effro erbyn i mi ddychwelyd.

Ond tydi o ddim. Yn hytrach, mae un o'r is-ofalwyr yn treulio hanner awr yn trio'i gael i gymryd hanner cwpaned o ddŵr er mwyn sicrhau nad yw'n dadhydradu. Mae trefnwyr y parti'n gofyn a yw'n bosib dod â Dad i mewn yn ei gadair olwyn er mwyn iddo fod yn bresennol yn gorfforol yn ymyl Mam. Ond nid yw hynny'n mynd i ddigwydd. Mae Dad mewn trwmgwsg, ac os bydd rhywun yn ceisio'i ddeffro mae posibilrwydd y byddai o'n troi'n gas.

Ar ôl i'r bwffe gael ei fwyta, mae'r preswylwyr lawr grisiau yn ymgynnull yn y lolfa fyny'r grisiau gyda phawb yno heblaw Dad. Mam yw'r un sy'n hawlio'r sylw i gyd. Mae fy nghasgliad o luniau wedi eu symud o'r cyntedd i'r ystafell er mwyn i bawb gael cyfle i'w gweld. Rydan ni'n edmygu'r gacen. Mae pawb yno, hyd yn oed y preswylwyr sydd fel rheol yn gaeth i'w gwelyau. Pawb, heblaw Dad. Un o'r ddau pwysicaf.

Rydan ni'n aros. Ac yn aros. Daw neges gan Dave a'i wraig, Ann – y cantorion fydd yn ein diddanu – yn dweud y bydden nhw'n cyrraedd mewn rhyw ddeg munud. Mae'r tywydd wedi bod yn ddrwg yr wythnos hon gyda rhew ac eira'n parlysu'r wlad; roeddan nhw wedi bod yn canu yn rhywle arall yn ystod yr awr ginio ac wedi mynd yn sownd ar y draffordd ar eu ffordd yn ôl. Ond maen nhw'n llwyddo i gyrraedd wrth i'r sieri gael ei yfed a'r gacen gael ei sglaffio. Dyn mawr yw Dave, a chanddo wallt hir cyrliog, a'i wraig Ann yn dwmplen fer, a'r un o'r ddau wedi gwisgo'n addas i'r achlysur. "Tydi o ddim yn ddyn del iawn, yn nac'di," medd Mam, yn eistedd yn y rhes flaen. Roedd hyn cyn iddo ddechrau perfformio.

Ond mae Dave yn ddiddanwr da iawn. Efallai nad dyma'r dyn delaf ar y ddaear ond mae ganddo lais fel siocled a phresenoldeb cynnes. Er nad yw Dad yno, mae'n delio â'r sefyllfa'n broffesiynol iawn wrth iddo gyfarch Mam yn uniongyrchol ac egluro wrth bawb nad yw Fred yn dda ac felly'n aros yn ei stafell. Mae'n rhoi sylw arbennig i Mam gan ofyn yn dyner, garedig wrthi, "Dydw i ddim yn siŵr a ddyliwn i ofyn hyn i chi, Mary, ond faint oedd eich oed chi pan wnaethoch chi gyfarfod Fred gyntaf?" "Dwy ar bymtheg," sibrydaf wrth Mam. "Dwy ar bymtheg," medd Mam. Mae Dave yn newid y gân i gyfeirio at ferch 17 oed. Mae Ann yn hyfryd hefyd, ac yn mynd o gwmpas gyda'r meic i roi cyfle i'r preswylwyr gydganu wrth i Dave ganu caneuon serch, caneuon Nadoligaidd a hen ganeuon. Mae Dorothy, ffrind Mam, yn gwybod pob gair ac mae Mam yn ymuno hefyd, pan mae'n gallu cofio'r geiriau. Rydan ni i gyd yn mwynhau'n arw.

Ac felly ar y diwedd, dwi'n rhyw deimlo bod y cyfan wedi mynd yn eithaf da, er bod un o'r prif gymeriadau ar goll. Ond dwi'n ymwybodol nad yw Mam wedi sylweddoli bod Dad yn absennol ar eu Diwrnod Mawr.

Rhaid derbyn bellach bod eu stori serch ar ben. Doedd dim ailgynnau'r fflam. Ar ddiwrnod dathlu eu pen-blwydd priodas blatinwm, roedd Dad yn cysgu'n drwm. A doedd Mary ddim wedi gweld ei golli.

Popeth drosodd, mae'n rhaid. Y diwedd.

Trannoeth

Dwi'n deffro'n ganol nos yn poeni am Dad ond mae'r alwad ffôn o'r cartref gofal drannoeth yn galonogol: mae Fred ar ei draed, yn ôl yn 'normal' ac yn eistedd gyda Mary. Mae'n bwyta fel ceffyl ac yn yfed paneidiau o de, un ar ôl y llall. Ond mae'n ôl, ac yng nghwmni Mam.

Ac felly dof i'r casgliad nad yw eu stori drosodd tan ei bod drosodd. Hyd oni wahaner nhw gan angau, meddai'r rhamantydd ynof. Neu nes y bydd dementia eithafol yn eu gwahanu, meddai'r realydd.

Diweddglo

Bu farw Dad bron blwyddyn yn ddiweddarach ar 20 Tachwedd, 2010. A hynny toc ar ôl hanner nos. Marwolaeth heddychlon. Marwolaeth dawel. Yn ôl f'addewid, llwyddais i'w gadw draw o'r ysbyty. Sylwodd y meddyg fod ei ddyddiau'n dod i ben a gwnaethpwyd yn siŵr bod Dad yn gyfforddus.

I mi, roedd ei farwolaeth yn sydyn. Ar ôl dioddef o'r eryr, bu'n cysgu'r rhan fwyaf o'r amser ac yn bwyta prin ddim. Ond roeddan ni wedi gweld hyn o'r blaen. Yna, ar fore 19 Tachwedd, cefais alwad o'r cartref gofal; awgrymu 'mod i'n mynd yno.

Daethom at ein gilydd yn un teulu bach. Gafaelon ni yn ei ddwylo a cheisio cadw'i geg yn llaith gan nad oedd bellach yn gallu yfed. Dywedom wrtho ein bod ni'n ei garu – dwn i ddim a glywodd o, ond y clyw yw'r synnwyr olaf rydan ni'n ei golli. Dyna maen nhw'n ei ddweud. Gwnaethom ein gorau glas i sicrhau bod oriau olaf Dad yn rhai llawn cariad.

Un person amlwg oedd yn absennol oedd ei wraig. Doedd gan Mam ddim syniad beth oedd yn digwydd; penderfynwyd peidio â dweud wrthi. Ni ofynnodd pam roeddan ni i gyd yn y cartref gofal y noson honno. Aethon ni ddim â hi i'r angladd.

Roedd y 'realydd' ynof wedi proffwydo'n gywir – er gwaethaf 70 mlynedd o fywyd priodasol, gwahanwyd y ddau gariad oes gan ddementia. Ar un ystyr, roedd hynny'n fendith; ni wnaethpwyd yr un o'r ddau yn weddw mewn gwirionedd. Ni fu'n rhaid i'r un o'r ddau alaru na dioddef colled ac unigrwydd.

Mae Mam yn parhau i fod yn llawen, er nad yw hi'n gallu symud na siarad ryw lawer. Mae'n dal i fod yn brif gymeriad yn ein drama, yn chwilfrydig a busneslyd, ac nid yw'n ymwybodol nad oes neb yn ei deall.

Mae Dad wedi cael heddwch, ei lwch wedi ei wasgaru dan ddraenen wen yng Ngogledd Lloegr, ar ben bryn ger y bwthyn ble cafodd ei eni. Cafodd fynd adref i gysgu'n drwm am y tro olaf.

Rhan 2

Sefyll yn ôl

Pennod 11

Yr ôl-stori: pam nad oeddem wedi rhagweld y cyfan?

Mae dementia'n codi llawer o gwestiynau, yn enwedig y rheini mae rhywun yn ei ofyn i'w hun. Yr un pennaf i mi yw hwn: pam na wnaethon ni ragweld yr hyn oedd yn mynd i ddigwydd? Pam nad o'n i wedi paratoi'n well? Un haf, mewn chwe wythnos, roedd fy rhieni wedi datblygu o fod yn ddau berson dryslyd yn byw gartref i fod yn breswylwyr mewn cartref gofal. Ond rydan ni i gyd yn gwybod nad yw dementia'n digwydd dros nos. Nid dechrau'r stori oedd yr haf hwnnw. Ac roeddan ni'n gwybod hynny hefyd. Roedd Dr Dening wedi dweud bod gan Dad ddementia fasgwlar flwyddyn ynghynt ac wedi sylwi bod Mam 'yn nyddiau cynnar clefyd Alzheimer'. Byddai rhywun yn disgwyl felly ein bod ni'n effro, yn barod, ac wedi paratoi at y dirywiad oedd ar fin digwydd.

Ond doeddan ni ddim. I'r gwrthwyneb. Roedd yr holl brofiad wedi ein synnu'n llwyr.

Sut allai hynny fod?

Sut allai hynny fod, o gofio bod arwyddion dementia o flaen ein llygaid, er mewn ffyrdd gwahanol? Pam nad o'n ni wedi gallu adnabod yr arwyddion amlwg? A sylweddoli sut oedd y sefyllfa'n debygol o ddatblygu? Credaf nad oes un ateb pendant. Roeddan ni'n gibddall am sawl rheswm.

Newidiodd y sefyllfa'n raddol. Ro'n i'n ymwelydd cyson ac yn ofalwr cyfrifol ond dim ond *rhan* o'r llun mawr o'n i'n ei weld. Ar y dechrau, dim ond label oedd dementia fasgwlar Dad. Yn ymarferol, yr hyn roedd o'n ei wneud oedd byw mewn cyflwr o iselder, un yr oedd wedi ei ddioddef ers sbel. Bod yn segur, peidio â siarad, methu cynllunio a threfnu – gall symptomau dementia fasgwlar ymddangos fel iselder yn y dyddiau cynnar. Ond roedd Dad i'w weld fel petai'n byw yn yr un byd â mi, yn gallu gwahaniaethu rhwng realiti a ffantasi. Ond Mam? Er ei bod hi'n ymddwyn yn od ar brydiau – yn od iawn o edrych yn ôl – roedd ei hysbryd, ei natur benderfynol a'i hewyllys gref yn golygu ei bod yn ymddangos yn fwy normal nag oedd hi. A beth yw 'normal', wedi'r cwbl?

Mae'n wir dweud bod pob digwyddiad yn amlygu'r ffaith bod rhywbeth o'i le, ond rhwng hynny caem gyfnodau o lonyddwch – Dad yn dal i dynnu coes a Mam fel petai'n ymddwyn fel hi ei hun. Neu efallai fod ein syniad ni ohoni 'hi ei hun' yn newid wrth i ni addasu i'w chyflwr newydd.

Roedd un ffactor arall hefyd – roedd Dad a Mam yn actorion da. Pan o'n ni'n ymweld â nhw, roeddan nhw'n gallu ymddangos yn 'normal', a ninnau wedi'u derbyn am yr hyn yr oeddan nhw eisiau ei ddangos. Doeddan ni ddim yn gwybod y gwir am eu bywydau dyddiol a'u dirywiad. Dim tan oedd hi'n rhy hwyr.

Efallai hefyd ein bod yn ddall i'w cyflwr am ein bod yn gwrthod wynebu a derbyn beth oedd yn digwydd i feddyliau ein rhieni. Roedd yn llai poenus i mi gydnabod symptomau tymor byr Mam – er enghraifft, gwneud paned o de ar ei rhan pan oedd hi wedi anghofio sut i wneud hynny – na chydnabod bod ei hanallu i wneud paned yn golygu ei bod yn dirywio'n feddyliol. Sylweddolaf nawr 'mod i'n fy amddiffyn fy hun. Gallwn ymdopi â symptomau; gallwn wneud mân dasgau ar eu rhan a sicrhau bod bywyd yn mynd yn ei flaen. Roedd delio â'r presennol yn ddigon anodd heb orfod gofyn *pam*, ac yn sgil hynny roedd y dyfodol yn un ansicr iawn.

Efallai ein bod hefyd wedi cau'n llygaid oherwydd nad oeddan ni'n gwybod beth i'w wneud; doedd y ffordd ymlaen ddim yn glir. Roedd ceisio delio â Mam ddim yn ei hiawn bwyll yn brofiad dieithr; a doedd Dad ddim yn gallu helpu oherwydd ei broblemau meddyliol ei hun. Doeddan ni ddim yn gwybod y sgript. Roedd ein profiadau gyda'r 'system' wedi bod yn rhai cymysg a dweud y lleiaf. Doedd y doctoriaid ddim fel petaen nhw'n gwybod fawr ddim. Felly pwy *oedd* yn gwybod? Yn sicr, nid ni.

Manteision edrych yn ôl

Dydw i ddim wedi gallu edrych yn ôl ac adrodd stori Mam a Dad tan nawr. Rhaid i mi ofyn y cwestiwn 'Pam nad oeddwn wedi rhagweld yr hyn ddigwyddodd?' Cyn ceisio'i ateb, rhaid camu'n ôl ac edrych yn fwy manwl ar y cyfnod *cyn* i Dad a Mam fynd i'r cartref gofal.

Anodd: dyna dwi'n ei gofio am y ddwy flynedd cyn y Penwythnos Mawr yng Ngorffennaf 2007. Sylweddoli nawr fy mod i mewn niwl ar y pryd. Dim rhyfedd 'mod i'n methu gweld y ffordd o'm blaen. Ro'n i'n cerdded gyda fy mhen i lawr, yn ceisio ymdopi â phob cam unigol o'r daith heb fethu gweld ei diwedd.

Wnes i ddim dechrau sgrifennu dyddiadur tan ychydig wythnosau cyn i Mam a Dad fynd i'r cartref gofal. Rhaid dibynnu ar y cof i drafod y cyfnod a arweiniodd at hynny. Er bod y llun mawr yn glir, mae'r manylion yn niwlog. Ond os awn ni'n ôl ddwy flynedd pan oedd Fred a Mary'n gwpl hunangynhaliol, i'r flwyddyn 2005 pan oedd y ddau'n 88 mlwydd oed, dyna pryd y gwelwyd yr arwyddion cyntaf o'u dirywiad meddyliol.

2005: cyfnod o grebachu

Cyfnod o grebachu: dyna oedd 2005. I Mam ac i Dad. Roedd Dad yn troi fwyfwy i mewn arno'i hun ac yn cysgu mwy er mwyn dianc o'i anhapusrwydd. A phan oedd o'n effro, byddai'n nofio mewn tonnau mawr o bryder wrth iddo boeni am y pethau na allai eu gwneud bellach.

Gorbryder oedd yr arwydd amlwg nad oeddwn ond wedi hanner sylwi arno. Nid y tŷ yn mynd â'i ben iddo oedd yr unig beth oedd yn ei boeni. Roedd o'n poeni am arian wrth iddo ddarbwyllo'i hun eu bod mewn trafferthion ariannol. Fy strategaeth, fe welaf wrth edrych yn ôl, oedd canolbwyntio ar y symptomau, sef yr hyn oedd yn ei boeni ar y pryd, yn hytrach na'u gwreiddiau: ei ymwybyddiaeth na allai ymdopi bellach, boed â materion ariannol neu redeg y tŷ. Ei ymdeimlad nad oedd ei feddwl yn gweithio'n iawn mwyach. O ganlyniad, byddwn yn cynnig cymorth a chefnogaeth. A phan nad oedd dweud, "Peidiwch â phoeni, mi fydd popeth yn iawn" yn ddigon i dawelu ei feddwl, byddwn yn cynnig mwy o gefnogaeth ac anogaeth.

A bod yn deg â fi fy hun, roedd gen i reswm da i'w ymdawelu. Roedd y tŷ mewn cyflwr boddhaol a doedd y sefyllfa ariannol ddim yn syrthio'n ddarnau. Roedd Dad yn berson call, synhwyrol, wedi penderfynu talu'r biliau ar ddebyd uniongyrchol ers tro byd ac felly roedd y biliau angenrheidiol yn cael eu talu.

Mynd ar goll?

Dechreuodd byd Mam grebachu yn 2005 hefyd pan wnaeth Dad roi'r gorau i yrru. Yn y dyddiau pan o'n nhw'n ymdopi'n annibynnol, eu harferiad oedd mynd i'r dref, cerdded o gwmpas a siopa. Ond roedd Dad wedi dechrau newid y drefn trwy ollwng Mam yn y dref a'i chodi wedyn oriau'n ddiweddarach. Er ei fod o'n yrrwr da, roedd ei agwedd 'Dwi'n hen ddyn, a dylai hen ddynion ddim gyrru' yn ei wneud yn ansicr y tu ôl i'r llyw. Roedd wedi bod eisiau rhoi'r gorau i yrru ers sbel, ond doedd Mam ddim yn fodlon. Doedd hi erioed wedi gyrru, a doedd hi ddim yn deall pam na allai Dad gario mlaen. "Rydan ni wastad wedi cael car," meddai, fel pe bai hynny'n rhoi taw ar y sefyllfa.

Mynnodd Dad ei fod yn rhoi'r gorau i yrru'r car. Ond roedd Mam yn mwynhau siopa a dechreuodd gerdded i'r Ganolfan Siopa rhyw ddeg munud i ffwrdd o'r cartref ar hyd y llwybr cyflymaf. Golygai hyn ei bod yn gorfod croesi lôn brysur. Byddem ni'n dwy'n trafod ei thripiau siopa. Yn od iawn, rhoddodd yr argraff sawl gwaith ei bod yn mynd ar y ffordd hir i'r Ganolfan.

A minnau'n poeni amdani'n siopa ar ei phen ei hun, dechreuais ei holi er mwyn canfod a oedd hi'n defnyddio'r ffordd saff, yr un oedd â goleuadau i groesi'r ffordd. Ond doedd ein trafodaethau ddim yn rhai pendant iawn. Doedd hi ddim yn gallu dweud yn *union* pa ffordd oedd hi'n mynd, ei hatebion yn amwys.

Dwi'n sylweddoli bellach mai dechrau'r dementia oedd yn gyfrifol am ei hanallu i ddisgrifio'r llwybr. Roedd hi'n medru mynd i'r Ganolfan Siopa ond yn methu dweud pa ffordd. Deallais maes o law ei bod yn cymryd y ffordd hiraf a'r anoddaf – yn croesi'r ffordd brysur mewn man lle nad oedd goleuadau, oherwydd dyna ble roedd Dad yn arfer ei gollwng a'i chodi wedyn. Roedd fel pe bai ei chorff yn gwybod y ffordd, ond nad oedd ei *meddwl* yn gwybod beth oedd hi'n ei wybod.

Fel yn achos gorbryder Dad, dyna un arwydd arall yr oeddwn i wedi hanner sylwi arno o ran fy mod wedi poeni ac wedi ceisio cael gwybod y ffeithiau. Dyliwn fod wedi gofyn i mi fy hun: beth sy'n digwydd yn ymennydd Mam, pam na fedar hi gofio pa ffordd oedd hi'n mynd i siopa, beth oedd enwau'r strydoedd a pha lwybrau roedd hi'n eu defnyddio? Cyn belled â'i bod hi'n gallu mynd yno ac yn dychwelyd yn saff, doedd dim angen i mi boeni. Ynteu a oedd fy mhen yn y tywod?

Wrth i'r flwyddyn fynd rhagddi, byddai Mam yn peri pryder i Dad bob yn hyn a hyn trwy aros allan am oriau, er ei bod wastad yn ffeindio'i ffordd adref. Dysgais yn ddiweddarach bod pobl sydd â chlefyd Alzheimer yn gallu mynd ar goll mewn llefydd cyfarwydd. Mae'n debyg y byddai hi'n mynd ar goll am gyfnod byr cyn iddi ddod ati hi ei hun a sylweddoli ble roedd hi. Ni chefais yr un alwad ffôn gan Dad ynglŷn â hyn; efallai fod ei feddwl yn arafu ac y byddai gwneud unrhyw beth yn anodd iddo. Yn hytrach, rhaid ei fod wedi eistedd ar ei ben ei hun a phoeni. Rhan arall o'u bywydau nad oeddwn i'n gwybod y stori'n llawn.

Roedd arwyddion eraill hefyd, ond gan nad oeddan nhw'n drawiadol, gallwn eu gwthio i gefn fy meddwl. Hoffai Mam ddarllen cylchgronau fel *Bella, Best* ac un *Saga*. Roedd hen gopïau o gwmpas y lle a'i harfer oedd codi un ohonyn nhw a darllen y pennawd ar y dudalen flaen. "Ydach chi wedi gweld hwn?" Do, mi rydan ni, sawl gwaith yn aml. Byddai Dad yn diflasu clywed yr un hen diwn ganddi ac yn dweud, "Do, filoedd o weithiau!"

Dro arall, byddai'n argyhoeddedig ei bod wedi gweld rhyw erthygl mewn cylchgrawn gan fynnu ein bod yn cael golwg arno, ac yna'n treulio oriau yn chwilio amdano. Un diwrnod, aeth ati i chwilio trwy nifer o gylchgronau am lun rhywun yr oedd hi'n ei feddwl oedd yn debyg i Alan. Neu dyna oeddwn i'n ei feddwl nes ei bod hi'n amlwg bod Mam yn meddwl mai llun o Alan *oedd* o! Arwydd arall bod ei meddwl yn chwarae triciau. Arwydd arall, hefyd, wnes i ei anwybyddu.

Un rheswm dros ddim ond hanner sylwi ar yr arwyddion oedd fy mod i'n chwarae rhan canolwr rhwng Mam a Dad, rôl a ddaeth i'r amlwg ar ôl iddyn nhw fynd i'r cartref gofal. Roedd f'egni emosiynol yn cael ei sugno wrth i Dad golli amynedd a dweud, "Does gan neb ddiddordeb!" ac yna Mam yn edrych fel pe bai wedi cael ei brifo. Wedyn byddwn yn cogio bod gen i ddiddordeb cyn iddi ddal ati i chwilota – hyn i gyd wrth geisio cydymdeimlo â diffyg amynedd Dad. Pa ryfedd mod i heb weld y darlun mawr.

2006: yn amlwg angen cymorth

Erbyn 2006, roedd arwyddion bod eu dryswch wedi gwaethygu. Gadewais i'r sefyllfa fudlosgi yn y cefndir gan ymateb i'w problemau trwy roi mwy o gymorth ac ymweld yn amlach. Fy mwriad bryd hynny oedd sicrhau bod Dad a Mam yn cadw'n gorfforol iach trwy gymryd cyfrifoldeb am dasgau ymarferol. Roedd hynny'n mynd â llawer o fy amser ac egni a hynny efallai yn rheswm arall dros sylwi ar ddryswch fy rhieni ond peidio â mynd i'r afael ag o.

Pan o'n nhw'n annibynnol, ro'n i'n mynd i'w gweld ryw unwaith yr wythnos. Roedd hyn bellach wedi codi i o leiaf dair gwaith yr wythnos. Treuliwn fwy a mwy o amser yn eu cynghori a'u helpu. Roedd y baich o ofalu amdanyn nhw'n mynd yn drymach. Gwaith gwirfoddol oedd hyn ar y dechrau ond bellach roeddwn yn meddwl amdanyn nhw drwy'r adeg. Byddwn yn cyfarfod ffrind. "Sut wyt ti?" "Iawn... ond tydi fy rhieni ddim yn rhy dda..." Bwrw fy mol wedyn, cyfle i sôn am y broblem ddiweddaraf gyda'r ddau riant.

Od iawn oedd hynny: y ddau ar fy meddwl trwy'r adeg, yn diflasu pawb gyda straeon amdanyn nhw ac eto do'n i ddim yn gweld yr amlwg. Yr hyn o'n i'n ei weld oedd bod bywyd bob dydd yn mynd yn anoddach. 2006 oedd y flwyddyn pan benderfynais fod angen cymorth allanol ar Mam a Dad. Yn y gorffennol, roeddan nhw wedi bod yn falch o'u hanibyniaeth gan ddweud rhywbeth i'r perwyl, "Rydan ni'n hen bobl ond does neb (o'r 'system') yn dod i weld a ydan ni'n iawn. Ond mi *rydan* ni'n iawn, a dydan ni ddim angen help. Rydan ni'n gallu ymdopi'n berffaith iawn ar ein pennau'n hunain, diolch yn fawr!" Roedd Mam yn dal o'r farn honno ond roedd Dad, a oedd yn fwy ymwybodol o'i ddiffygion corfforol a meddyliol, yn gwyro tuag at y syniad o gael rhagor o gymorth.

Dechrau ffraeo

Roedd y cyferbyniad hwn yn un naturiol o gofio eu hagweddau gwahanol tuag at heneiddio. Dad oedd yr un oedd yn ymwybodol iawn o'i oed: "Dwi'n 85 (neu 86, neu 87...) ac felly'n hen ŵr," oedd ei ymresymu. Ac os oedd o'n hen, nid oedd o'n gallu gwneud cymaint ag o'r blaen. Y cam rhesymol nesaf o'i safbwynt ef oedd y byddai, cyn hir, yn ddiwerth. Roedd Mam, ar y llaw arall, yn anwybyddu henaint. Nid oedd yn meddwl amdani hi ei hun fel rhywun hen na diwerth, ddim hyd yn oed gyda dementia.

O ganlyniad i'r gwahanol agweddau, dechreuodd y ddau ffraeo. Yn nyddiau cynnar eu dementia, ro'n i – fel merch ei thad – yn tueddu i ochri gyda Dad gan gredu y dylai Mam adael llonydd iddo. Yn ddiddorol iawn, o edrych yn ôl, roedd Mam hefyd wedi sylwi bod personoliaeth Dad wedi newid: arferai fod yn ddyn hamddenol, ffwrdd-â-hi ond dechreuodd ei swnian hi fynd dan ei groen, yn enwedig pan oedd Mam yn ceisio'i rwystro rhag cysgu'n ormodol yn ystod y dydd. "Mae o'n gweiddi arna i," cwynai.

Yr hyn sy'n amlwg nawr yw bod Mam wedi gweld yr arwyddion am gyflwr meddyliol Dad yn gynt na'r un ohonan ni. Yr hyn roedd Mam wastad yn ei wneud oedd cynnig eglurhad am yr hyn nad oedd hi'n ei ddeall, a glynu fel ci ag asgwrn at yr eglurhad hwnnw. Roedd hyn cyn i'w dementia amlygu'r tueddiad hwn, ac yn achosi iddi siarad fel pwll y môr. Er mwyn ceisio egluro cyflwr Dad, roedd hi o'r farn gref bod ganddo glefyd Alzheimer, ac yn ailddweud hynny hyd syrffed. Fy ffordd o ymateb i syniadau Mam oedd dadlau yn ei herbyn. Yn hytrach na chytuno â'i sylwadau ynglŷn â'r newid yn Dad, ro'n i'n rhoi fy holl egni (yn ôl f'arfer) i'r farn nad oedd o'n dioddef o glefyd Alzheimer. Oni allai Mam weld mai digalon oedd Dad? Dim ond yn ddiweddarach y sylweddolais ei bod, o bosib, yn cyfeirio'n gynnil at ei hofn mawr sef bod clefyd Alzheimer arni hi ei hun.

Ymgynghori â'r arbenigwyr

Dyna gefndir y penderfyniad i geisio cael cymorth yn y cartref i'r ddau yng ngwanwyn 2006. Bryd hynny, do'n i'n gwybod dim am Wasanaethau Cymdeithasol a'u 'cynlluniau gofal' ond drwy ddefnyddio gwefan y Cyngor Sir fel canllaw, cefais wybod mai'r cam cyntaf oedd gofyn am asesiad. Cytunodd Dad bod angen cymorth arno ond pan ofynnais pa gymorth yn arbennig, nid oedd neb yn siŵr iawn. Dyna oedd y broblem. Roeddan ni'n ymwybodol bod y sefyllfa'n gwaethygu ond doeddan ni ddim yn siŵr sut y dylid ei gwella. Pan ofynnais yr un cwestiwn i Mam, doedd hi ddim yn cytuno o gwbl â'r syniad. Doedd dim angen cymorth arni, meddai. Yn wir, doedd dim angen cymorth ar yr un o'r ddau. Ond bwriais ymlaen â'r cynllun gan gyfeirio at Dad yn unig. "Dy dad yn unig. Tydi hyn ddim byd i'w wneud efo fi," meddai Mam, pan glywodd bod gweithiwr cymdeithasol am alw draw am ymweliad asesu.

Roedd y gweithiwr cymdeithasol yn glên iawn, er ei fod braidd yn swta wrth holi Dad sut oedd o'n ymdopi â phethau bob dydd fel coginio, bwyta, golchi, gwisgo ac yn y blaen. Yn nhermau gwaith cymdeithasol roedd y rhain yn y categori 'sgiliau byw annibynnol'. Y cymorth yn y maes hwn yw 'gofal personol'.

Fel y gwelsom yn ddiweddarach ar ôl iddo fynd i'r cartref gofal, y broblem oedd bod Dad yn gallu gofalu amdano'i hun, i raddau. Roedd o'n ddigalon ac yn isel ei ysbryd ond roedd o'n dal yn gallu gwneud pethau. Roedd angen cymorth arno â'r agwedd 'mae bywyd yn rhy galed, alla i ddim ymdopi' yn hytrach nag 'alla i ddim gwneud rhywbeth penodol'. Ond nid yw'r ymdeimlad eich bod yn rhy hen i ymdopi a bod byw yn waith caled yn golygu bod y gweithiwr cymdeithasol yn mynd i benderfynu bod angen 'gofal personol' ar rywun.

Cawsom gopi o adroddiad swyddogol y Gwasanaethau Cymdeithasol a oedd yn argymell nad oedd angen creu cynllun gofal ar gyfer Dad: 'Er bod sgiliau byw annibynnol Mr Carling wedi dirywio'n ddiweddar, nid oes angen gofal arbennig arno, ond cyflwynwyd copi o'r llyfryn Gwasanaeth Gofal i Oedolion 2006 iddo rhag ofn ei fod ef, neu ei deulu, yn penderfynu defnyddio asiantaeth breifat.' Nodwyd Mam fel ei ofalwraig, a oedd yn eironig o gofio bod ei chyflwr iechyd meddyliol mor fregus.

Nodwyd yn yr adroddiad hefyd fod Mr Carling wedi dweud 'y byddai'n hoffi cymorth wrth ymolchi a gwisgo'. Mae'n debyg mai ystyr hyn oedd 'mae'n ymdopi'n iawn ac os yw'r teulu eisiau talu am ofal preifat iddo, rydan ni wedi rhoi'r wybodaeth iddyn nhw'. Nodwyd hefyd fod Mam yn 'cael trafferthion ar adegau gyda'i chof tymor byr' a olygai fod ei dementia'n amlwg i bobl o'r tu allan er nad oeddan ni fel teulu'n rhoi fawr o sylw i'r ffaith. Ond nid cyfrifoldeb y gweithiwr cymdeithasol oedd Mam. Dad oedd 'y cleient' a oedd wedi ei gyfeirio at y Gwasanaethau Cymdeithasol. Achlysurol oedd unrhyw sylw at Mam.

Tîm Iechyd Meddwl yr Henoed

Nodwyd cyflwr meddyliol Mam gan y gweithiwr cymdeithasol ond ni wnaethpwyd dim yn ymarferol. Ond cafwyd cymorth i Dad trwy ei gyfeirio at Dîm Iechyd Meddwl yr Henoed er mwyn rhoi cymorth iddo gyda'i broblemau cwsg ac iselder. Dyna pryd y daeth Jane (gweler Pennod 1) – y Nyrs Seiciatrig Cymunedol – i'n bywydau am ychydig o fisoedd. Sylwodd hi hefyd fod gan Mam broblemau meddyliol ond sylw wrth basio ydoedd. Dad oedd ei chlaf. Doedd ganddi ddim cyfrifoldeb dros Mam.

Ar ôl dau ymweliad, teimlai Jane fod cyflwr meddyliol Dad yn waeth nag 'iselder'. Dyna pryd y galwodd hi'r seiciatrydd ymgynghorol lleol a oedd yn arbenigo ar bobl hŷn. Roeddwn eisiau bod yn bresennol pan alwodd Dr Dening ond galwodd yn ddirybudd a chefais air gydag ef ar y ffôn. Ei asesiad, fel y gwyddom, oedd bod Dad yn dioddef o ddementia fasgwlar, wedi ei achosi mae'n debyg gan sawl strôc fechan, a bod Mam yn dioddef o gamau cynnar y clefyd Alzheimer.

Ond unwaith eto, sylw wrth basio oedd yr un am Mam. Doedd yr un arbenigwr yn y maes gofal iechyd wedi dangos mwy o ddiddordeb na hyn ynddi. A dwi'n flin am hynny. Wrth i'w chyflwr meddwl ddod yn fwy amlwg, adroddais hynny wrth y meddyg teulu ond ni chafodd ei hatgyfeirio at unrhyw arbenigwr iechyd meddwl. Efallai fod hyn yn rheswm arall pam nad oeddan ni wedi gweld y dirywiad a oedd ar fin digwydd. Wrth ymweld â Dad, roedd o leiaf tri arbenigwr o'r farn bod Mam yn dangos arwyddion o glefyd Alzheimer. Ni wnaeth yr *un* ohonyn nhw wneud unrhyw beth ynghylch y mater. Dim o gwbl. Tybiais felly nad oedd cyflwr Mam mor wael â hynny oblegid byddai arbenigwyr wedi gwneud rhywbeth ynglŷn â'i chyflwr. Does bosib?

Yr ochr negyddol o gael gweithwyr proffesiynol iechyd meddwl i asesu Dad oedd clywed nad oedd dim y gellid ei wneud, er i ni gael diagnosis iddo. Dim triniaeth, dim gwellhad, dim. Roedd y diagnosis ynddo'i hun wedi bod yn sioc i mi, yn symud Dad o dir 'mynd yn hen ac yn ddigalon' i le llawer gwaeth a mwy bygythiol. Ond o sylweddoli ein bod yn mynd i deithio i'r byd tywyll, anobeithiol hwnnw heb gymorth meddygol – beth oedd pwrpas yr holl weithwyr proffesiynol?

Cymorth gartref

Ochr gadarnhaol cyfraniad Jane oedd dechrau'r broses o gael cymorth i Mam a Dad yn eu cartref. Roedd rhywun yn y 'system' o'r diwedd wedi cydnabod eu bod yn cael trafferthion. Cyfeiriwyd Dad a Mam gan Jane at y gymdeithas wych, Crossroads, a sefydlwyd i helpu gofalwyr. Gallai Crossroads gynnig cymorth ymarferol (heblaw am lanhau) megis mynd â chleientiaid am dro neu alw heibio am baned a sgwrs. Yn wahanol i'r 'system' sy'n tueddu i weld pobl fel cyrff i'w bwydo a'u hymolchi, roedd y rhain yn rhoi pwyslais ar y 'cleient' fel person ag anghenion emosiynol yn ogystal â chorfforol.

Cefais sgwrs hir ar y ffôn gydag un o reolwyr Crossroads, un oedd yn gyfarwydd â phobl fel Mam a oedd angen cymorth ond yn mynnu ei wrthod. Unwaith yn rhagor, roeddan ni'n gofyn yr un cwestiynau a ofynnwyd yn achos Dad: beth yn *union* sydd ei angen i'w helpu i ymdopi? A fyddai Mam angen rhywun i fynd â hi i siopa, gofynnodd y rheolwr. O bosib, meddyliais. Roedd hi'n sicr yn arfer mwynhau mynd i'r ganolfan siopa ond y tro diwethaf yr aeth hi yno oedd bron dri mis yn ôl i brynu cerdyn pen-blwydd 60 oed i mi. Beth am baratoi prydau bwyd? gofynnodd y rheolwr. Mmmmm. Roedd cryn dipyn o amser wedi mynd heibio ers i'r ddau baratoi pryd iawn. A beth am olchi dillad? Do'n i ddim wedi meddwl llawer am hynny. A newid y dillad gwelyau. Sylweddolais nad oedd gen i syniad sut o'n nhw wedi bod yn ymdopi – efallai nad o'n nhw wedi newid y dillad gwelyau o gwbl. Ia. Gallai Crossroads, yn sicr, helpu gyda hynny.

Charmain

Daeth y rheolwraig i ymweld â Dad a Mam, llenwi ffurflen, cytuno ar 'gynllun gofal' (roedd Dad yn cael ei ystyried yn ofalwr Mam erbyn hyn), a threfnwyd ein cyfarfod cyntaf â'n gofalwraig swyddogol, Charmain. Dwi'n gwybod bellach nad oedd Mam yn deall yn iawn beth oedd yn digwydd. A chyn i Charmain ddod i'w gweld am y tro cyntaf, sylweddolais nad oeddwn yn gwybod ble roedd Mam a Dad yn cadw cynfasau gwely glân.

Pan ofynnais i Mam, cefais fy nghyhuddo o fusnesu, arwydd arall – pe bawn wedi sylweddoli hynny – o'r ffaith ei bod yn ffwndro. Mae'n debyg nad oedd hithau chwaith yn gwybod ble roedd y cynfasau glân, ond yn rhy falch i gyfaddef hynny. Eu busnes nhw oedd eu gwely, nhw a neb arall. Hyd yn oed pe bai'r cynfasau gwely byth yn cael eu newid. Unwaith eto, dewisais anwybyddu'r symptomau. Yn hytrach, cymerais agwedd fwy ymarferol: braidd yn bryderus, penderfynais ddod â chynfas gwely a gorchudd *duvet* o'm cartref a'u gosod mewn lle amlwg er mwyn i Charmain eu gweld. A rhoi cwpl o gyfarwyddiadau ar y peiriant golchi yn awgrymu sut orau i'w ddefnyddio.

Ar ddiwedd ei diwrnod cyntaf, piciais draw i weld sut oedd pethau'n mynd. Roedd Charmain wedi newid y dillad gwely ac wedi defnyddio'r cynfas gwely a'r gorchudd *duvet*. Ac roedd Mam wrth ei bodd. Dangosodd ei gwely i mi heb iddi sylweddoli fy mod i'n edmygu fy nillad gwely fy hun. Unwaith eto, anwybyddais y symptomau. Ro'n i mor falch o'r ffaith fy mod wedi ei gwneud yn hapus, wnes i ddim gofyn i mi fy hun beth oedd yn mynd ymlaen yn ei phen – doedd hi ddim wedi sylweddoli beth oedd wedi digwydd.

Roedd Charmain yn wych. Yn ystod yr wythnosau a'r misoedd canlynol – o'r diwrnod cyntaf hwnnw i'r amser pan aethon nhw i'r cartref gofal – hi fu'n golchi a newid y cynfasau gwely, dadbacio'r bwydydd 'siopa ar-lein' a helpu Mam i dwtio. Ond yn bwysicach na dim, roedd Charmain yn tynnu coes ac yn chwerthin gyda Mam a Dad, yn yfed paneidiau te, yn sôn am ei bywyd, yn parchu eu personoliaethau gwahanol ac yn codi eu calonnau. Dyna'r union fath o gymorth roedd ei eisiau arnyn nhw, ac am hynny ro'n i'n dra diolchgar.

2007: daw'r arwyddion yn fwy amlwg

Er ein hymdrechion gorau, roedd y cyfan yn dadfeilio. Erbyn 2007 roedd Mam, er enghraifft, yn anghofio bod yn rhaid rhoi rhai bwydydd yn yr oergell er mwyn eu cadw'n ffres. Ro'n i wedi dechrau dod i arfer taflu'r llefrith ond un diwrnod agorais y drôr a darganfod darn o bysgodyn amrwd, un o becyn a gafodd ei agor a'i roi'n ôl yn y drôr yn hytrach na'r rhewgell. Yr hyn oedd yn peri mwyaf o bryder i mi oedd y ffaith nad oedd Mam yn sylweddoli bod dim o'i le – y ddynes a arferai ysgrifennu dyddiad ar bopeth a oedd i'w rewi. Dros nos, ro'n i'n gorfod egluro pethau elfennol wrthi ynglŷn â sut i gadw tŷ, ac roedd hi'n ymateb fel pe bai'r hyn o'n i'n ei ddweud yn od a dieithr.

Ar ôl cael fy synnu gan hyn, nodais y broblem a chymryd camau ymarferol i'w sortio, ond do'n i ddim yn ystyried beth oedd yn digwydd ym meddwl Mam wrth iddi ymddwyn yn y fath fodd. Hyd yn oed yn y cyfnod cymharol hwyr hwn, roedd hi'n llai poenus i mi drin y symptomau yn hytrach na gofyn beth yn union oedd eu hystyr.

Galwyni o Gaviscon

Problem arall oedd presgripsiwn Mam. Ar ôl iddi benderfynu ei bod yn well ganddi aros yn y tŷ, fi oedd yn casglu ei phresgripsiwn o'r feddygfa ac yn nôl ei meddyginiaeth; meddyginiaeth at ei thyroid a photel fawr o Gaviscon ar gyfer ei hernia bylchog. Neu dyna o'n i'n ei feddwl. Ro'n i'n gwneud yn siŵr fy mod i'n prynu'r Gaviscon â'r blas cywir, a phan o'n i'n rhoi'r bag Boots a oedd yn cynnwys ei meddyginiaeth iddi roedd hi'n ymddangos yn hapus, wedi cael rhyddhad, fel pe bai hynny'n faich oddi ar ei hysgwyddau. O edrych yn ôl, sylweddolaf ei bod hi'n credu mai hi oedd yn nôl y presgripsiwn ei hun. Bob tro yr oedd hi'n cael y bag, roedd hi'n ddiolchgar gan feddwl mai hwnnw oedd yr unig dro i mi gasglu'r presgripsiwn ar ei rhan.

Un diwrnod, am ryw reswm neu'i gilydd, edrychais yn un o'r cypyrddau ac yno ar silff nad oeddwn yn sylwi arni'n aml dyma weld nid un, nid dwy ond naw potel o Gaviscon mewn rhes daclus. Roeddwn wedi cael fy nhwyllo gan y wên ddiolchgar a oedd yn fy nghroesawu bob tro ro'n i'n rhoi'r feddyginiaeth iddi. Yn amlwg, doedd hi ddim yn cymryd ei meddyginiaeth. A oedd *angen* iddi gymryd y feddyginiaeth? A oedd hi wedi *anghofio* ei chymryd? A oedd ei symptomau wedi diflannu?

Pryder arall yn syth oedd gofyn a oedd hi'n cymryd y feddyginiaeth at ei thyroid, yr un pwysicaf? Edrychais yn y cwpwrdd yn y gegin ble ro'n i'n meddwl yr oedd hi'n cadw ei thabledi ond doedd dim golwg ohonynt. Ble mae'ch tabledi thyroid chi, Mam? Edrychodd o'i chwmpas ond doedd hi ddim fel pe bai'n gwybod. Ydach chi wedi bod yn eu cymryd nhw? Dwi wedi bod yn eu cymryd nhw ers blynyddoedd oedd ei hateb. Ond ble maen nhw? Doedd hi ddim yn gwybod, ond yn mynnu ei bod hi'n eu cymryd. Roedd hi wedi bod yn eu llyncu nhw ers blynyddoedd felly mae'n rhaid ei bod hi'n eu cymryd!

Torrodd ei chalon pan oedd hi'n methu dod o hyd iddyn nhw. Debyg bod fy holi taer yn gwthio'i dryswch i'r wyneb ac yn ei bwrw oddi ar ei hechel. Rhoddais y gorau i'w holi a darganfod y tabledi rai diwrnodau'n ddiweddarach. Dyma ddechrau trefn newydd, a chael tun tabledi newydd i'r ddau, un mwy o faint i Dad gan ei fod i gymryd mwy ohonyn nhw na Mam. A swyddogaeth Dad oedd rhoi'r feddyginiaeth thyroid i Mam bob bore cyn cymryd ei dabledi ei hun.

Doedd Dad ddim eisiau'r cyfrifoldeb – wrth reswm doedd o ddim oherwydd ei fod yn ymwybodol iawn o'i drafferthion meddyliol personol. Ond o'r ddau ohonyn nhw, Dad oedd yr un oedd yn dal i ddeall y syniad o 'gymryd meddyginiaeth yn rheolaidd'. I Mam, roedd yr wybodaeth hon fel petai wedi diflannu i'r pedwar gwynt. Ac eto, er bod bylchau mawr yn ei hymennydd, roedd hi'n dal i ymddwyn yr un peth ag erioed, yn meddwl ei bod yn rheoli ac yn gwneud yr holl waith tŷ yn ôl ei harfer. Ond deuthum i sylweddoli nad oedd hi'n gwybod pa amser o'r dydd oedd hi. Byddwn yn cyrraedd yn gynnar gyda'r nos ac mi fyddai'n gofyn a oeddwn i wedi cael brecwast. Wrth reswm, ro'n i'n meddwl bod hyn yn od ond dewisais drin y peth fel jôc, er mwyn osgoi gorfod meddwl am yr hyn oedd yn digwydd yn ei phen.

Dechreuodd ddweud bod pobl ar y teledu'n siarad yn uniongyrchol â hi, yn enwedig os oedd eu hwynebau mewn siot agos. Credwn fod hynny'n wallgof ond unwaith eto dewisais anwybyddu'r datblygiad dychrynllyd hwn. Efallai fod y wynebau yn codi ofn arni. Dywedodd Dad ei bod hi wedi rhwygo'r erial o gefn y teledu un tro; efallai ei bod yn ceisio gwaredu'r bobl tu mewn iddo.

Wrth edrych yn ôl, ro'n i'n gweithredu ar ddwy lefel. Ar lefel ffwrdd-â-hi yn derbyn ymddygiad od Mam a gwneud y gorau gallwn i gario ymlaen yn ymarferol. Ond ar y lefel arall oedd yr ofn a'r pryder yr oeddwn i'n ceisio eu cuddio dan yr wyneb. Y ddelwedd yn fy meddwl wrth edrych yn ôl ar y cyfnod hwnnw yw bod yn gaeth mewn seler sydd â golau llachar.

Y croesair

Un peth oedd yn crisialu dirywiad meddyliol Dad a Mam oedd croesair y *Mail On Sunday*. Gweithiai'r ddau ar hwn – ac eraill – gyda'i gilydd am flynyddoedd. Roedd eu tŷ'n llawn o lyfrau gwybodaeth; bu'n rhaid iddyn nhw brynu geiriaduron a gwyddoniaduron eto am eu bod wedi mynd yn fratiog trwy eu defnyddio'n aml. Roedd Mam yn arbennig yn hoff iawn o 'chwilio am ffeithiau'; aderyn y nos oedd hi beth bynnag a byddai chwilio am ateb i gliw yn ei chadw ar ei thraed tan oriau mân y bore. Pan brynodd Dad gyfrifiadur – yn yr 80au cynnar, cyn yr iselder – byddai o'n chwilio am ffeithiau ar y rhyngrwyd. Ond fyddai Mam byth yn gwneud hynny. Er syndod imi, doedd ganddi ddim diddordeb yn y cyfrifiadur – roedd yn well ganddi chwilio am atebion mewn llyfrau.

Yn y dyddiau cynnar, pan oedd 'henaint' yn cadw draw, byddai Dad yn fy ffonio amser cinio dydd Llun a rhan o'r sgwrs oedd gofyn i mi geisio helpu gydag unrhyw atebion oedd yn weddill. Ond wrth iddo lithro i bwll o iselder, daeth y galwadau ffôn i ben. Arferwn ymweld â nhw ar y nos Fercher, a byddai ambell gwestiwn yn dal ar ôl i gwblhau'r croesair. I Mam, roedd anfon y croesair trwy'r post ar y dydd Iau yn garreg filltir wythnosol, yn orchest.

Wrth i'w iselder waethygu, collodd Dad ddiddordeb yn y croesair ond ceisiai Mam ei berswadio i ddal ati. Roedd hi angen Dad i ddechrau ar y croesair cyn y gallai hithau fwrw ati i'w gwblhau. Yn y man, ar y nosweithiau Sul, fi oedd yr un a ddechreuai ar y dasg. Tynnodd Dad yn ôl yn llwyr gan ddweud na allai ei wneud bellach, er ei fod o'n gallu'n iawn ac yn cynnig atebion ar brydiau. Dyna oedd y gwahaniaeth mawr rhwng y ddau, Dad yn stopio gwneud rhywbeth am ei fod o'n credu bod y gwaith yn rhy anodd – er nad oedd hynny'n wir – a Mam yn amharod i roi'r gorau iddi.

Hynny yw, tan i Natur orchymyn yn wahanol. Er gwaethaf ei natur benderfynol, daeth yr adeg pan gymerai ddyddiau i Mam ganfod ateb neu ddau. Byddwn i'n dechrau'r llenwi'r croesair cyn ei roi i Mam. Ac wedyn byddai hi'n dyfalbarhau tan iddi ddigalonni. Doedd hi ddim yn gallu ei wneud rhagor. Pentyrrodd y papurau ar gadair. Eisteddai'r llyfrau gwybodaeth yn ddistaw heb eu hagor. Tynnodd Dad yn ôl o'r frwydr yn gynnar; brwydrodd Mam ymlaen nes iddi golli.

Sut wyt ti'n gwneud paned o de?

Wrth iddi golli diddordeb yn y croeseiriau, allwn i ddim anwybyddu'r ffaith bod Mam yn anghofio sut i wneud y tasgau mwyaf syml. Be gymri di, gofynnai. Paned o de, atebwn, cyn iddi brysuro a dod yn ôl gyda jwg a gofyn a oedd honno'n iawn. Peidiwch â phoeni, mi wna i baned, meddwn, gan gymryd yr awenau. Roeddan ni'n dwy yn defnyddio'r un dyn glanhau ffenestri a dywedodd hwnnw wrthyf fisoedd yn ddiweddarach ei fod wedi gofyn i Mam am wydraid o ddŵr ac mi ddoth yn ôl gyda sosban.

Er bod gwrthrychau a gwaith tŷ yn dechrau mynd yn drech na hi, byddai'n cwyno nad oedd Dad yn hwfro ddigon. Yn ei meddwl hi, mi dybiaf wrth edrych yn ôl, roedd hi'n byw mewn oes wahanol pan oedd Dad yn iau ac yn gryfach. Roedd bywyd yn galed arni a Dad yn gwneud dim heblaw gorwedd drwy'r dydd. Doeddwn i ddim wedi dysgu bryd hynny mai'r peth gorau i'w wneud gyda rhywun â dementia yw mynd i mewn i'w byd yn hytrach na'u cywiro. Ceisiwn egluro wrthi fod Dad braidd yn hen i wthio hwfer o gwmpas y tŷ. Yn amlwg, roedd angen i mi ddod o hyd i rywun i'w helpu i lanhau'r tŷ. Fel ag yr oedd hi, ro'n i'n gwneud mwy a mwy o waith tŷ a Mam yn honni eu bod yn ymdopi'n iawn.

Wrth i 2007 fynd rhagddi, pan wisgai Mam weithiau, rhoddai sawl set o ddillad amdani. Doedd hyn ddim yn poeni Charmain, roedd ei hyfforddiant wedi ei dysgu ei bod yn iawn i unrhyw berson dryslyd eu meddwl wneud unrhyw beth cyn belled â bod dim niwed yn cael ei wneud. Ac roedd Jane, y Nyrs Seiciatrig Cymunedol, o'r un farn. Deuthum innau yn y diwedd i'r un casgliad, ac yn rhan o'r doethinebu hwnnw ei bod yn well i bobl â dementia gael cymorth gartref, sdim ots pa mor od yw eu hymddygiad.

Cafodd Charmain a minnau sawl sgwrs hefyd ynghylch dillad isaf Mam oherwydd anaml iawn oedd un i'w weld yn y fasged olchi. Ar ôl darllen erthygl yn y *Guardian* gan ferch oedd yn gofalu am ei mam yng nghyfraith a oedd yn dioddef o glefyd Alzheimer, deuthum i ddeall eu bod yn aml yn gallu anghofio sychu eu penolau ar ôl bod yn y lle chwech. Rodd Mam, am wn i, yn sylwi bod ei dillad isaf yn fudr ond ddim yn siŵr iawn pam. Mae'n debyg bod ganddi ormod o gywilydd ac yn eu cuddio. Weithiau, byddai Charmain a minnau'n ffeindio rhai yn y cypyrddau neu wedi eu stwffio tu ôl i'r wardrob. Daeth Alan a minnau o hyd i ragor ohonyn nhw maes o law wrth glirio'r tŷ.

Pam na wnaethon ni ragweld hyn?

Wrth i haf 2007 gyrraedd a'r wythnosau tyngedfennol yng Ngorffennaf agosáu, y cyfnod pan newidiodd bywydau Mam a Dad am byth, roedd gofalu amdanyn nhw yn hawlio fy mywyd. Dyna ble ro'n i, yn sylwi ar yr arwyddion ond yn eu hanwybyddu, ac yn trin y symptomau ond ddim yn archwilio'u gwreiddiau. Bellach, ro'n i'n gorfod wynebu eu dryswch meddyliol yn gyson.

Am gyfnod, bu Mam yn cysgu yn un o'r stafelloedd gwely yng nghefn y tŷ. Doedd gan Dad ddim syniad ble na phryd roedd hi'n cysgu, dim ond dweud ei bod hi'n crwydro'r tŷ bob awr o'r nos. Sylwais hefyd nad oedd Dad yn rhoi ei thabledi iddi. Fedar o ddim, eglurodd, oherwydd doedd dim trefn bellach yn y bore. Roedd eu gallu i fyw'n annibynnol yn chwalu'n araf.

Tristaf oll oedd y diwrnodau prin hynny pan oedd Mam yn dangos arwyddion o baranoia, yn dweud wrth Dad nad oedd hi'n ymddiried ynddo. Un gyda'r nos, pan oedd Dad a minnau'n sortio'r papurau ariannol – roedd Dad wedi gofyn i mi gael cipolwg ar y cyfrifon cynilo a threfnu'r gwaith papur – doedd Mam ddim yn hapus ei bod ar y cyrion a dywedodd wrthyf innau hefyd, "Dydw i ddim yn dy drystio di." Efallai ein bod ar fai am beidio'i chynnwys hi yn y drafodaeth, ond bellach roedd gen i Atwrneiaeth ar ei rhan (ond ddim eto ar ran Dad) am yr union reswm hwnnw, sef bod Mam bellach wedi colli pob dealltwriaeth o faterion ariannol. Unwaith eto, mae'n bosib bod ei meddwl mewn rhyw gyfnod arall pan oedd Dad yn ymdrin â'r materion ariannol – materion preifat, dim i'w wneud â neb arall, gan fy nghynnwys i.

Y digwyddiadau bychain hyn oedd yn cadarnhau'r ffaith bod meddwl Mam yn gwaethygu ac un Dad yn gwanio. Ond nid dyna o'n i'n ei ddweud wrthyf fi fy hun. Yn ei chartref, man cyfarwydd nad oedd Mam wedi ei adael ers dros flwyddyn, roedd hi'n dal i ymddwyn yn foddhaol, yn dal i wybod ei ffordd o gwmpas, yn chwerthin ac yn tynnu coes. Ac mi ro'n i yno i helpu os oedd angen. Wrth wynebu pob rhwystr, roeddan ni'n cario ymlaen gyda'n pennau i lawr, yn canolbwyntio'n galed ar ddal gafael. Dyna pam wnaethon ni ddim sylweddoli beth oedd ar fin digwydd…

…Tan y diwrnod hwnnw pan oedd pengliniau Mam mor boenus roedd hi'n methu cerdded. Tan ddydd Gwener 13eg, 2007, pan ddaeth doctor dibrofiad i ymweld â hi. Tan ddydd Sul, 15 Gorffennaf, pan syrthiodd hi ddwywaith a bu'n rhaid iddi fynd i'r ysbyty am 'ychydig o ddiwrnodau'. Tan iddi gamu trwy ddrws ei chartref a pheidio edrych yn ôl. Ni ddaeth yn ôl. Y diwrnod pan ddechreuodd eu dementia o ddifrif.

Dywedais wrth ffrind fy mod i'n sgrifennu'r bennod hon gan ofyn y cwestiwn: pam na wnaethon ni ragweld yr hyn oedd am ddigwydd? Iddo ef, roedd yr ateb yn amlwg: "Pam fyddet ti *eisiau* gweld y diwrnod hwnnw?" Pam, yn wir?

Pennod 12

Dysgu gan ddementia: colledion (ac ambell fudd)

Yn ogystal â chodi nifer o gwestiynau, mae dementia hefyd yn golygu dysgu llawer o wersi. Pan ddechreuodd y stori hon yn 2005, doeddwn i'n gwybod fawr ddim am y cyflwr na'r gwahanol fathau ohono. Doedd fy rhieni ddim yn gwybod llawer amdano chwaith, hyd y gwelaf, er ei fod yn effeithio arnynt. Mae byw gyda dementia wedi dysgu gwersi i bob un ohonom.

I bobl fel Mam sydd â chlefyd Alzheimer, neu ddementia tebyg, mae'r gwersi'n cael eu dysgu wrth orfod addasu i'r ffaith bod eu cof yn diflannu'n araf ac ymdopi â'r dryswch sy'n dilyn hynny. Mae'n anodd i ni ar y tu allan ddychmygu sut brofiad yw anghofio'r hyn sydd newydd ddigwydd, nid unwaith, nid o bryd i'w gilydd ond trwy'r amser. Efallai eich bod yn penderfynu yn y diwedd nad oes pwynt ceisio cofio, a bod bywyd yn haws trwy beidio stryffaglu i wneud yr hyn nad yw'r ymennydd bellach yn ei ganiatáu. Wedi'r cwbl, dyna rydan ni'n ei wneud pan ydan ni'n dioddef o anabledd corfforol. Os ydan ni'n methu cerdded, rydan ni'n addasu er mwyn gallu symud mewn ffordd wahanol: ac mae pobl eraill yn derbyn bod hynny'n anorfod. Yr un peth gyda dementia: mae angen i ni sydd ar y tu allan barchu bod pobl â dementia'n ildio i'r cyflwr. Mae hynny'n rhan o'r hyn a ddysgwn – ein bod ni'n addasu ac yn derbyn y ffaith nad yw'r bobl a garwn bellach y bobl oeddan nhw.

I bobl â dementia fasgwlar, fel Dad, mae'r dysgu'n fwy poenus o bosib am fod gan y claf fwy o ymwybyddiaeth. Roedd hynny'n sicr yn wir yn ei achos ef. Mae Dad a phobl debyg yn gorfod addasu i'r niwed graddol sy'n digwydd i'r ymennydd; maen nhw'n cael trafferth cynllunio, trefnu, dysgu rhywbeth o'r newydd, canolbwyntio a defnyddio geiriau. Ond gan fod y niwed i'r ymennydd ar y dechrau yn fwy penodol nag ydyw yn achos clefyd Alzheimer, mae rhai'n gallu *teimlo'r* dirywiad yn waeth. Dim rhyfedd bod dementia fasgwlar yn cerdded law yn llaw ag iselder.

Deg gwers o fyw â dementia

Nid yw fy rhieni i wedi gallu dweud sut y teimlai dementia iddyn nhw a beth ddysgon nhw o fyw â meddwl sy'n diffygio. Ni allaf ond sôn am yr hyn dwi wedi'i ddysgu fel lleygwr heb unrhyw arbenigedd ar wahân i'r hyn dwi wedi bod yn rhan ohono ac wedi sylwi arno.

1: Mae yna wahanol fathau o ddementia a gwahanol effeithiau

Dyma un o'r pethau cyntaf a ddysgais: roedd dementia'n cael effaith wahanol ar ymenyddiau Dad a Mam, a hynny ar gyflymder gwahanol. Ar y dechrau, roeddwn yn egluro ymddygiad Mam wrth Dad trwy ddweud "Mae dementia arni", heb sylweddoli bod dementia arno yntau hefyd, gan fod effaith ei ddementia ef yn ymddangos ar y pryd yn llai trawiadol.

Term yw 'dementia' i gynrychioli mathau gwahanol o ddirywiad meddyliol, yn aml iawn ymysg yr henoed ond nid bob tro. Mae rhai'n dioddef yn eu 50au a'u 60au, ac weithiau'n gynt na hynny. Mae sawl math o ddementia, ond gall hyd yn oed yr un math gael effaith wahanol ar wahanol bersonoliaethau, a hynny ar gyflymder gwahanol ac mewn ffyrdd unigryw.

Clefyd Alzheimer yw'r dementia sydd fwyaf adnabyddus; hwn yw'r un mwyaf cyffredin, yn gyfrifol am ddau achos o bob tri o ddementia mewn pobl dros 65 oed yn y Deyrnas Unedig. Dyma'r un sy'n cael y sylw mwyaf yn y cyfryngau, yn enwedig pan mae'n taro pobl enwog fel Iris Murdoch, Ronald Reagan, Terry Pratchett a David Parry-Jones. Ac wrth i ni fyw'n hirach a'r darogan gynyddu y cawn 'epidemig Alzheimer', mae clefyd Alzheimer wedi datblygu i fod yn derm dychrynllyd – hyd yn oed yn fwy ofnus na 'chanser' – wrth iddo gael ei ddefnyddio mewn penawdau newyddion i ddychryn a chodi ofn.

A hithau'n hoff iawn o ddarllen cylchgronau, byddai Mam wedi gweld rhai o'r penawdau ac wedi darllen erthyglau am glefyd Alzheimer – darllen digon iddi amau bod Dad yn dioddef o'r cyflwr wrth iddi sylwi ar y newid yn ei ymddygiad yn ystod y blynyddoedd olaf. Efallai fod y ddau wedi gweld y newidiadau bychain yn ei gilydd yn fwy nag o'n ni'n feddwl.

Roedd Mam wedi bod yn anghywir wrth gwrs – doedd Dad ddim yn dioddef o glefyd Alzheimer. Hi o bosib oedd yn dioddef o'r cyflwr hwnnw, neu gyflwr ag effeithiau tebyg iawn iddo. Mae 'o bosib' yn cael ei ddefnyddio'n aml yng nghyd-destun dementia. Ni all neb ddweud yn bendant beth yn union yw cyflwr Mam oblegid yr unig ffordd o ddarganfod hynny yw trwy archwilio'i hymennydd ar ôl iddi farw. Ond beth yw'r pwynt gwybod bryd hynny? Er y byddai'r wybodaeth, wrth gwrs, yn gymorth i'r rhai sy'n gwneud ymchwil yn y maes.

Alzheimer's Research UK yw un o'r mudiadau hynny sy'n ceisio lleihau'r 'o bosib' drwy ddarganfod ffyrdd o ddatblygu triniaethau posib. Mae'n esbonio bod y symptomau yn cael eu hachosi gan 'nerfgelloedd yn marw o gwmpas yr ymennydd a'r cysylltiadau rhwng y celloedd yn dirywio'. Mae'r broses hon yn dechrau gan amlaf yn y rhan o'r ymennydd sy'n effeithio ar y cof, cyn ymledu'n raddol i fannau eraill ac yn ymosod ar wahanol swyddogaethau. Ar y funud, does neb yn siŵr beth sy'n achosi i'r nerfau farw. 'Mae gwahanol fathau o ddyddodion protein (placiau amyloid a chlymau'r protein tàw) yn casglu yn ymennydd person sydd â chlefyd Alzheimer, ond nid ydym yn gwybod ai hyn sy'n achosi'r clefyd, neu'n digwydd oherwydd ryw reswm arall,' meddai'r arbenigwyr ymchwil. Mae'n amlwg bod llawer iawn i'w ddarganfod eto a'r newydd da yw bod y llywodraeth yn cyfrannu rhagor o arian bob blwyddyn i'r pwrs ymchwil.

Cafodd dementia fasgwlar Dad ei achosi gan broblem cyflenwad gwaed i'w ymennydd, ond gall hyn ddigwydd mewn nifer o wahanol ffyrdd ac o ganlyniad mae nifer o wahanol fathau o ddementia fasgwlar – rhai yn gyffredin, rhai yn brin. Awgrymodd Dr Dening fod dementia Dad wedi ei achosi gan nifer o strociau bychain ond cyn belled ag y gwn i dyma enghraifft arall o'r 'o bosib'. Fel gyda chlefyd Alzheimer, does dim sicrwydd. Mae math Dad o ddementia fasgwlar, a elwir yn ddementia amlgnawdnychol (*multi-infarct*), yn effeithio ar y cortecs, sef yr haen allanol o'r ymennydd a gysylltir â dysgu a chanolbwyntio, cof ac iaith. O ganlyniad i ddiffyg gwaed yn y cortecs, mae'r celloedd yn marw ond mae hyn yn digwydd yn raddol, os nad yw'r strôc yn un ddifrifol. Yn sicr ni chafodd Dad erioed strôc fawr, ac nid oeddan ni'n dyst i unrhyw strociau bychain, er eu bod 'o bosib' wedi digwydd. Ar y dechrau, roedd ei ddirywiad yn ymddangos yn un graddol i ni ar y tu allan, ond byddai hyd yn oed yn raddol wedi bod yn fwy brawychus i Dad nag o'n i wedi ei sylweddoli wrth iddo deimlo drosto'i hun ei feddwl yn colli'i nerth.

Er nad wyf yn gwybod yn bendant, dychmygaf fod dementia Mam a Dad wedi bod yn brofiadau cwbl wahanol o'u safbwynt nhw. Mae'n wir dweud bod y rheini sydd â dementia fasgwlar hefyd yn gallu datblygu clefyd Alzheimer; ac mae awtopsi wedi dangos bod cleifion Alzheimer yn gallu bod â chlefyd fasgwlar hefyd. Ond mae effaith y mathau gwahanol o ddementia sydd gan Dad a Mam wedi bod yn wahanol iawn, mae hynny'n sicr, gyda Dad yn dawel ac yn isel ei ysbryd yn aros yn ei ystafell a Mam yn fywiog, aflonydd yn ei byd bach ei hun a hwnnw'n prysur grebachu.

2: Dim ond y cleifion sy'n gwybod beth yw dementia

Dyma'r wers anoddaf i bobl o'r tu allan: dim ond y rhai sydd â dementia sy'n gwybod sut beth yw'r clefyd. Gan na allwn fynd i mewn i bennau pobl, ni all hyd yn oed meddygon ac arbenigwyr yn y maes wybod sut brofiad yw bod â dementia. Ac ni all y rheini sy'n dioddef ddweud wrthym, er bod rhai'n ceisio gwneud hynny, yn enwedig y cleifion ifanc (y rhai dan 65 mlwydd oed) sy'n adnabod y symptomau cynnar. Rhaid i ni gydnabod ein diffyg gwybodaeth. Ein hymennydd yw'r organ sy'n rheoli'n cyrff. Nid ydym yn gwybod llawer iawn am y cyflwr, ond yn gwybod llai fyth am sut *deimlad* ydyw pan mae'r ymennydd yn ddiffygiol.

Dysgais beidio cymryd yn ganiataol fy mod i'n gwybod sut mae'r cleifion yn teimlo, a beth maen nhw'n gallu ac yn methu ei wneud. Nid yw hyn yn hawdd oherwydd rydym yn barnu pobl yn ôl yr hyn yr ydym yn ei weld. Un person sy'n f'atgoffa na allaf wybod sut mae cleifion yn teimlo yw Richard Taylor, seicolegydd o America a gafodd ddiagnosis o 'ddementia, math Alzheimer fwy na thebyg' pan oedd yn 58 mlwydd oed. Mae Richard wedi sgrifennu'n helaeth am ei brofiadau cynnar â chlefyd sy'n dinistrio'i fywyd. 'Dydan ni byth yn cael ein gweld ar ôl diagnosis,' dywed yn ingol am y ffordd y mae diagnosis o glefyd Alzheimer yn amlach na pheidio yn arwain at ddiystyru'r claf, bron fel pe bai eisoes wedi cicio'r bwced, ac nad oes gwerth i weddill ei fywyd.

Mae Richard Taylor hefyd yn gofyn cwestiynau perthnasol: 'A yw hi'n bosib i'r claf dyfu a datblygu fel bod dynol ar ôl y diagnosis?' pendrona, cwestiwn sy'n treiddio i galon ein hofn o ddementia. Dyma ddyn sydd wedi cael dedfryd oes, ei ymennydd yn mynd i ddiffodd, ond yn cynnig bod bywyd i'w gael gyda chlefyd Alzheimer. Mae hefyd yn ymwybodol ein bod ni o'r tu allan yn fwy cyfforddus wrth wrthod cydnabod hynny, ac yn fwy parod i ganolbwyntio ar yr ochr ymarferol: 'Ar eu gorau, mae'r bobl broffesiynol yn fy nhîm yn rhoi nodiadau i'r gofalwyr yn egluro sut i rwystro'r claf rhag gwneud niwed i'w hunan ac i eraill...' cwyna. Yr hyn mae Richard eisiau yw 'llyfrau sy'n dweud sut alla i fyw gyda'r cyflwr. Sut allaf wneud y gorau o 'mywyd, bod yr hyn alla i fod, a hynny gyda'r afiechyd hwn?'

Gallwn ddysgu llawer wrth ddarllen gwaith Richard Taylor, yn enwedig sut i wrando ar y rheini sy'n gwybod o brofiad.

3: Mae pobl sydd â dementia yn dal i fod yn unigolion â phersonoliaethau cryf

Mae'r wers hon yn estyniad o'r un ddiwethaf. Pan oedd Dad a Mam yn abl yn feddyliol, roedd gan y ddau bersonoliaethau gwahanol. Ac roedd hynny'n dal i fod yn wir pan o'n nhw'n feddyliol anabl.

Dad oedd yr un ffwrdd-â-hi, yn byw bywyd yn hamddenol, yn osgoi gwrthdaro. Pan oedd yn hŷn, roedd hefyd yn gydwybodol, yn hoff iawn o fanylder a chadw trefn ar ei fywyd. Ond pan gafodd ddementia, doedd dim modd cael bywyd hamddenol a doedd cadw trefn ddim yn rhwydd. Ei ymateb oedd syrthio i bwll o iselder. Dyna yw fy marn bersonol, wrthrychol am yr hyn ddigwyddodd iddo.

Roedd Mam yn berson gwytnach (ac yn dal i fod: "Dwi'n tyff, sti," meddai wrtha i diwrnod o'r blaen) a chanddi farn gref, yn hy ar adegau, yn hoffi pobl, yn berson preifat, yn well ganddi ymdopi â'i salwch ei hun yn hytrach na dibynnu ar feddygon, ac yn casáu cael ei beirniadu. Ei hymateb i'w dementia yw byw gydag ef fel pe bai'n gyflwr normal, gan ddal i fod yn chwilfrydig ac yn 'wydn' ac yn groendenau wrth iddi golli rheolaeth ar fywyd bob dydd. Unwaith eto, dyna yw fy marn bersonol a gwrthrychol i, o'r tu allan.

Ond mae un peth yn sicr – ni lwyddodd dementia i'w gwneud 'yr un fath' â'i gilydd, nac ychwaith 'yr un fath' â'u cyd-breswylwyr yn yr Uned Dementia. Yr hyn oedd gan bawb yn gyffredin yno oedd eu bod yn dioddef o anhwylder ar yr ymennydd. Ond yn union fel mae dementia ei hun yn amrywio, mae'r cleifion hefyd yn amrywio. Does yr un dau ymennydd yr un fath. O ganlyniad, ni all neb gael yr un profiad o ddementia â neb arall.

Rhaid oedi i ystyried hyn; mae gan bob un ohonom wahanol brofiadau sy'n cael eu storio ryw ffordd neu'i gilydd yn yr ymennydd. O ganlyniad, mae pawb sydd â dementia yn dechrau ar y broses gyda storfa o brofiadau, galluoedd, atgofion, ofnau a theimladau gwahanol. Felly, er bod yr elfen gorfforol, y broses o niweidio'r nerfgelloedd a'r cysylltiadau rhyngddyn nhw yr un fath i bob unigolyn, mae ei ymddygiad yn debygol o amrywio oherwydd bod pob ymennydd a'i 'gynnwys' yn unigryw, yn ogystal â phatrwm a chyflymder dirywiad y celloedd o'i gwmpas. Yn hyn o beth, mae dementia – sef y meddwl yn torri'n ddarnau – yn wahanol, er enghraifft, i dorri coes. Mae coes pob unigolyn yn eithaf tebyg i'w gilydd ond mae'r ymennydd, gyda'i 'gynnwys' unigryw, yn dirywio mewn ffordd wahanol ac amrywiol.

Dyna pam mae'n bwysig gwahaniaethu'n glir rhwng y cyffredinol a'r unigolyn, rhywbeth nad yw meddygon ac arbenigwyr yn aml yn ei wneud. Gallwn gyffredinoli ynglŷn â chlaf dementia trwy ddweud ei fod yn anghofus oherwydd bod y rhan honno o'r ymennydd yn ddiffygiol, ond bydd ei effaith ar bob unigolyn i'w *weld* yn wahanol.

Dwi'n dyst i hyn ar ôl ymweld â'm rhieni a'r preswylwyr eraill ar hyd y blynyddoedd. Mae eu gallu i lefaru yn un enghraifft amlwg. Mae rhai o'r preswylwyr yn dilyn yr un llwybr â Dad, ac yn peidio â siarad ryw lawer. Ond mae hyd yn oed y rheini sy'n peidio â siarad yn gwneud hynny yn eu ffyrdd unigryw eu hunain. Neu felly y mae eu tawedogrwydd yn edrych i rywun o'r tu allan. Mae un gŵr, er enghraifft, yn hollti'r tawelwch gyda gwên, tra bod rhai eraill fel pe baen nhw'n dal yn ôl ac yn siarad ddim ond pan maen nhw'n cael eu pryfocio. Mae'n bur debyg nad hynny sy'n digwydd o'u safbwynt *nhw*, wrth gwrs; efallai fod y rhai tawel yn rhwystredig achos eu bod yn methu dod o hyd i'r geiriau.

Yn sicr edrychai Dad fel petai ar fin dweud rhywbeth weithiau. Byddwn yn disgwyl yn eiddgar, ond dim gair. Ond pan oedd ganddo wir awydd roedd yn gallu siarad. Er enghraifft, pan syrthiodd Mam roedd Dad wrth ei hymyl ac yn dyst i'r digwyddiad, gan weld ei hwyneb yn waed drosto. Aethpwyd â hi i'r ysbyty, a'r noson honno gofynnodd Dad i un o'r gofalwyr sut oedd hi ac a oedd hi'n dal i fod yn yr ysbyty. Gallai ddod o hyd i eiriau pan oedd angen.

Cyn gynted ag y mae person yn gwybod bod siarad yn anodd, rydach chi'n fwy ymwybodol o rym tawelwch. Roedd un o'r preswylwyr – un a oedd bob amser yn dwt a thrwsiadus – wedi colli'r gallu i siarad a symud, ac yn eistedd yn ei chadair olwyn yn bictiwr o harddwch ac urddas.

Mae eraill sydd wedi colli eu gallu i gyfathrebu yn gallu deall ac ymateb, yn gallu bod yn rhan o sgwrs ddwy ffordd – er yn un cyfyng – pan mae'r gofalwyr yn dewis amser addas a man tawel.

Mae rhai fel Mam yn colli'r gallu i sgwrsio yn raddol ond dydi hynny ddim yn golygu nad yw'n ceisio cyfathrebu. Mae hi'n sgwrsio fel pwll y môr, er nad os neb yn ei deall ar ôl y geiriau neu'r frawddeg gyntaf. Dydw i ddim yn gwybod a yw hi'n ymwybodol o hynny. I mi'n bersonol, dydi hynny ddim yn broblem, cyn belled â'n bod ni'n dwy gallu bod yng nghwmni'n gilydd, yn cynnal sgyrsiau syml ac yn cyfathrebu.

Nid yw rhai yn dawel o gwbl. Maen nhw'n siarad yn gyflym, fel rhaff trwy dwll, er bod yr hyn maen nhw'n ei ddweud yn ailadroddllyd a dryslyd, gan awgrymu eu bod mewn cyfnod amser arall yn feddyliol. Gall y personoliaethau cryfaf fod yn fygythiol, gan greu rhwyg rhwng pobl, yn ogystal â thynnu blewyn o drwyn. Bryd hynny, mae'r rhai tawel yn mwmian yn flin dan eu gwynt, ceir ambell i ffrae, yn union fel bywyd go iawn.

4: Mae'n debygol bod dementia yn fwy dychrynllyd i gleifion nag ydan ni'n ei feddwl

Fy natganiad gwreiddiol yma oedd, 'Does dim rhaid i ddementia fod yn brofiad dychrynllyd' ond yr hyn ro'n i'n ei feddwl oedd dydi dementia ddim yn ddychrynllyd i *mi*, yn dilyn fy mhrofiadau gyda Mam a Dad. Er eu bod yn feddyliol anabl, dwi'n dal i adnabod fy rhieni fel y bobl o'n nhw cyn eu salwch. Mae gwylio'r ddau'n gwaethygu wedi bod yn brofiad trist ond ddim yn un dychrynllyd, yn yr ystyr ei fod o'n peri ofn.

A does dim o'i le ar ddweud hynny. Ond fel dywedodd Richard Taylor, mae'r rhan fwyaf o'r sgyrsiau a'r trafodaethau am glefyd Alzheimer a dementia yn cylchdroi o gwmpas ein sylwadau *ni*, y rhai sy'n edrych o'r tu allan, a'r teulu, gofalwyr, meddygon ac ymchwilwyr. Yn wir, pawb ond y bobl eu hunain sydd â dementia ac sy'n gorfod mynd trwy'r profiad go iawn.

Mae Richard Taylor yn gywir, wrth gwrs. Fel rhywun sy'n edrych ar ddementia'n wrthrychol, nid yw'r cyflwr yn un dychrynllyd; ond pa mor ddychrynllyd yw'r cyflwr i'r cleifion? Dwi'n cofio pa mor flin oedd Dad pan oedd o'n dweud bod rhywbeth wedi digwydd a neb yn ei gredu. Un enghraifft yw'r un ym Mhennod 6 pan soniodd am y streiciau pedair awr ar hugain yn y cartref gofal. Fy ymateb oedd ceisio dyfalu beth achosodd iddo ddweud hynny. Ond roedd y ffaith 'mod i'n dyfalu o gwbl yn dweud wrtho nad ydw i'n ei gredu. Rwy'n ei gofio'n gofyn i Mam gadarnhau bod streiciau wedi digwydd. Roedd o'n mynnu ei fod o'n iawn oherwydd os oedd o'n anghywir, *ac nad oedd* streiciau wedi digwydd, golygai hynny bod ei feddwl yn chwarae triciau – ac mi fyddai hynny'n brofiad dychrynllyd iddo.

Felly ydi, mae dementia'n llawer mwy dychrynllyd i'r sawl sydd â'r clefyd nag ydan ni'n ei ddychmygu. Mae llyfr Oliver James, *Contented Dementia*, sy'n seiliedig ar waith ei fam yng nghyfraith, Penny Garner, yn cadarnhau fy marn. Mae hi wedi datblygu dull y gellir ei ddefnyddio gan ofalwyr i helpu'r cleifion fyw gyda chlefyd Alzheimer heb ei ofni. (Enw'r dull yw *Specialised Early Care for Alzheimer's*, neu SPECAL.)

Ni allwn wybod sut deimlad yw byw gyda meddwl sy'n methu oni bai y bydd yn digwydd i ni, ond gallwn gael cymorth i ddeall effeithiau dementia. Mae Penny Garner yn egluro'i dull: os meddyliwn am ein cof fel albwm ffotograffau, mae atgofion yn cael eu storio yn yr albwm, a'r ffotograffau yw atgofion unigol. Mae'r tudalennau cyntaf yn storio atgofion o'r gorffennol pell, a'r rhai diweddarach yn storio'r rhai mwyaf diweddar.

Mae hi'n awgrymu bod gan ffotograff, neu atgof a storiwyd, ddwy elfen: y ffeithiau – beth mae'r llun yn ei gynrychioli, y lle a'r person â'r sefyllfa rydym yn eu cofio – a'r emosiynau sy'n gysylltiedig â'r ffeithiau hynny. Felly mae gennym atgofion (neu ffotograffau) hapus, positif, ffotograffau anodd, trist a llawer mwy rhwng y ddau begwn.

Yn ôl Oliver James, 'Pan fydd dementia yn dechrau, bydd un newid amlwg yn digwydd yn yr hyn sy'n cael ei storio: ni fydd y deunydd ffeithiol yn cael ei gofnodi, dim ond y teimladau... Pan fydd hyn yn dechrau, mae Penny yn disgrifio'r ffotograffau a achoswyd gan ddementia i fod heb ffeithiau ac â theimladau'n unig ynddynt, fel ffotograffau "gwag".'

I ddechrau arni, ychydig o'r ffotograffau 'gwag' hyn a gewch – yr adegau pan allwch gofio teimladau ond heb unrhyw ffeithiau i wneud synnwyr ohonyn nhw. Ond yn y pen draw bydd albwm (neu gof) y person â dementia yn llawn o dudalennau gwag. Mae'n gwybod bod pethau wedi bod yn digwydd; mae ganddo deimladau ond dydi o ddim yn gwybod am beth. 'Ymhen amser bydd y person yn ei gael ei hun yn methu anwybyddu na chuddio oddi wrth eraill fod gwybodaeth ar goll, gwybodaeth y mae ei hangen arno i ddeall be mae o'n ei wneud nawr.' Ac mae hyn, dybiwn i, yn ddychrynllyd. Awgryma Penny Garner fod pobl, wrth sylweddoli hyn, yn teimlo gwewyr a phanig mawr – cyflwr y mae hi'n ei labelu yn 'ffotograff gwag coch' – 'teimlad hollol annerbyniol o beidio â theimlo'n iawn o gwbl, sydd fel arfer yn cael ei gyfyngu i ddigwyddiadau trawmatig, cymharol brin.'

Fel yr eglura Oliver James: 'Mae dod wyneb yn wyneb â chyfres o "ffotograffau" gwag coch yn hunllef na all person heb ddementia ei lawn amgyffred – cyfres o ffotograffau yn cynnwys teimladau annerbyniol, heb unrhyw ffeithiau o gwbl i egluro o ble daeth y teimladau.' Yn naturiol, mae dioddefwyr wedi'u cynhyrfu: a'r hyn y byddan nhw'n debygol iawn o wneud yw chwilio am esboniad i'w teimladau. Sut byddan nhw'n chwilio? Trwy bori yn nhudalennau blaen ei halbwm, lle mae nifer o'r ffotograffau yn dal yn gyflawn. Efallai y byddan nhw'n darganfod yno atgof trist o'u gorffennol y maen nhw'n tybio sy'n digwydd yn y presennol (un o nodweddion dementia y sylwais arno pan aeth Mam i'r ysbyty, yw'r gallu i fyw mewn gwahanol gyfnodau o amser ar yr un pryd, y presennol a'r gorffennol pell). Ond yna maen nhw'n wynebu ymateb gofalwyr neu deulu nad ydyn nhw'n gwybod beth maen nhw'n sôn amdano nac yn ceisio'i wneud, ac yn eu barnu yn bobl ddryslyd iawn.

Os yw'r hyn maen nhw'n ceisio'i wneud yn ymddangos yn wallgof, neu'n beryglus, neu'n eu cynhyrfu, byddan nhw'n cael cyffuriau gwrthseicotig cryf. Fel arfer rhoddir y cyffuriau hyn ar gyfer sgitsoffrenia, er bod dementia a sgitsoffrenia yn anhwylderau hollol wahanol ar yr ymennydd. Maen nhw'n aml yn gwneud sefyllfa ddrwg yn waeth. Rydym ni'n gwybod erbyn hyn fod cyffuriau gwrthseicotig wedi prysuro marwolaeth llawer o bobl â dementia. Mae'n amlwg y gall dementia beri cryn ddychryn a braw. Dwi'n ddiolchgar nad oedd yr un o'm rhieni wedi cynhyrfu gymaint fel bod meddygon yn rhagnodi meddyginiaeth o'r fath.

Mae dull Penny Garner o helpu pobl i fyw'n well gyda dementia yn seiliedig ar ei hymdrechion dros sawl blwyddyn i ddeall ymateb pobl â dementia i'r 'ffotograffau gwag coch'. Mae'r dull, sydd angen paratoad ac amynedd, yn gadael i'r sawl â dementia (y 'cleient') arwain. Dydi gofalwyr ddim yn gwrth-ddweud nac yn ceisio eu llusgo'n ôl i'r byd go iawn, ond yn hytrach yn mynd i mewn i'w byd nhw gan geisio annog ac adfer hunanhyder y cleient fel bod y 'ffotograffau' gwag yn rhai gwyrdd braf ac nid yn rhai coch bygythiol. Mae 'gwagle gwyrdd' yn rhai cyfforddus a derbyniol: 'Mae teimlo'n dda a heb wybod pam yn well na theimlo'n ddrwg a heb wybod pam,' meddai James.

Y dewis arall i rai â dementia yw 'cau'r albwm', fel petai, yn hytrach na gorfod wynebu'r braw o deimlo heb ddeall, gan fynd yn ddisymud a llonydd a mynd i gyflwr o fodoli yn hytrach na byw. Ac i'r rheini sy'n parhau i fod wedi'u cynhyrfu, mae eu 'hymddygiad heriol' yn golygu eu bod yn cael eu galw'n 'anodd eu trin', problem nad oes gan neb ateb iawn iddi hyd heddiw.

Mae Penny Garner wedi gweithio'n llwyddiannus â chleifion sydd â chlefyd Alzheimer am gyfnod hir, yn ogystal â throsglwyddo ei dull SPECAL i nifer o ofalwyr. Mae ei hawgrymiadau a'i gweledigaeth yn amhrisiadwy, yn enwedig wrth ymdrin â phobl sydd yn nyddiau cynnar y cyflwr. Ond un ar y tu allan yw hi yn y diwedd, er yn un cydymdeimladol a gwybodus.

Mae Richard Taylor yn ceisio cyfleu'r syniad o sut mae'r rheini sy'n byw â 'ffotograffau gwag' yn teimlo, er nad yw'n defnyddio'r term hwnnw. Mae ei ddadansoddiad yn wahanol; mae'n sôn am 'goridor y meddwl', ble mae'n cerdded ar ei ben ei hun, yn agor drysau ac yn darganfod bod hen atgofion yn dal y tu ôl iddyn nhw. Ond wrth symud i'r presennol mae'n darganfod mwy a mwy o 'stafelloedd gwag' (fel ffotograffau 'gwag' Penny Garner) a'r rheini'n dywyll: 'nid ydynt yn cynnig unrhyw gliw am beth oedd ynddynt unwaith, heblaw'r enw ar y drws... Profiad annifyr yw bod yng nghanol sgwrs cyn cael yr awydd, mwyaf sydyn, i agor un o'r drysau er mwyn gweld beth sydd tu mewn, ond mae'r stafell yn dywyll. Does gen i ddim syniad beth sydd ynddi.' Mae dementia'n frawychus ac yn brofiad dychrynllyd.

Er nad yw'n sôn am *deimlo* heb allu *deall* (y 'ffotograffau gwag coch'), mae profi aflonyddwch tebyg yn un amlwg: 'Dwi'n oedi yng nghanol sgwrs er mwyn chwilio am gliwiau neu gysylltiadau. Dwi'n rasio i fyny ac i lawr coridor y meddwl gan geisio gwneud synnwyr o'r hyn sy'n digwydd o'm cwmpas. Weithiau, mae'r broses hon yn golygu fy mod i'n mynd yn fwy ar goll, ac yn mynd ar goll ynglŷn â *pham* dwi ar goll!'

Mae'n ei ganfod ei hun wedi drysu'r llwyr, 'yn cael fy ngorfodi i holi pam dwi yma. Nid yw'r drysau plaen, dienw o'm cwmpas yn rhoi cliwiau i mi.'

'Ffotograffau gwag coch', 'stafelloedd gwag', drysau dienw', dyma rai o'r delweddau sydd ar gael i'n helpu wrth geisio deall beth mae dementia'n ei wneud i'r ymennydd a sut brofiad ydyw. Themâu cyffredin yw tywyllwch a gwacter. Un arall â dementia sydd wedi ceisio egluro'r profiad yw Robert Davis: 'Crwydro o gwmpas a bod yn aflonydd yw un o sgileffeithiau clefyd Alzheimer. Mae sawl un wedi ceisio dyfalu pam mae cynifer o bobl â dementia yn aflonydd ac yn dymuno cerdded o gwmpas am oriau bob dydd. Credaf fod gen i ateb. Pan mae'r tywyllwch a'r gwacter yn meddiannu fy meddwl, mae'n brofiad dychrynllyd. Ni allaf feddwl sut alla i ddod allan ohono. Mae'n aros yno, ac weithiau mae delweddau'n aros yn y meddwl. Yr unig ffordd y gallaf eu gwaredu yw trwy symud o gwmpas.'

Mae'n amlwg bod dementia'n gyflwr erchyll, un llawer gwaeth nag ydan ni'n ei feddwl, sy'n golygu bod cymorth a chefnogaeth yn allweddol ac yn fuddiol i'r rhai sydd ag ef.

5: Rhaid canfod ffyrdd newydd o gyfathrebu â phobl â dementia

Cymerodd gryn amser i mi ddeall y wers nesaf, sef bod rhaid defnyddio'n dychymyg wrth geisio dod o hyd i ffyrdd newydd o gyfathrebu â phobl â dementia. Yn y dyddiau cynnar, ro'n i'n cyfathrebu â Dad a Mam yn fy ffordd normal. A gan fod Dad yn dal i wybod ble roedd o, a beth oedd yn digwydd o'i gwmpas, fo roeddwn i'n ei holi. Roedd fy mwriad yn glir: ro'n i eisiau i Dad fynegi ei farn am faterion oedd yn ymwneud â'r ddau ohonyn nhw. A ddylen ni osod y tŷ neu ei werthu? A oedd o'n teimlo'n iawn? Beth arall oedd o eisiau er mwyn bod mor gyfforddus â phosib yn y cartref gofal? A oedd o'n dal i gofio'i dŷ yn Acrefield Drive? Roedd hynny'n bwysig i mi – er fy mod i'n gwybod bod Mam wedi anghofio am y tŷ, roedd angen i mi gredu bod Dad yn dal i gofio'u cartref a'r amseroedd yr oeddan ni, fel teulu, wedi'u treulio yno.

Ac yntau'n mynd yn rhwystredig yn gyflym gan y cwestiynau, gwnaeth Dad hi mor glir ag y gallai nad dyna oedd y ffordd orau i gyfathrebu â pherson â meddwl sigledig. A phan nad oeddwn i'n cael y neges, arferai blygu ei ben fel arwydd ei fod wedi cael llond bol ar y croesholi.

Erbyn i mi ddarllen llyfr Penny Garner, *Contented Dementia*, roeddwn wedi deall o'r diwedd y cyntaf o'i thri gorchymyn ynglŷn â gweithio gyda phobl sy'n methu storio gwybodaeth newydd:

Peidiwch â gofyn cwestiynau (y ddau orchymyn arall yw: 'Dysgwch gan yr arbenigwr – eich cleient' a 'Peidiwch byth â dadlau'n groes').

O'r diwedd roeddwn wedi deall pam na ddylem holi cwestiynau, er dylai'r ateb fod wedi bod yn amlwg yn llawer cynt; rhaid i mi beidio holi cwestiynau, yn enwedig rhai am y presennol a'r gorffennol agos, achos dydi cleifion fel Mam a Dad ddim yn gwybod yr atebion.

Un rheswm pam y cymerodd gymaint o amser i mi ddeall y wers hon yw bod holi'n rhywbeth naturiol i mi. Mae gen i ddiddordeb mewn pobl a dwi'n chwilfrydig. Dwi eisiau gwybod pethau. Roedd hi'n wers anodd i mi, felly, wrth i mi geisio newid fy ffordd a chanfod dull newydd o gyfathrebu. Yn raddol, dysgais sut i adael i Mam, Dad a'r preswylwyr eraill arwain y sgwrs, a minnau'n eu dilyn. Gwneud gosodiadau a allai eu tynnu i mewn i'r sgwrs yn hytrach na holi cwestiynau nad oeddan nhw'n gallu eu hateb. Ac os o'n nhw mewn cyfnod arall yn feddyliol, gwell derbyn hynny a pheidio yngan gair. Siarad yn blaen ac yn gefnogol. Dyma fyd o sgyrsiau arwynebol – mwynhau cwmni ein gilydd heb orfanylu a dadansoddi.

6: Wrth i'r dementia waethygu, nid aros yn eich cartref yw'r dewis gorau bob tro

Pan ddechreuais chwilio am gartref gofal i Mam, credwn mai'r lle gorau i ofalu am bobl oedd yn eu cartrefi eu hunain, ac mae llawer yn cytuno â hynny. Yn nhyb nifer o bobl, a minnau wedi rhannu'r dybiaeth honno yn ddifeddwl, mae llefydd eraill yn eilradd. Ac mewn sawl achos, mae'r dybiaeth hon yn gywir, yn enwedig gan fod nifer o gartrefi gofal sy'n dda a rhai sy'n wael, a llawer rywle rhwng y ddau. Mae canfod eich hun mewn cartref gofal gwael yn hunllef y mae pob un ohonom eisiau ei hosgoi, er lles ein hanwyliaid ac er ein lles ni ein hunain.

Wrth ofalu am bobl â dementia, rhaid ailasesu'r dybiaeth hon. Dysgais yn fuan iawn bod amser yn dod, i bobl sydd â chlefyd Alzheimer yn sicr ac i bobl â mathau eraill o ddementia yn ddiweddarach, pan maen nhw'n colli eu hymwybyddiaeth o ble maen nhw. Pan aeth Mam i'r ysbyty ddydd Sul y Penwythnos Mawr yn 2007, credwn yn siŵr y byddai'n dod adref. Ond y rheswm am hynny oedd fy mod i'n edrych ar y sefyllfa o safbwynt personol, nid o safbwynt cyflwr meddyliol Mam. Roedd y ffaith ei bod hi'n mynd i'r ysbyty yn ffitio'r patrwm yn fy mhen – sut ddylai pethau fod – ond nid yn ei phen *hi*. Doedd hi ddim yn ymwybodol ei bod hi *yn* yr ysbyty, ac ni holodd pryd roedd hi'n cael mynd adref. Roedd yr holl boeni am sut fyddai'n ymateb – fel ei merch a'r un oedd yn gofalu amdani – wedi bod yn ofer a diangen.

Gofynnais y cwestiwn i mi fy hun: pam ydan ni'n meddwl ei bod hi'n well i bobl sydd wedi colli'r ymwybyddiaeth o ble maen nhw fod yn eu cartrefi eu hunain? Efallai mai'r cartref *yw*'r lle gorau ond allwn ni ddim dweud hynny'n bendant.

Yn ôl Oliver James, mae ei fam-yng-nghyfraith, Penny Garner, yn credu ein bod yn meddwl hynny am ein bod ni, fel gofalwyr, yn teimlo'n euog ac yn ansicr ac o ganlyniad yn methu gweld y sefyllfa o safbwynt y person â dementia. O'i phrofiad hi, mae amser yn dod ym mywyd y sawl sydd â chlefyd Alzheimer neu ddementia arall, pan 'mae'n anochel y bydd rhaid iddo fynd i gartref gofal er ei les ei hun'. Yn ôl yn 2007, doedd gen i ddim syniad bod Mam wedi cyrraedd y pwynt hwnnw ond ymgartrefodd yn y cartref gofal fel pe bai mynd yno'n rhyddhad iddi. Mae'n bosib fod y misoedd cyn hynny wedi bod yn anodd i Mam wrth i dasgau dyddiol beri mwy o ddryswch. Ers iddi fynd i'r cartref gofal, dwi o'r farn ei bod hi – heb os – yn y lle iawn, yn well o lawer na phe byddai wedi aros gartref gyda gofalwyr yn galw draw i'w gweld. Mae ganddi ei lle ei hun, mae'n cael gofal da a'r hyn mae Penny Garner yn ei alw'n 'gwmnïaeth addas' ymysg y preswylwyr eraill; maen nhw'n gwmni i'w gilydd, heb orfod egluro popeth i'w gilydd. A gan fod Dad wedi mynd i'r cartref gofal hefyd, cafodd elwa o'i bresenoldeb cyfarwydd, er ei bod yn aml yn synnu o'i weld.

Mae Penny Garner yn sôn am y ffin lle mae'n rhaid derbyn a phenderfynu ei bod hi'n fwy llesol i'r un â dementia 'symud o'r cartref i'r cartref gofal'. Ei chyngor i ofalwyr yw bod yn ymwybodol o'r ffin hon. Dylid ymweld â chartrefi gofal cyn unrhyw argyfwng sydyn a allai eich gwthio i wneud penderfyniad anaddas. Gwell paratoi ymlaen llaw a dewis cartref gofal *cyn* i argyfwng ddigwydd er mwyn sicrhau bod y cartref gofal yn un da ac addas.

Ond nid yw gwrando ar ei chyngor yn golygu y dylai pawb â dementia fod mewn cartref gofal. Dylid ystyried hynny pan mae'n ddewis da ac er lles y claf, a'r claf yn unig. Yn ein hachos ni, doedd dilyn awgrymiadau Penny Garner ddim yn bosib oherwydd digwyddodd popeth mor gyflym. Dwi wedi credu erioed ein bod ni wedi bod yn hynod lwcus o ddarganfod cartref gofal da i Mam a Dad, a hynny heb fawr o strach a ffwdan. Cartref gofal cyfeillgar a chroesawus, un y gallaf fynd yno gan wybod ei fod o'n ddewis da.

7: Mae bywyd yn werthfawr – ac yn ansicr

Mae'r wers nesaf yn ein hatgoffa pa mor ansicr yw ein hunaniaeth a'n bod yn dibynnu llawer ar ymennydd iach. Mae ein holl brofiadau wedi eu storio yn ein hatgofion. Heb gof, beth ydan i? Y bygythiad mwyaf i'n hunaniaeth yw haint sy'n ymosod ar yr ymennydd, y cyfrifiadur sy'n rheoli popeth. Mae Richard Taylor yn pwysleisio hyn: 'Rwy'n ofni bod y diwedd ar y ffordd. Nid fy *marwolaeth* ond fy *niwedd* fel y dyn yr ydw i, a phawb arall, yn ei adnabod.'

Mae bod yng nghwmni pobl sydd wedi colli eu hunaniaeth, sydd ddim yn gwybod ble maen nhw na phwy ydyn nhw, yn ein hatgoffa pa mor fregus yw bywyd. Mae bywyd yn werthfawr ac yn ansicr. Dwi'n cael f'atgoffa o hyn bob tro dwi'n mynd i'r cartref gofal. Mae cael f'atgoffa pa mor bwysig yw hi i fyw bywyd llawn gydag agwedd *carpe diem* yn rhodd gan Mam a Dad a'u cyd-breswylwyr. Er bod eu meddyliau'n fregus, maen nhw'n gallu mynegi cynhesrwydd a phryder. Mae'n teimlo ar adegau fel eu bod yn f'annog o'r cyrion. Dwi'n falch o bob dim a gefais ganddyn nhw.

8: Mae dementia yn peri pryder mewn oes o weithredu a chyflawni

Rhywbeth arall i'w gofio. Mae'r oes rydym yn byw ynddi yn dathlu gweithredu a chyflawni, oes pan mae cadw'n brysur yn rhywbeth i'w ganmol. Fel haint cronig nad oes modd ei wella ac sydd fel rheol yn ymosod ar yr henoed, mae dementia'n gyflwr cythryblus wrth iddo herio'r syniad o ieuenctid tragwyddol a'r awydd cyson i 'ddatblygu'.

Mae dementia hefyd yn herio'r rhith sy'n ein cynnal sef y byddwn ni'n heneiddio gydag urddas ac y byddwn yn cael marwolaeth dawel, barchus gyda'n teulu a'n ffrindiau o'n cwmpas. Mae'r llywodraeth yn cydgynllwynio yn y rhith hwn; mae'r ddogfen drafod ar adolygu'r system gofal a chynnal yn canolbwyntio ar bobl sy'n 'annibynnol, yn fywiog ac yn iach... trwy gydol eu bywydau.' Hyd yn oed wrth drafod yr awydd i gael system newydd i ofalu a chefnogi, maen nhw'n portreadu realaeth heneiddio yn afreal.

Ond mae rhai pobl, wrth gwrs, *yn* byw bywydau holliach a bywiog tan eu hanadl olaf. Ond dydi cleifion dementia ddim yn gwneud hynny. Mae dementia'n salwch cronig, heb driniaeth i'w wella; mae'n daith hir i'r tywyllwch lle mae'r hunan yn cael ei golli'n raddol. Does dim rhyfedd bod dementia'n gyflwr brawychus a thrist, wrth iddo fwydo ar ein hofn sylfaenol o fethu cofio.

Mae ein system ofal yn un arwynebol ac, mewn un ystyr, yn annynol wrth iddi ganolbwyntio ar ochr gorfforol gofal gan anwybyddu'r elfen seicolegol ac emosiynol. Ond sut deimlad yw hynny i'r sawl sydd â dementia? Sut deimlad ydi hi i'r rheini sy'n byw ar eu pennau eu hunain, yn cael ymweliadau gan ofalwyr gwahanol o wythnos i wythnos, neu hyd yn oed o ddiwrnod i ddiwrnod? Beth yw'r pwynt cael eich golchi a'ch gwisgo pan mae rhywun yn llawn ofn ac angen cyffyrddiad dynol, cwtsh a chysur?

Y dyddiau hyn, mae pobl yn fwy parod i sôn am eu profiadau – John Suchet, er enghraifft, am ei wraig a Terry Pratchett amdano'i hun – gan herio ein hofnau ac apelio at ein dyngaredd. Efallai fod dementia yn fwy trist mewn oes sy'n dathlu gweithredu a chyflawni, ond oni ddylen ni ofyn y cwestiwn pam?

9: Gyda rhai eithriadau, does gan feddygon ddim diddordeb mewn dementia

Nid yw'r hunangofiant hwn yn grwsâd ond mae'r pwnc hwn yn fy ngwneud yn flin ac yn ofnus. Penderfynais adrodd stori Dad a Mam ar ôl ymweliad meddyg a'm gwnaeth yn ddig iawn. Roeddwn mor flin, lluniais restr o'r holl bethau oedd o'i le ar yr ymgynghoriad hwnnw gyda Mam – o'r cyfathrebu di-glem i wrthod ysgwyddo'r baich a throsglwyddo problem dementia i'r gwasanaethau cymdeithasol. Felly dysgais y wers hon yn gynnar iawn; er ambell eithriad, does gan feddygon ddim diddordeb mewn dementia. Rwy'n dweud 'er ambell eithriad' oblegid rwy'n gwybod bod rhai meddygon yn llai parod i anwybyddu problemau ymenyddol yr henoed. Ond dydw i'n bersonol ddim wedi cyfarfod yr un ohonyn nhw.

Yr hyn rwyf wedi cael profiad ohono yn y maes meddygol yw anwybodaeth anghredadwy, neu anymwybyddiaeth lwyr o'r profiad o fyw gyda dementia. Ond efallai na ddylai hynny fod yn gymaint o syndod o gofio Gwers 2: 'Dim ond y cleifion sy'n gwybod beth yw dementia'. Ar ôl iddi syrthio yn ddiweddar, bu'n rhaid i Mam fynd i'r Uned Damweiniau ac Achosion Brys, lle cafodd driniaeth foddhaol. Roedd y staff wedi cael gwybod ei bod yn dioddef o ddementia. Ond ni chafodd y 'wybodaeth' hon ei throsglwyddo i'w hymddygiad. Yr hyn wnaethon nhw oedd dilyn canllawiau eu hyfforddiant ynglŷn â sut i gyfathrebu sef, y dyddiau hyn, siarad yn uniongyrchol â'r claf; dyma'r ffordd i'w trin â pharch. "Codwch eich braich i mi, Mary." Does dim yn digwydd. "Eich braich. Codwch eich braich." Ond ar ryw bwynt yn y salwch dydi'r claf ddim yn gallu deall cyfarwyddiadau syml a dydi'r meddygon a'r nyrsys – rhai cymwys a galluog fel rheol – ddim yn deall hynny. Onid ydyn nhw i fod i ddeall ychydig am yr ymennydd dynol?

Nid bod hynny'n hawdd. Ar yr un achlysur, ar ôl iddi gael triniaeth, doedd yr ysbyty ddim yn awyddus i gynnig ambiwlans i fynd â Mam adref, er ei bod wedi cyrraedd yno mewn ambiwlans. Yn ôl nhw, dylai dynes 92 mlwydd oed sydd â dementia a phen wedi chwyddo – ar noson wlyb, oer, dywyll – fedru mynd adref mewn car. Roedd fy nghar yn y maes parcio. "Beth am drio mynd â hi," dywedais wrth y gofalwr a oedd wedi dod gyda Mam yn yr ambiwlans. Ond roedd y profiad yn hunllefus yng nghanol y glaw a'r tywyllwch gyda Mam yn gweiddi mewn poen, panig a dryswch, a neb o'r ysbyty'n fodlon helpu. Roeddan ni'n methu ei chael i mewn i'r car gan ei bod wedi sodro'i thraed i'r ddaear: "Dowch, Mam, codwch eich troed..." Roeddan ninnau'n syrthio i'r un trap sef gofyn iddi wneud rhywbeth nad oedd hi'n ei ddeall, cyn ailadrodd y gorchymyn pan wrthododd ufuddhau. Yn y diwedd, bu'n rhaid meddwl am ffordd arall o'i chael i mewn i'r car.

Dydw i ddim am feirniadu'r gofal corfforol gafodd Mam a Dad gan y doctoriaid a gafodd eu galw i archwilio rhyw symptom neu'i gilydd. Maen nhw bob amser yn gwrtais wrth fynd trwy'r rhestr ddiagnostig o'r systemau corfforol. Yr hyn alla i ddim yn fy myw â deall – mae mor rhyfedd – yw'r ffaith eu bod yn edrych yn fanwl iawn ar bob system gorfforol yn y corff ond ddim yn cydnabod y ffaith bod rhannau o ymennydd y claf yn farw. Mae fel pe baen nhw'n fodlon ymweld â'r claf ar yr amod nad oes neb yn dweud y gair 'dementia'.

Galwodd Ros Coward, a arferai ysgrifennu erthyglau i'r *Guardian*, hyn yn 'fethiant aruthrol wrth galon y gwasanaeth iechyd'. Fel minnau, sylwodd fod 'dementia fy mam yn cael ei anwybyddu dro ar ôl tro gan y gwasanaethau meddygol'. Yn y cartref gofal, mae meddyginiaeth yn cael ei rhoi i Mam gan ofalwyr profiadol ond roedd mam Ros yn dal i fyw yn y gymuned ac yn 'cael cyfarwyddiadau cymhleth gan bobl broffesiynol yn y maes meddygol yn dweud wrthi sut i gymryd tabledi, pryd a sut i fynd i'r clinig am apwyntiadau, a holi cwestiynau am ei chyflwr – a hithau'n methu cyflawni'r un o'r tasgau.'

Gall cleifion dementia fod mewn sefyllfa waeth fyth mewn ysbyty. Dengys ymchwiliad diweddar fod 90 y cant o nyrsys o'r farn fod gweithio gyda chleifion dementia yn heriol, er bod dementia yn salwch yn union fel y mae afiechyd ar y galon, neu ganser yn salwch. Roedd mwy na hanner y gofalwyr a holwyd yn dweud bod mynd i'r ysbyty'n gwaethygu cyflwr dementia eu cleientiaid. Roedd storïau hunllefus am gleifion yn peidio â bwyta nac yfed oherwydd nad oedd staff wedi sylwi ar eu hanghenion.

Fel person cyffredin, rwyf wedi ceisio cynnig *pam* mae doctoriaid yn anwybyddu 'dementia' – pobl synhwyrol sydd fwy na thebyg yn gwneud gwaith rhagorol mewn meysydd eraill. A ydyn nhw'n teimlo'n fethiant am nad oes gwella i ddementia? O bosib, er bod hynny'n wir am sawl cyflwr cronig arall. Allan nhw ddim gwella diabetes nac asthma chwaith. Ydyn nhw'n gwybod sut i gyfathrebu â chlaf sydd â dementia? Os nad ydyn nhw, mae'n bosib dysgu. A oes ganddyn nhw ryw ofn cyntefig, sef bod y cyflwr o bosib yn heintus? Neu ai rheswm economaidd sydd wrth wraidd y broblem? Trwy anwybyddu'r ffaith bod dementia yn fater iechyd meddwl, mae'r gwasanaeth iechyd yn osgoi gorfod talu am ofal y claf trwy drosglwyddo'r mater i'r gwasanaethau cymdeithasol. A yw'n fuddiol i'r doctoriaid gyd-fynd â'r esgus hwn?

Er bod gen i barch mawr i'r byd meddygol yn y Gorllewin, mae triniaeth dementia yn amlwg yn faes lle nad yw profion a chyffuriau yn addas. Y wers fwyaf brawychus dwi wedi ei dysgu yw nad oes gan feddygon ddim i'w gynnig i gleifion dementia a'u bod o'r farn nad yw dementia yn fater iechyd meddwl. Rydan ni, y rheini ohonom sydd yn ein hiawn bwyll, yn gallu gweld pa mor wael yw ymateb meddygon i anghenion pobl â dementia. Ni yw'r rhai sy'n deall pa mor ddychrynllyd fydd hi arnom os byddwn ninnau'n dioddef yn y dyfodol.

10: Mae llawer o garedigrwydd yn y byd

Ar yr ochr gadarnhaol, rwyf wedi gweld cynhesrwydd, caredigrwydd ac ymroddiad, yn enwedig ymysg gofalwyr. Maen nhw'n gwneud gwaith anodd ac yn haeddu mwy o gydnabyddiaeth drwy well cyflog. Dyma bobl sy'n arbenigwyr yn eu maes ac yn deall sut i ymdrin â phobl sydd â gwahanol fathau o ddementia. Dylid cydnabod eu harbenigedd a'i ddefnyddio.

Yr hyn sy'n hyfryd ei weld yw sut mae'r goreuon yn eu plith yn trin pob preswylydd fel unigolyn gwerthfawr; tydan nhw ddim yn rhoi'r gorau i ofalu amdanyn nhw ac maen nhw'n gwneud hynny gydag amynedd Job. Pan aeth Mam i'r cartref gofal y tro cyntaf, roedd un preswylydd yno a oedd wastad yn ei hystafell; roedd ei drws yn aml ar agor ac mi fyddai'n wylofain o bryd i'w gilydd. Tybiais ei bod mewn trallod mawr. Ar ôl iddi farw, siaradais amdani gyda'r gofalwyr. Roeddan nhw'n ei cholli'n fawr gan ddweud ei bod yn dipyn o gymeriad. Trwy dreulio cymaint o amser yn ei chwmni, roeddan nhw'n fyddar i'w chrio a oedd, hyd y gwn i, yn reddfol a hithau heb reolaeth arno. Doeddan nhw ddim wedi peidio â thrio'u gorau gyda hi a chawson nhw eu talu ar eu canfed am hynny. Roedd hi'n wers am sut i beidio cymryd rhywbeth yn ganiataol, un y bydda i'n ei chofio, gobeithio, am byth.

Dysgu rhagor am ddementia

Rhai ffeithiau a ffigurau

Yn ôl ffigurau Alzheimer's Research UK[1]:

* Mae dros 530,000 o bobl yn y Deyrnas Unedig wedi cael diagnosis o ddementia, a bron 22,000 yng Nghymru.
* Mae dementia yn costio £26 biliwn y flwyddyn i economi'r DU, sy'n fwy na chost canser a chlefyd y galon gyda'i gilydd.
* Mae ymchwil i ddementia wedi'i dangyllido, gan gael 12 gwaith yn llai nag ymchwil canser.
* Yn 2018, cyhoeddodd Ysgrifennydd y Cabinet dros Iechyd a Gwasanaethau Cymdeithasol y bydd yn darparu £10m y flwyddyn yn ychwanegol o 2018 ymlaen i gefnogi'r newid sylweddol angenrheidiol yn y maes.[2]

Alzheimer's Society Cymru

Dyma sefydliad allweddol ym maes dementia. Mae'n adeiladol ac yn weithgar iawn wrth ddosbarthu gwybodaeth a chefnogaeth yn ogystal â hyrwyddo ymchwil. Ceir canghennau lleol ar hyd y wlad. Ewch i'w gwefan: www.alzheimers.org.uk/categories/wales.

Mae'r Alzheimer's Society yn cynhyrchu cyfres o daflenni ffeithiau y gellir eu lawrlwytho ynghyd â chwestiynau allweddol sy'n ymwneud â dementia. Mae'r rhain yn cynnwys taflenni ar y ffurfiau mwyaf cyffredin o ddementia:

* clefyd Alzheimer
* dementia fasgwlar
* dementia gyda chyrff Lewy
* dementia blaenarleisiol yn cynnwys clefyd Pick

Fforwm ar-lein yr Alzheimer's Society yw Talking Point, ac yno gall pobl â dementia a'u gofalwyr rannu profiadau a cheisio cyngor. Mae 'Dementia 2012', adroddiad y Gymdeithas, yn asesu pa mor dda mae pobl yn byw gyda dementia yn 2012 yng Nghymru, Lloegr a Gogledd Iwerddon.

Y Gwasanaeth Iechyd Gwladol

Am wybodaeth am ddementia gan y GIG, ewch i: www.wales.nhs.uk a chwiliwch am ddementia, neu www.nhs.uk/conditions/dementia

Dementia UK

Elusen genedlaethol yw hon sydd am wella ansawdd bywyd pobl sydd wedi'u heffeithio gan ddementia. Mae mentrau yn cynnwys hyfforddi ac ariannu Nyrsys Admiral, sef nyrsys iechyd meddwl arbenigol sy'n gweithio o fewn y GIG ac wedi'u hariannu gan Dementia UK. Ewch i: www.dementiauk.org

Mae Dementia UK yn gweithredu llinellau cymorth ffôn ac e-bost wedi'u staffio gan Nyrsys Admiral profiadol. Ffoniwch 0800 888 6678 neu e-bostiwch direct@dementiauk.org

The Dementia Centre

Gwybodaeth ac adnoddau i bobl sy'n byw gyda dementia, eu gofalwyr a gweithwyr iechyd proffesiynol. Ewch i: www.dementiacentre.com

Cefnogaeth i ofalwyr

Carers Wales

Llais gofalwyr yng Nghymru. Rhagor o wybodaeth ar: www.carersuk.org/wales

Carers Trust

Prif ddarparwr gofal ymarferol, cefnogaeth a seibiant i ofalwyr a'r rhai maen nhw'n gofalu amdanynt. Yn Ebrill 2012 cyfunodd Crossroads Care â'r Princess Royal Trust for Carers i ffurfio un elusen newydd o'r enw Carers Trust. Ewch i: carers.org

Yr Adran Iechyd

Cynllun Gweithredu ar gyfer Dementia 2018–2022

Cyhoeddwyd hwn ym mis Chwefror 2018. Ei weledigaeth yw i Gymru fod yn wlad 'sy'n deall dementia ac sy'n cydnabod hawliau pobl â dementia, sy'n eu gwerthfawrogi a'u helpu i fyw mor annibynnol ag y bo modd yn eu cymunedau'.[3]

Yn y Strategaeth Ddementia Genedlaethol, yr un gyntaf erioed yn y Deyrnas Unedig, a gyhoeddwyd yn Chwefror 2009 gan y Llywodraeth Lafur ar y pryd, pennwyd mentrau a gynlluniwyd i wella bywydau pobl â dementia, eu gofalwyr a'u teuluoedd.

Cefnogwyd y Strategaeth Ddementia Genedlaethol gan £150 miliwn dros y ddwy flynedd gyntaf.

Ewch i www.gov.uk a chwiliwch am 'Living well with dementia'.

Arolygiaeth Gofal Cymru

Dyma'r corff sy'n gyfrifol am ansawdd gofal cymdeithasol a chartrefi gofal yng Nghymru. I gael rhestr o wasanaethau gofal cymdeithasol (fel cymorth yn y cartref neu gartrefi gofal) a gwirio eu hansawdd, ewch i: arolygiaethgofal.cymru

Ymchwil i ddementia

Alzheimer's Research UK

Mae Alzheimer Research UK, sef Alzheimer's Research Trust gynt, yn barnu mae ei rhaglen ymchwil yw'r orau yn y maes ac yn cynnig gobaith o gael atebion yn y frwydr yn erbyn dementia. Gweler: www.alzheimersresearchuk.org

Bradford Dementia Group

Wedi'i sefydlu yn 1992, dyma grŵp amlddisgyblaethol ac amlbroffesiynol sydd wedi ymrwymo i wneud gwahaniaeth i bolisi ac ymarfer mewn gofal dementia. Cenhadaeth y grŵp hwn yw gweithio gyda ymarferwyr a phobl broffesiynol i wella ansawdd bywyd a gofal i bobl â dementia a'u teuluoedd. www.brad.ac.uk/health/dementia

Atwrneiaeth Arhosol

Gweinyddir Atwrneiaeth Arhosol gan Swyddfa'r Gwarcheidwad Cyhoeddus, sef adran weinyddol y Llys Gwarchod ac Asiantaeth Weithredol y Weinyddiaeth Gyfiawnder. Ewch i www.olderpeoplewales. com a chwiliwch am atwrneiaeth arhosol.

Dogfen gyfreithiol yw Atwrneiaeth Arhosol (LPA – *Lasting Power of Attorney*) sy'n galluogi person â galluedd ac sydd dros 18 oed (Rhoddwr) i ddewis person arall neu bobl eraill (Atwrnai) i wneud penderfyniadau ar ei rhan. Mae dau fath gwahanol o LPA:

- LPA eiddo a materion ariannol – ar gyfer penderfyniadau sy'n ymwneud ag arian, megis gwerthu tŷ'r Rhoddwr neu reoli ei gyfrif banc, ac
- LPA iechyd a lles – ar gyfer penderfyniadau sy'n ymwneud ag iechyd a lles personol, megis ble i fyw, gofal o ddydd i ddydd neu gael triniaeth feddygol.

Penodir Atwrnai i wneud penderfyniadau fel y byddai'r Rhoddwr wedi'u gwneud a rhaid iddynt weithredu er lles gorau'r Rhoddwr. Rhaid cofrestru LPA gyda Swyddfa'r Gwarcheidwad Cyhoeddus cyn y gellir ei defnyddio. Gall y Rhoddwr gofrestru'r LPA tra bydd ganddo alluedd, neu gall yr Atwrnai gofrestru'r LPA ar unrhyw adeg. Mae tudalen Cofrestru Atwrneiaeth Arhosol neu Barhaus ar wefan Swyddfa'r Gwarcheidwad Cyhoeddus yn cynnwys pecyn y gellir ei lawrlwytho sy'n cynnwys y ffurflenni perthnasol i gofrestru LPA, ewch i www.gov.uk a chwiliwch am atwrneiaeth arhosol.

Llyfrau

Alzheimer's from the Inside Out, Richard Taylor, Health Professions Press, 2007

Contented Dementia, Oliver James, Vermilion, 2008

Keeper: Living with Nancy: A Journey into Alzheimer's, Andrea Gillies, Short Books, 2009

Living and Dying with Dementia: Dialogues about Palliative Care, Neil Small, Katherine Froggatt a Murna Downs, Oxford University Press, 2007

Telling Tales about Dementia: Experiences of Caring, golygwyd gan Lucy Whitman, Jessica Kingsley Publishers, 2010. I'w gyhoeddi yn y Gymraeg 2019

The Year of Magical Thinking, Joan Didion, Fourth Estate, 2005

Remind me who I am again, Linda Grant, Granta, 1998

My Bonnie: How Dementia Stole the Love of my Life, John Suchet, HarperCollins, 2010

Before I Forget, Fiona Phillips, Preface, 2010

Tell Mrs Mill her Husband is Still Dead, casglwyd gan David Clegg (casgliad o hanesion pobl â dementia), ar gael o www.trebusprojects.org

My Journey into Alzheimer's Disease, Robert Taylor, Tyndale House, 1989

Nodiadau

[1] www.dementiastatistics.org/statistics/diagnoses-in-the-uk, gwelwyd 15 Ebrill 2019

[2] Llywodraeth Cymru (2018), *Cynllun Gweithredu Cymru ar gyfer Dementia 2018–2022*, t. 5

[3] Ibid., t. 3

CENT 15·08·19